FLORIAN SCHWIECKER
MICHAEL TSOKOS

DIE 7. ZEUGIN

Justiz-Krimi

Originalausgabe Februar 2021
Knaur Taschenbuch
© 2021 Knaur Verlag
Ein Imprint der Verlagsgruppe
Droemer Knaur GmbH & Co. KG, München
Alle Rechte vorbehalten. Das Werk darf – auch teilweise –
nur mit Genehmigung des Verlags wiedergegeben werden.
Ein Projekt der AVA International GmbH Autoren- und Verlagsagentur
www.ava-international.de
Redaktion: Lena Klein
Covergestaltung: ZERO Werbeagentur, München
Coverabbildung: Josep Curto /sirtravelalot / shutterstock.com
Satz: Sandra Hacke
Druck und Bindung: CPI books GmbH, Leck
ISBN 978-3-426-52755-9

4 5

I. KAPITEL

Berlin-Charlottenburg, Fredericiastraße 7:
Sonntag, 12. Januar, 8.10 Uhr

Nikolas Nölting drehte sich noch einmal um und sah zu seiner Tochter Lily, die ihm vom Fenster ihrer Wohnung im Hochparterre des Berliner Altbaus aus zuwinkte. Voller Liebe und Zuneigung winkte er zurück und lächelte sie kurz an. Dann wandte er sich um, zog die Schlaufe seines grauen Fahrradhelmes etwas enger und stieß sich kräftig mit seinem rechten Fuß vom Bürgersteig ab.

Kalt wehte ihm der Fahrtwind ins Gesicht, und Nölting fröstelte. Während er krampfhaft mit der linken Hand den Lenker festhielt, um nicht umzukippen, zog er mit der rechten Hand den Reißverschluss seiner blauen Funktionsjacke bis unters Kinn und geriet dabei kurz ins Straucheln. Nölting fluchte leise, fing dann das Fahrrad aber im letzten Moment ab. Erleichtert atmete er tief aus, ehe er rechts in die Königin-Elisabeth-Straße einbog. Um diese Zeit herrschte sonntags kaum Verkehr. Kurz entschlossen überfuhr er die rote Fahrradampel Ecke Kaiserdamm und radelte dann quer über die Kreuzung in östlicher Richtung.

Nölting war wegen der vielen Arbeit in letzter Zeit wenig zum Fahrradfahren gekommen. Er legte ein für seine Verhältnisse flottes Tempo vor, weshalb er leicht außer Atem war, als er etwa sieben Minuten später sein Ziel in der Neuen Kantstraße erreichte: die Bäckerei »Aux Délices Français«. Er stieg von seinem Fahrrad ab, um es an dem Straßenschild anzuketten, und sah zu dem uniformierten Polizisten hinüber, der vor der Bäckerei stand.

»Guten Morgen«, grüßte er den nicht mehr ganz jungen Beamten freundlich und lächelte ihm zu.

»Morgen«, erwiderte der knapp und musterte Nölting eingehend. Erst als dieser weiterlief, schaute der Polizist wieder konzentriert auf sein Smartphone.

Nölting atmete tief durch. Mit schnellen Schritten ging er auf die Bäckerei zu, blieb dann aber abrupt vor der Eingangstür stehen und drehte sich um. Der Polizeibeamte, der das aus dem Augenwinkel mitbekommen hatte, sah kurz zu ihm herüber.

Nölting zuckte mit den Schultern. »Mein Beutel«, sagte er und zeigte zu dem Fahrrad, wo seine alte Stofftasche über dem Lenker hing. Der Beamte nickte und widmete sich wieder seinem Handy.

Jetzt, dachte Nölting. *Jetzt oder nie.* Sein Puls stieg an, und sein Herz raste. Nervös atmete er noch einmal tief ein und ging wieder zurück in Richtung seines Fahrrades. Auf Höhe des Polizisten blieb er unvermittelt stehen und schlug mit aller Kraft, die er aufbringen konnte, mit seiner rechten Faust gegen die Schläfe des Mannes. Ein stechender Schmerz schoss durch seine Fingerknöchel, während der Beamte, ohne einen Laut von sich zu geben, in sich zusammensackte. Nölting schüttelte seine Hand. Panik stieg in ihm auf. Wenn er jetzt seine Finger nicht mehr benutzen konnte, weil etwas gebrochen war, war alles umsonst. Vorsichtig ballte er seine Hand zur Faust, öffnete sie dann wieder. Es tat höllisch weh, aber die Motorik funktionierte noch. Das war alles, was zählte. *Reiß dich zusammen,* dachte er und kämpfte gegen den Instinkt an, einfach davonzurennen. Tief atmete er durch die Nase ein und durch den Mund wieder aus. *Bloß nicht durchdrehen! Einen Schritt nach dem anderen.* Er gab sich einen Ruck und beugte sich dann eilig zu dem Polizisten hinunter. *Ich muss an die Waffe kommen. Schnell!* Nölting drehte den Beamten auf die Seite, öffnete die Sicherung des Holsters und nahm die Pistole vom Typ SIG Sauer 225 an sich. Er hatte sich zuvor im Internet informiert, welche Waffen die Berliner Polizei verwendete, und in einem Geschäft für Jagdbedarf in Brandenburg genau erklären lassen, wie diese zu handhaben waren. Unter dem Vorwand, er wolle einen Jagdschein machen, hatte er sich dann auch zu einem Schießtraining angemeldet und recht schnell eine gewisse Routine mit Handfeuerwaffen erlangt.

Erleichtert stellte Nölting fest, dass alles genauso war, wie er es geübt hatte. Alles lief genau nach Plan. Mit einem kurzen Blick vergewisserte er sich, dass die Waffe schussbereit war. Dann drückte er sich hastig vom Boden ab und eilte in Richtung Bäckerei. Sein Puls raste, auf seiner Stirn fühlte er kalten Schweiß. Dennoch versuchte Nölting, so ruhig wie möglich zu bleiben.

Entschlossen öffnete er die Tür und betrat den gut gefüllten Verkaufsraum. Es roch nach frischen Brötchen und Kaffee, und es schien, als hätten die drei Verkäuferinnen allerhand zu tun, die Wünsche der zahlreichen Kunden zu erfüllen. Hektisch sah Nölting sich um. Ihm blieb kaum Zeit. Er musste jetzt handeln. Ein letzter Blick. Dann hob er die Pistole und gab in kurzer Folge vier Schüsse ab. Der Knall jedes einzelnen Schusses war ohrenbetäubend, und die Menschen im Verkaufsraum zuckten erschrocken zusammen.

Die blonde Verkäuferin, die ganz links am Tresen stand, wurde von der Wucht des ersten Geschosses nach hinten geschleudert. Es hatte ihren rechten Oberarm getroffen. Sie hing jetzt in dem Regal zwischen Brötchen und Baguettes. Instinktiv presste sie ihre linke Hand auf die Wunde. Zwischen ihren Fingern bildete sich auf dem weißen Stoff ihrer Bluse ein roter Fleck, der immer größer wurde. Der Schock stand ihr ins Gesicht geschrieben. Entsetzt starrte sie Nölting mit offenem Mund an, dann sackte sie ohnmächtig zusammen.

Der zweite und dritte Schuss trafen einen dunkelhaarigen Mann in einem blauen Anzug, der an einem der Bistrotische saß und entspannt seinen morgendlichen Espresso getrunken hatte. Als hätte man ihm den Stecker herausgezogen, war er schlaff nach vorn gekippt und lag zusammengesunken mit dem Oberkörper auf dem Tisch. Er bewegte sich nicht mehr – sein Gesichtsausdruck war starr und leer.

Die vierte Pistolenkugel hatte das Bein eines älteren Herrn in einem braunen Mantel getroffen, der weiter vorne in der Schlange gestanden hatte. Der Mann war sofort mit einem spitzen Schrei in sich zusammengesunken. Wimmernd saß er jetzt auf dem Boden und blickte mit einer Mischung aus Schmerz und Angst zwischen seinem blutigen Bein und Nölting hin und her.

Das alles geschah sehr schnell – von Nöltings Betreten der Bäckerei bis zur Abgabe des letzten Schusses waren nicht einmal zwanzig Sekunden vergangen. Erst jetzt begriffen die übrigen Anwesenden, was hier gerade passierte. Schlagartig brach Panik aus. Eine alte Frau in einem blauen Regenmantel floh an Nölting vorbei aus dem Laden, während sich die anderen Kunden hinter dem Verkaufstresen und den kleinen Bistrotischen in Sicherheit zu bringen versuchten.

Nölting bekam das alles nur noch wie durch einen Filter mit. Vor seinen Augen verschwammen die Bilder zu einem Farbbrei, die Schreie der Menschen hörte er wie durch Watte. Für einen Moment dachte er, er würde ohnmächtig werden, doch er wusste, dass das jetzt nicht passieren durfte. Er biss sich auf die Unterlippe, bis sie blutete, um bei Bewusstsein zu bleiben. Es dauerte eine Weile, bis er seine Umgebung wieder wahrnahm und sein Gehör zurückkehrte. Benommen blickte er sich um und starrte in angsterfüllte Gesichter. Dann ließ er, von einer Sekunde auf die nächste, die Waffe neben sich fallen, kniete sich auf den Boden und verschränkte die Hände hinter dem Kopf. Er hatte es getan. Nölting schloss die Augen und dachte an seine Tochter Lily.

2. KAPITEL

Waren das Explosionen? Träumte er? Langsam wurden die Geräusche klarer, und Polizeioberkommissar Andreas Schäfer erlangte sein Bewusstsein zurück. Im ersten Moment dachte er, er würde zu Hause in seinem Bett liegen und aus einem tiefen Schlaf erwachen, doch dann holte ihn die Realität brutal ein. Hinter seiner linken Schläfe spürte er einen Schmerz, der sich anfühlte, als würde eine ganze Kompanie von Bauarbeitern mit Presslufthämmern seinen Kopf bearbeiten. Er schlug die Augen auf. Die Bäckerei. Warum um alles in der Welt lag er hier vor dem »Aux Délices Français«? Vorsichtig stützte er sich ab, um aufzustehen, als er Schreie hörte. Die Tür der Bäckerei wurde aufgestoßen, und eine ältere Dame in einem blauen Regenmantel stürmte panisch heraus. Sie achtete auf nichts und niemanden und rannte, so schnell sie ihre Beine trugen, den Bürgersteig entlang.

In diesem Moment begriff Polizeioberkommissar Schäfer, dass hier gerade etwas Schreckliches passierte. Das waren keine Explosionen in einem seiner Träume. Das waren echte Schüsse gewesen.

Ihm war klar, dass er mit seinen einundsechzig Jahren nicht mehr der Jüngste war, und er gestand sich ein, dass er in letzter Zeit körperlich ein wenig abgebaut hatte. Ohne auf die Schmerzen zu achten, zwang er sich auf die Beine. Verstärkung rufen war keine Option, es kam auf jede Sekunde an. Jede Verzögerung konnte Menschenleben kosten. Schäfer griff nach seiner Pistole und erschrak. Sein Sicherungsholster war leer. Und dann wusste er auch, warum: Der Mann mit der Tasche und dem Fahrrad hatte ihn brutal niedergeschlagen, offensichtlich um an seine Dienstwaffe zu kommen. Egal, das änderte jetzt auch nichts. So schnell es ging, stürmte er die drei Meter auf die Eingangstür zu. Durch die Scheiben konnte er sehen, dass zahlreiche Kunden geduckt hinter kleinen Tischen und den dazugehörigen Stühlen oder an der Seite der Regale hockten. Schäfer blickte hastig von links nach rechts, als er die Eingangstür aufriss. Wo war der Kerl? Es gab hier niemanden, der wild um sich schoss. Dann sah er, wie zwei der Kunden, die rechts von ihm an die Wand gelehnt kauerten, auf einen Mann zeigten, der vor dem Verkaufstresen auf dem Boden kniete. Schäfer erkannte ihn sofort wieder. Das war der Mann mit der Tasche und dem Fahrrad. »Keine Bewegung! Rühr'n Se sich nich!«, schrie er ihn an und eilte mit zwei schnellen Schritten auf ihn zu. Er stieß ihn nach vorne und drückte ihm sein rechtes Knie so in den Rücken, dass der Täter flach auf dem Boden zu liegen kam, das Gesicht nach unten gepresst, die Arme ausgestreckt neben sich. Der Mann machte zu Schäfers großer Verwunderung keine Anstalten, sich zu wehren. Dann entdeckte der Polizeioberkommissar seine Dienstwaffe, die direkt neben ihm auf dem Boden des Verkaufsraums lag. Er griff sich die SIG Sauer und befahl in einem Ton, der keinen Widerspruch duldete: »Hände uff den Rücken!«

Der Mann gehorchte. Schäfer legte ihm die Handfesseln an.

3. KAPITEL

Berlin-Moabit, Kriminalgericht Moabit:
Montag, 20. Juli, 9.44 Uhr

»Herr Nikolas Nölting wird angeklagt, in Berlin am 12. Januar um 8.26 Uhr einen Menschen heimtückisch getötet und zwei weitere Menschen lebensgefährlich verletzt zu haben. Der Angeklagte hat sich dadurch des Mordes in Tatmehrheit mit zweifachem versuchtem Mord und gefährlicher Körperverletzung strafbar gemacht.«

Oberstaatsanwalt Doktor Bäumler genoss es ganz offensichtlich, die Anklageschrift zu verlesen. Und das war kein Wunder, denn der Fall Nölting hatte in den vergangenen Monaten die Schlagzeilen der Berliner Boulevardpresse wie kaum ein anderes Ereignis beherrscht. Niemand konnte sich erklären, wie der unscheinbare Verwaltungsbeamte aus heiterem Himmel zum gefährlichen Killer werden konnte.

Langsam blickte Bäumler über die dicht besetzten Reihen im Schwurgerichtssaal 700 des Kriminalgerichts in Berlin-Moabit. Obwohl er gerade einen Meter fünfundsiebzig maß und leicht untersetzt war, stellte er mit seinen kurzen, hellgrauen Haaren und dem markanten Kinn eine imposante Erscheinung dar. Dieser Eindruck wurde noch dadurch verstärkt, dass er anstelle der üblichen Krawatte eine weiße Fliege zu seinem makellosen Hemd trug. Es war allgemein bekannt, dass Bäumler stets auf sein Äußeres achtete und das Rampenlicht liebte. Und mit diesem spektakulären Fall schien er der Berliner Öffentlichkeit wieder einmal beweisen zu wollen, dass er der Hüter des Gesetzes war und mit unerbittlicher Härte durchgriff, wenn es darum ging, einen Verbrecher hinter Gitter zu bringen.

Mit abschätzigem Ausdruck schaute der Oberstaatsanwalt, sodass es auch ja niemandem entgehen konnte, zu Nölting, ehe er mit der Verlesung der Anklageschrift fortfuhr.

Auf Bäumlers Blick hin drehte sich Rocco Eberhardt, Nöltings Verteidiger, zu seinem Mandanten um. Nölting saß zusammengesunken unmittelbar hinter dem Tisch der Verteidigung, in dem Bereich, der im Schwurgerichtssaal die Angeklagten durch eine Glasscheibe von den übrigen Beteiligten trennte. Nölting starrte ausdruckslos auf den vor ihm liegenden Leitz-Ordner. Er war ein unscheinbarer Mann, das komplette Gegenteil von Bäumler, mit einem Allerweltsgesicht, das einem auf der Straße nicht auffallen würde.

Eberhardt fuhr sich mit der Hand durch seine dunklen Haare und lockerte die Krawatte über seinem blauen Hemd. In der Presse wurde darüber spekuliert, warum er, einer der renommiertesten Strafverteidiger der Stadt, das Mandat angenommen hatte, denn die Sache Nölting konnte er nach allgemeiner Auffassung nur verlieren.

Eberhardt selbst sah das vollkommen anders. Ein Fall war erst verloren, wenn das Gericht in letzter Instanz das Urteil gesprochen hatte – und davon waren sie hier noch meilenweit entfernt. Beiläufig notierte er sich etwas in der Akte und blickte dann zu Oberstaatsanwalt Bäumler. Der war sichtlich um die Aufmerksamkeit der zahlreichen Gerichtsreporter bemüht, die sich in der ersten Reihe des Zuschauerblocks eifrig Notizen machten. *Was für ein Lackaffe!* Eberhardt schüttelte kaum merklich den Kopf. Er konnte Menschen wie Bäumler nicht ausstehen, denen es weniger um ihre Arbeit als vielmehr um die Inszenierung ihrer eigenen Person ging. Aber damit würde er dieses Mal nicht durchkommen, auch wenn momentan noch alle Fakten gegen Nölting sprachen. Denn irgendetwas war hier faul.

Warum hatte sein Mandant einfach in der Bäckerei um sich geschossen? Dass er plötzlich durchgedreht war, konnte Rocco Eberhardt sich nicht vorstellen. Aber welchen Zweck hatte er dann verfolgt? Was auch immer hinter dieser scheinbar absurden Tat steckte, Nölting musste einen Grund gehabt haben. Und auch wenn Rocco Eberhardt noch im Dunkeln tappte, hatte er sich fest vorgenommen, herauszufinden, was das war.

4. KAPITEL

Berlin-Wilmersdorf, Tübinger Straße:
Sonntag, 12. Januar, 9.23 Uhr

Mit einem großen Cappuccino stand Rocco Eberhardt auf der Terrasse seiner Dachgeschosswohnung unweit des Bundesplatzes in Berlin-Wilmersdorf und begrüßte den Tag. Ein Ritual aus seiner Kindheit, das er von seiner italienischen Oma, seiner Nonna, gelernt hatte. *Il corpo e l'anima ridono a chi si alza di buon mattino:* Der Körper und der Geist lächeln dem zu, der früh aufsteht, hatte sie immer gesagt. Rocco musste an die Zeit denken, als er noch zur Grundschule ging und fast die gesamten Sommerferien in Italien bei seinen Großeltern verbringen durfte. Sie hatten eine kleine Pension in der Nähe von Neapel geführt und waren an den heißen Tagen immer mit ihm zum Strand gegangen. Er schloss die Augen und konnte förmlich den weichen, warmen Sand unter seinen Füßen spüren. Anfangs hatte er großen Respekt vor den Wellen und dem weiten Meer gehabt. Das änderte sich, als sein Großvater ihm das Schwimmen beigebracht hatte. Von da an hatten seine Großeltern Schwierigkeiten, ihn wieder aus dem Wasser zu bekommen. Er hatte es geliebt, bei seinen italienischen Nonni zu sein. Seit ihrem Tod vor fünfzehn Jahren war er nie wieder nach Italien gefahren.

Unten im Hof wurde eine Tür zugeworfen, und Rocco schreckte aus seinen Gedanken. Er schlug die Augen auf und schaute in den bedeckten Himmel. Es war heute sehr kalt, nur knapp über null Grad. Er fröstelte ein bisschen, denn er hatte wie meistens, wenn er nicht im Büro war, nur eine beige Chinohose und ein dunkelblaues T-Shirt an. Ganz gleich, ob Sommer oder Winter. Rocco warf noch einen letzten Blick über die Dächer von Berlin und ging dann zurück in seine Wohnung. Das große Zimmer mit der offenen Küche war lichtdurchflutet und trotz der vielen Fenster so geschnitten, dass man es von außen kaum einsehen konnte. Eberhardts Blick fiel auf den langen, massiven Esstisch aus Nussbaumholz, den er auch zum Arbeiten nutzte und auf dem ein großer Stapel Akten lag. *Was soll's,* dachte er, stellte seinen Becher ab und wollte gerade mit der Arbeit beginnen, als sein Telefon vibrierte. Eine Whatsapp-Sprachnachricht seiner »kleinen« Schwester Alessia. Mit ihren achtundzwanzig Jahren war sie ganze dreizehn Jahre jünger als er. Und obwohl sie sich mit ihrem dunklen Teint und den fast schwarzen Haaren vom Aussehen her ähnelten und beide eher nach ihrer italienischen Mutter als nach ihrem deutschen Vater kamen, hätten sie vom Charakter her nicht unterschiedlicher sein können. Alessia entsprach dem Stereotyp einer Südländerin. Sie redete mit Händen und Füßen, war laut und begeisternd und sagte immer geradeheraus, was sie dachte und fühlte. Auch Rocco mochte auf den ersten Blick wie ein offener Mensch wirken, unterhaltsam und souverän in Gesellschaft. Wie es aber in seinem Inneren aussah und was er wirklich fühlte, teilte er mit niemandem.

Trotz dieses Unterschiedes hatten die Geschwister sehr viele Gemeinsamkeiten. Sie liebten gutes, natürlich vorzugsweise italienisches Essen, Musik, die Natur und waren stets füreinander da. Es gab nur einen einzigen Punkt, der immer wieder für Streit sorgte: Das war das Verhältnis zu ihrem Vater. Rocco hatte vor vielen Jahren mit ihm gebrochen und mied, so gut es ging, jeden Kontakt. Für Alessia hingegen war ihr Papa das große Vorbild und ihr Held. Eine Vaterfigur durch und durch. Sie hatte nicht mitbekommen, was damals zwischen Vater und Sohn vorgefallen war – sie war noch zu klein, als die Situation eskalierte, gerade mal drei Jahre alt. Und Rocco hatte es ihr bisher nie erzählt. Es hätte sowieso nichts geändert.

Wahrscheinlich ahnte Alessia trotzdem, dass es einen dunklen Punkt in der Vergangenheit gab, der Roccos Verhalten erklärte. Auch wenn sie nicht zu wissen schien, was es war, tat es ihr offenbar sehr weh. Sie war ein Familienmensch durch und durch. Alessia lebte nicht in der Vergangenheit, sondern blickte stets nach vorne. Das war wohl auch der Grund, warum sie immer wieder versuchte, das Verhältnis zwischen ihrem Bruder und ihrem Vater zu kitten.

Rocco öffnete die Nachricht und freute sich, die Stimme seiner Schwester zu hören. Die Qualität war ausgezeichnet, als würde sie direkt vor ihm stehen.

»Hallo, großer Bruder, ich hoffe es geht dir gut und du sitzt nicht schon wieder über deinen Fällen! Heute ist Sonntag, und du solltest den Tag mal freinehmen.«

Rocco musste lachen. Seine Schwester kannte ihn doch verdammt gut. Als er den nächsten Teil der Nachricht hörte, verfinsterte sich allerdings sein Gesicht.

»Hör mal, ich habe mit Papa telefoniert. Und auch wenn es nicht einfach war, hab ich ihn überreden können, dass ihr euch am nächsten Freitag zum Essen treffen könnt. Um 12.30 Uhr im *Numi* am Zoo. Du weißt doch, das ist oben auf dem Hotel, gegenüber von der *Elephant Bar*. Tu mir den Gefallen und sei nicht zu spät, ja? Tausend Küsse. Und denk dran: Nicht mehr so viel arbeiten heute.«

Rocco Eberhardt fluchte leise. Das war das Allerletzte, worauf er jetzt Lust hatte. Ein Treffen mit seinem Vater. Alessia schien das geahnt zu haben, denn im nächsten Moment kam eine zweite Sprachnachricht.

»Hey. Nicht so ärgern. Ich weiß, du hast keine Lust. Also tu es einfach für Mama und mich! Daaaanke!«

Rocco schüttelte den Kopf. Sosehr er seine Schwester liebte, so wenig konnte er es leiden, wenn sie sich in etwas einmischte, das sie nicht verstand. Vielleicht war es ja doch an der Zeit, ihr zu erzählen, was ihn und seinen Vater vor so vielen Jahren auseinandergebracht hatte.

5. KAPITEL

Berlin-Charlottenburg, Neue Kantstraße,
vor der Bäckerei »Aux Délices Français«:
Sonntag, 12. Januar, 9.45 Uhr

Doktor Justus Jarmer, Facharzt am Berliner Institut für Rechtsmedizin, wies sich mit seinem Dienstausweis dem Beamten gegenüber aus, der den Tatort absicherte. Jarmer war knapp einen Meter achtzig groß und hatte dunkle, fast schwarze, lockige Haare. Zu einer blauen Jeans trug er ein weißes Poloshirt. Seine auffallend grünen Augen strahlten Ruhe und gleichzeitig die Erfahrung eines Mannes aus, der in seinem Leben schon vieles gesehen hatte.

Seit der Tat war eine gute Stunde vergangen. Rund um die Bäckerei lief die Polizeiarbeit auf Hochtouren. Zahlreiche Einsatzwagen der Schutzpolizei sowie ein Bus der Spurensicherung und auch ein Übertragungswagen eines lokalen Fernsehsenders säumten die Szenerie. Die Verletzten waren längst mit zwei Notarztwagen abtransportiert worden.

Jarmer blickte auf seine Uhr. Eigentlich hatte er in der nächsten Stunde mit seiner Frau und den Kindern noch einen Ausflug geplant, doch das konnte er sich jetzt wohl abschminken. Es gehörte zu seinen Aufgaben, eine erste Inaugenscheinnahme der Leichen unmittelbar am Tatort vorzunehmen. Anhand von Spuren zu rekonstruieren, was genau geschehen war. Der Polizei Hinweise zu möglichen Tatwaffen und der ungefähren Todeszeit zu geben. Dinge, die in diesem Fall aber eher von untergeordneter Bedeutung waren, denn es gab zahlreiche Augenzeugen des Geschehens.

»Mein Name ist Jarmer, ich bin der Rechtsmediziner«, wandte er sich an einen Beamten, der neben dem Eingang der Bäckerei stand und etwas in seinen Block notierte. »Können Sie mir sagen, wer hier den Einsatz leitet?«

»Das ist vorläufig die Kollegin Pox vom Kriminaldauerdienst«, erwiderte der und zeigte in Richtung eines Streifenwagens, bei dem eine Frau von etwa vierzig Jahren mit dunklen Haaren, einer abgewetzten Lederjacke und einem auffallend blassen Teint stand.

Jarmer bedankte sich und ging zu der Kommissarin. Nachdem er sich erneut vorgestellt und sie die üblichen Höflichkeiten ausgetauscht hatten, fragte er sie: »Wissen Sie schon, was hier genau passiert ist?« Er wollte sich erst einmal einen Überblick verschaffen, bevor er mit seiner eigentlichen Arbeit begann.

Kerstin Pox nickte und erwiderte knapp: »Mehrfache Schussabgabe. Zwei Schwerverletzte und ein Toter. Und eine ganze Menge Zeugen, allen voran der Kollege Schäfer, der zufällig am Tatort war und den Schützen überwältigt hat.« Sie zeigte auf einen älteren Beamten in Uniform, der in einem Krankenwagen gerade von einer Ärztin behandelt wurde. »Ich bin auch gerade erst gekommen, lassen Sie uns doch zusammen zu ihm rübergehen, die scheinen gerade fertig zu werden«, sagte sie.

Gemeinsam mit der Beamtin machte Jarmer sich auf den Weg zu Schäfer. Mit fachmännischem Blick musterte er den Polizisten. Dessen linke Schläfe war geschwollen, die Haut über und unter seinem linken Auge schimmerte rötlich. *Das Hämatom sackt der Schwerkraft folgend nach unten,* ging es Jarmer durch den Kopf. Trotzdem machte er einen gefassten Eindruck. Kerstin Pox stellte Jarmer kurz vor, und Schäfer nickte den beiden freundlich zu. Mit leichtem Berliner Akzent sagte er: »Ick bin hier sicherlich gleich fertig, ein Sekündchen noch.«

Die behandelnde Ärztin händigte Schäfer zwei Zettel aus, auf denen neben der Diagnose vermerkt war, welche Untersuchungen sie durchgeführt und welche Medikamente sie verabreicht hatte, ehe sie ihm auf die Schulter klopfte und sagte: »So, und vergessen Sie nicht, dass Sie heute noch ins Krankenhaus müssen, damit Sie noch mal ordentlich untersucht und vor allen Dingen auch geröntgt werden.«

Schäfer musste grinsen. »Wird schon werden«, sagte er und kletterte dann aus dem Krankenwagen.

»Können wir kurz mit Ihnen reden?«, fragte Pox, und Schäfer nickte.

»Ja, is nich so schlimm. Hab 'nen harten Schädel und is wohl nüscht passiert außer 'ner dicken Beule und 'nem blauen Auge.«

Jarmer musste lächeln. Von dem könnten sich einige Beamte ruhig mal eine Scheibe abschneiden, dachte er. Aus langjähriger Erfahrung wusste er, dass der Krankenstand in den Reihen der Polizei viel zu hoch war, und er hatte den Eindruck, dass gerade die jungen Beamten außerordentlich anfällig waren.

»Ick globe, wir setzen uns lieber in einen der großen Wagen, da können wa in Ruhe reden«, sagte Schäfer. »Die Kollegen von der Spurensicherung sind gerade jekommen, um mit der Tatortarbeit zu beginnen, sonst stehen wir denen nur im Weg rum, wa?«

Gute Idee, dachte Jarmer. Je mehr Informationen er jetzt erhalten würde, desto leichter würden ihm die anstehende Untersuchung des Toten und die Rekonstruktion der Ereignisse fallen. Gemeinsam mit den beiden Kommissaren setzte er sich in den Polizeibus, und Schäfer begann gerade zu erzählen, was in der letzten Stunde passiert war, als plötzlich ein Handy klingelte. Das Klingeln kam vom Beifahrersitz. Neben einem Schlüsselbund, einer Packung Taschentücher und einer Rolle Pfefferminzbonbons lag da ein Handy.

»Auweia«, sagte Schäfer. »Det sind ja die Sachen, die ick dem Täter abjenommen habe. Ick hab die hierhinjelegt und ganz vergessen. Soll ick da ranjehen?«, fragte er.

Kerstin Pox schüttelte den Kopf und griff sich das Telefon. Auf dem Display konnte Jarmer den Namen des Anrufers erkennen. In weißen Buchstaben auf schwarzem Hintergrund las er: *Anja Home*.

6. KAPITEL

Anja Nölting starrte aus dem großen Fenster ihrer Küche auf die Straße und war außer sich vor Sorge. Nikolas war jetzt schon zwei Stunden weg. Normalerweise drehte er nach dem Bäcker immer noch mal eine Runde über den Ku'damm, um den Kopf frei zu kriegen, wie er sagte, aber er war noch nie länger als eine Stunde weg gewesen. Sie wollten ja spätestens um halb zehn frühstücken.

Zum vierten Mal rief sie auf dem Handy ihres Mannes an und hoffte inständig, dass er sich endlich meldete. Die Angst, dass ihm etwas passiert war, wuchs mit jedem Klingeln.

»Verdammt noch mal, geh doch bitte endlich ran!«, fluchte sie, mehr aus Verzweiflung als vor Ärger. Im selben Moment hörte das Klingeln auf. Nikolas hatte tatsächlich abgenommen. »Nikolas, oh, mein Gott, ich habe mir solche Sorgen gemacht. Warum hast du denn nicht angerufen?«

Aber es war nicht Nikolas, der antwortete. Stattdessen meldete sich eine Frauenstimme.

»Hallo, guten Tag. Mit wem spreche ich bitte?«

Anja Nöltings Zuversicht war von einem Moment auf den anderen wie weggeblasen. Panik stieg in ihr auf.

»Wer sind Sie?«, rief sie verzweifelt in den Hörer. »Was ist mit meinem Mann? Wo ist Nikolas?«

»Hören Sie jetzt bitte genau zu und bleiben Sie ganz ruhig«, erwiderte die Stimme am anderen Ende der Leitung. »Mein Name ist Pox, ich bin von der Kriminalpolizei. Sind Sie Anja Nölting, die Frau von Nikolas Nölting?«

Anja war starr vor Angst. Was war mit Nikolas geschehen, und warum ging die Polizei an sein Telefon?

»Hallo, sind Sie noch dran?«, fragte die Stimme wieder. »Sind Sie Anja Nölting?«

»Ja«, erwiderte sie mit schwacher Stimme. »Ja, das bin ich.«

»Entschuldigen Sie bitte, Frau Nölting. Ich musste erst sichergehen, dass Sie auch sind, wer Sie vorgeben zu sein. Und bitte beruhigen Sie sich. Ihrem Mann geht es gut, er kann nur gerade nicht ans Telefon kommen.«

»Es geht ihm gut, sagen Sie? Oh, Gott, da bin ich aber erleichtert. Danke, vielen Dank! Wo ist er denn, und warum kann er nicht mit mir sprechen?«

»Frau Nölting, auch wenn es Ihrem Mann gut geht, muss ich Ihnen sagen, dass etwas Schlimmes passiert ist. Es hat hier eine Schießerei gegeben. Ihr Mann ist nicht verletzt, aber wir müssen ihn noch weiter festhalten. Sie können natürlich später zu ihm. Deshalb würde ich jetzt gerne mit einem Kollegen zu Ihnen nach Hause kommen, damit ich Ihnen alles erzähle und Ihnen auch ein paar Fragen stellen kann. Wäre das okay für Sie?«

»Eine Schießerei?«

»Ja, aber Ihrem Mann ist nichts passiert.«

Anja Nölting verstand die Welt nicht mehr. Eine Schießerei? Als ihr die Polizistin dann noch einmal ausdrücklich versicherte, dass ihr Mann nicht verletzt war, stimmte Anja Nölting schließlich zu.

»Gut, in einer Dreiviertelstunde sind wir da«, sagte die Kommissarin abschließend. »Bleiben Sie ruhig, es wird sich alles klären!«

Anja Nölting war vollkommen durcheinander, als sie auflegte. Was um alles in der Welt war mit Nikolas passiert?

7. KAPITEL

Berlin-Moabit, Kriminalgericht, Anwaltszimmer:
Montag, 13. Januar, 12.44 Uhr

Rocco Eberhardt verzog sein Gesicht und stellte den braunen Plastikbecher mit der dunklen Flüssigkeit angewidert vor sich ab. Was der Automat im Anwaltszimmer ausspuckte, war alles, nur kein Kaffee. Mit der rechten Hand lockerte er seine dunkle Krawatte und öffnete die beiden obersten Knöpfe seines hellblauen Hemdes. Seit einer knappen Stunde wartete er jetzt schon vergeblich darauf, dass sein nächster Termin, die Verhandlung um eine schwere Körperverletzung, aufgerufen wurde. Und gerade eben hatte er vom Wachtmeister erfahren, dass er wenigstens noch eine weitere Stunde warten müsste, was seine Laune nicht gerade verbessert hatte. Wie so oft verzögerten sich die Verhandlungen im Kriminalgericht auch heute, weil zu viele Termine in zu kurzen Abständen anberaumt waren. Rocco griff zu seinem Telefon, um sein Büro zu informieren, dass er später kommen würde, als etwas anderes seine Aufmerksamkeit erregte.

Am Eingang zum Anwaltszimmer redete eine blonde Frau Mitte dreißig in Designerjeans und heller Bluse schon seit ein paar Minuten auf die Empfangssekretärin ein. Ihr Tonfall wurde zunehmend ungeduldiger, und jetzt sah es so aus, als würde gleich ein Streit zwischen den beiden ausbrechen. Frau Schröder, die Empfangssekretärin, kam langsam an die Grenzen ihrer Geduld – und das wollte etwas heißen. Seit über zwanzig Jahren war sie die gute Seele, die den Eingang des Anwaltszimmers von

Europas größtem Strafgericht bewachte, und noch nie war jemand unberechtigt an ihr vorbeigekommen. Mit Ruhe und Souveränität erfüllte sie ihre Aufgabe so zuverlässig wie ein Schweizer Uhrwerk. Aber jetzt schien selbst sie kurz davor zu sein, ihre Fassung zu verlieren. Ihre dunklen Augen funkelten hinter ihrer schlichten schwarzen Brille, die im Kontrast zu ihren streng nach hinten frisierten grauen Haaren standen. Doch die blonde Frau ließ sich einfach nicht abwimmeln.

Eigenartig, die passt so gar nicht hier rein, dachte Eberhardt. *Zu gut angezogen, zu beharrlich, das machte irgendwie keinen Sinn.* Genau das weckte aber seine Neugier. Er liebte das Ungewöhnliche. Kurzerhand schob er den Plastikbecher mit der Automatenbrühe beiseite und ging zum Empfang.

»Noch mal, ich brauche einen Anwalt. Verstehen Sie doch, das ist eine Notsituation. Hier ist ein Irrtum passiert, und mein Mann sitzt jetzt im Gefängnis«, versuchte es die blonde Frau ein weiteres Mal. Sie klang verzweifelt und schien kurz vor einem Zusammenbruch zu stehen.

»Ich kann mich nur wiederholen«, erwiderte Frau Schröder gebetsmühlenartig. »Das hier ist keine Kanzlei, Sie sind im Gericht. Die Anwälte warten hier nur auf ihre nächsten Verhandlungen und ganz sicher nicht auf Sie. Rufen Sie bitte bei der Nummer an, die ich Ihnen gegeben habe. Das ist der Notdienst der Berliner Strafverteidiger. Die werden Ihnen ganz bestimmt helfen.«

Die blonde Frau schüttelte den Kopf und ließ sich immer noch nicht abwimmeln. Gerade als sie zu einem weiteren Anlauf ansetzen wollte, ging Rocco Eberhardt dazwischen. Vertrauensvoll blickte er sie an, ehe er ruhig sagte: »Mein Name ist Eberhardt, Rocco Eberhardt. Ich bin Strafverteidiger. Lassen Sie uns doch ein paar Schritte gehen.« Er wies mit seiner rechten Hand in Richtung des Flures vor dem Anwaltszimmer und zwinkerte dabei der Empfangssekretärin unauffällig zu. Zunächst irritiert und dann sichtlich erleichtert erwiderte sie seinen Blick. Sie schien froh zu sein, dass sie die anstrengende Person los war, verstand aber ganz offensichtlich nicht, warum sich Eberhardt der Sache angenommen hatte. Dann zuckte sie mit den Schultern und wandte sich wieder den Papieren vor sich zu.

Eberhardt schob die Frau sanft, aber bestimmt aus dem Eingang und musterte sie dabei von oben bis unten. Klassisch gekleidet, schlicht, aber teuer. Über dreißig, aber noch nicht vierzig. Selbstbewusst, aber verzweifelt. Und ganz offensichtlich ohne jeglichen Plan.

»Na, dann erzählen Sie mal, was hat Sie denn hierhergeführt?«

Sie musste erst einmal tief durchatmen. Dann sagte sie: »Mein Name ist Nölting. Und mein Mann Nikolas sitzt unschuldig im Gefängnis.«

8. KAPITEL

Einen Tag nach der Tat

Berlin-Moabit, JVA Moabit, Untersuchungsgefängnis:
Montag, 13. Januar, 14.03 Uhr

Hier werde ich also die nächsten Monate verbringen, dachte Nölting, als die schwere Zellentür mit einem lauten Krachen hinter ihm ins Schloss fiel. *Kein Holiday Inn, aber wenigstens bin ich allein.* Ihm war klar gewesen, dass er im Gefängnis landen würde. Wie es aber hinter Gittern wirklich aussah, hatte er sich nicht vorstellen können. Seine Befürchtung, dass sie ihn mit einem anderen Insassen in eine Zelle stecken würden, womöglich mit einem Schwerverbrecher oder Vergewaltiger, hatte sich zum Glück nicht bewahrheitet. Er hatte auch gar keine Ahnung, ob es in Deutschland überhaupt Gemeinschaftszellen gab. Seine gesammelten Kenntnisse, was Gefängnisse betraf, stammten aus US-amerikanischen Fernsehserien. Und die hatten ganz offensichtlich nichts mit der Realität in Moabit zu tun.

Sein Blick fiel auf das einfache Stahlrahmenbett. Die moosgrüne Farbe war an den meisten Stellen abgeplatzt, und die Matratze hatte schon bessere Zeiten gesehen. Vorsichtig ließ er sich nieder und streckte sich aus. Muffig. Alt. Durchgelegen. Ein Blick auf sein linkes Handgelenk erinnerte ihn daran, dass sie ihm auch die Uhr abgenommen hatten. Genau wie alles andere, bis auf sein blaues Poloshirt, seine Jeans, die Schuhe und natürlich seine Brille. Auch seinen Gürtel und die Schnürsenkel hatte man ihm gelassen, anders als er es aus dem Fernsehen kannte.

Wie spät war es eigentlich? Das Mittagessen war jetzt schon eine Weile her. Es musste nach zwei sein, schätzte er. Egal. Er war müde, überaus müde. In seiner ersten Nacht, die er noch in einer Zugangszelle in Europas größtem und vollkommen überbelegten Gefängnis verbracht hatte, hatte er kein Auge zugetan – er befand sich in einem Zustand zwischen totaler Erschöpfung und ständiger Angespanntheit. Zu viele Gedanken liefen in seinem Kopf um die Wette, und er konnte keinen zu Ende bringen.

Wie es wohl Lily ging? Er liebte sie so sehr. Noch bevor sie geboren wurde, hatte er ihr Zimmer gestaltet und eingerichtet. Die Wände rosa, ein Mobile über der Wickelkommode und sogar schon ein Schaukelpferd, das auf die Ankunft des Babys wartete. Voller Freude hatte er sich vorgenommen, ein Vater zu sein, auf den die Kleine stolz sein konnte. Ein cooler Vater. Aber auch ein Fels in der Brandung. Fußball spielen wollte er mit ihr. Und reiten. Und klettern. Vielleicht auch etwas Technisches? Vielleicht was aus Holz bauen? Mit Säge und Nägeln. All das wollte er mit ihr unternehmen. Und dann war sie da. So hübsch. Und so unschuldig.

Doch alles kam ganz anders. Das Schicksal hatte unbarmherzig zugeschlagen. Er war am Boden zerstört. Lily konnte natürlich nichts dafür. Sie war doch nur ein winzig kleines Wesen. Sein kleiner Liebling! Vor gerade mal einem Monat hatte sie ihren sechsten Geburtstag gefeiert.

Für sie, und nur für sie, hatte er all das getan. Am Anfang war alles ganz einfach. Es kam ja auch niemand zu Schaden. Ganz im Gegenteil. Voller Überzeugung hatte er sich damals eingeredet, er hätte sogar ein Anrecht darauf. Schließlich ließ der Staat sie im Stich. Und keiner bekam etwas mit. Auch Anja nicht. Dass sie auf einmal mehr Geld hatten, erklärte er mit einer Beförderung. Und lukrativen Beraterverträgen. Erst später wurde es doch kompliziert. Verzweifelt hatte er versucht, das seinem Ansprechpartner zu erklären. Sie würden sonst auffliegen. Aber der wollte nicht hören. Aus diesem Grund hatte er für sich den Weg gewählt, der ihn schließlich an diesen Ort, in die Justizvollzugsanstalt Moabit, ins Gefängnis, geführt hatte. Das alles war Teil seines Plans.

9. KAPITEL

Einen Tag nach der Tat

Berlin-Charlottenburg, Fasanenstraße 72,
Kanzlei Eberhardt: Montag, 13. Januar, 19.13 Uhr

»Wein oder Kaffee?«, fragte Klara Schubert den Chef von ihrem Schreibtisch aus.

»Wein.«

Klara Schubert nickte, stand auf und ging an den großen antiken Eichenschrank, der auf der linken Seite ihres Sekretariats stand. Die Bar, die sich hinter den massiven Türen verbarg, erinnerte an die Ausstattung eines Cary-Grant-Films aus den Sechzigerjahren. Whisky, Gin, Rum und Wodka standen nebeneinander aufgereiht. Nur vom Feinsten. Ein Sodaspender aus Kristallglas und vier Flaschen Rotwein. Zwei aus Frankreich und zwei aus Italien.

»Primitivo. Und bringen Sie sich auch was mit«, hörte sie Rocco Eberhardt dann aus seinem Büro rufen.

Klara Schubert nickte erneut, griff sich zwei Gläser, den Wein und brachte alles in das große Büro ihres Chefs. Sie setzte sich an den langen gläsernen Besprechungstisch, der so typisch für den Einrichtungsstil der Kanzlei war. Eine perfekte Mischung aus modernen Elementen in einem klassischen Altbau. Die hohen, stuckverzierten Decken waren in mattem Weiß getüncht und wurden durch elegante Lampen und zwei Edelstahlfluter perfekt in Szene gesetzt. An den Wänden hingen Aquarelle in leuchtenden Farben von Gertrude Köhler, die Rocco vor einigen Wochen auf Empfehlung von Klara Schubert gekauft hatte.

»Wir haben einen neuen Fall«, sagte er, zog das Sakko aus und warf es lässig über seinen ausladenden, ledernen Stuhl. Dann griff er sich ein Glas und trank einen großen Schluck. Seine Gesichtszüge entspannten sich merklich, er atmete tief durch.

Eberhardt setzte sich an den Besprechungstisch zu seiner Assistentin. Klara Schubert arbeitete nun schon seit dreizehn Jahren für ihn und war mehr als nur seine Sekretärin. Ihre dreiundsechzig Jahre sah man ihr nicht im Geringsten an. Die dunkelbrünetten Haare waren perfekt frisiert, und ihr Boss-Hosenanzug saß wie immer tadellos. Sie wäre ohne Weiteres als Ende vierzig bis Anfang fünfzig durchgegangen. Lediglich die kleinen Fältchen um ihre Augen gaben dem aufmerksamen Beobachter einen Hinweis auf ihr wahres Alter.

Rocco Eberhardt hatte sie vor knapp sechzehn Jahren während seines Referendariats in einer Kanzlei kennengelernt, in der er drei Monate gearbeitet hatte. Sie war dort Bürochefin gewesen und hatte den jungen, vielversprechenden Juristen vom ersten Tag an unter ihre Fittiche genommen. Klara Schubert fand es enorm wichtig, dass ein angehender Anwalt auch eine Ahnung davon hatte, wie eine Kanzlei organisiert ist. Er hatte von ihr in kürzester Zeit mehr über die juristische Arbeit gelernt als in all den Jahren zuvor an der Uni.

Nach Abschluss seines Studiums, er hatte schon zwei Jahre als Einzelkämpfer in seinen eigenen Räumen gearbeitet, hatte Rocco Eberhardt von einem befreundeten Kollegen gehört, dass die Kanzlei, in der Klara Schubert tätig war, geschlossen wurde. Der Inhaber wollte sich zur Ruhe setzen. Kurz entschlossen hatte er den Hörer in die Hand genommen und ihr ein Angebot gemacht. Ohne lange nachzudenken, hatte sie angenommen. Seit dieser Zeit bildeten sie ein perfektes Team. Während er an vorderster Front im Gerichtssaal kämpfte, kümmerte sie sich um den ganzen Rest. Und das nicht nur mit unermüdlichem

Arbeitseinsatz. Klara Schubert hatte auch für die Einrichtung der Kanzleiräume gesorgt und mit sicherer Hand eine perfekte Mischung aus klassischen Altbauelementen, modernen Möbeln und dazu passenden Kunstwerken kombiniert. Innenarchitektur und die deutschen Künstler des zwanzigsten Jahrhunderts waren ihre heimliche Passion. Rocco war darüber sehr dankbar, denn Klara hatte in den Räumen eine Atmosphäre geschaffen, die nicht nur immer wieder von Mandanten bewundert wurde, sondern mit der er sich selbst auch ausgesprochen wohlfühlte.

»Die Schießerei in der Bäckerei an der Neuen Kantstraße«, sagte Eberhardt und trank einen weiteren Schluck Wein. Er sah sie erwartungsvoll an und wartete auf ihre Meinung dazu.

»Und?«, fragte sie. »Wie kommen Sie zu diesem Fall? Stimmt damit etwas nicht?« Die beiden siezten sich seit jeher, und obwohl sie sich sehr nahestanden, hatten sie das nie geändert. Eine Form des gegenseitigen Respekts.

Rocco Eberhardt musste lächeln. Klara kannte ihn besser als die meisten Menschen. Sie merkte sofort, wenn ihn etwas nachdenklich stimmte.

»Weiß ich auch nicht so genau. Seine Frau, Anja Nölting, hat mich engagiert. Auf der Suche nach einem Anwalt ist sie heute direkt ins Anwaltszimmer im Gericht gestürmt.« Er hielt inne und leerte mit dem nächsten Schluck sein Glas. Klara Schubert füllte ihm nach.

»Sie war vollkommen verzweifelt. Hält das alles für einen Irrtum und kann sich nicht vorstellen, dass ihr Mann das getan hat.«

»Hat er es getan?«

»Daran besteht wohl kein Zweifel. Nach allem, was sie mir erzählt hat, stellt sich allerdings die Frage: warum? Nikolas, ihr Mann, ist wie an jedem Sonntag mit dem Fahrrad zum Bäcker gefahren. Und dann ist er da reinmarschiert und hat scheinbar aus heiterem Himmel und ohne jede Veranlassung um sich geschossen. Drei Menschen hat er getroffen, einer ist gestorben. Wie schwer die anderen beiden verletzt sind, weiß ich nicht. Und zu guter Letzt hat er sich wohl widerstandslos festnehmen lassen. Zumindest haben sie das gestern in der Abendschau und heute in den Boulevardzeitungen berichtet.«

»Der Killer-Beamte«, erwiderte Klara Schubert.

»Ja, so hat ihn die Journaille getauft. Der ›Killer-Beamte‹. Reißerisch, aber nicht ganz falsch. Nölting arbeitet als Sachgebietsleiter Stadtentwicklung im Fachbereich Bau der Stadt Nauen in Brandenburg, westlich von Berlin.«

»Warum hat er das getan?«

»Das ist die Eine-Million-Euro-Frage. Ich habe keine Ahnung. Aber ich habe auch noch nicht in die Akte schauen können und mit niemandem bisher darüber gesprochen. Nach dem, was seine Frau erzählt hat, ist er der Prototyp eines langweiligen Beamten. Er hat sogar eine elektrische Eisenbahn im Hobbyraum.«

»Wer vertritt die Anklage?«

»Bäumler.«

Klara Schubert blickte auf und sagte mit einem nicht zu überhörenden sarkastischen Unterton: »Na, dann werden wir auf jeden Fall eine Menge Öffentlichkeit haben.«

»Das werden wir.«

»Haben Sie schon mit Nölting gesprochen?«

»Nein, ich werde ihn morgen in Moabit besuchen. Dort ist er nach der Verkündung des Haftbefehls gestern Abend am Tempelhofer Damm direkt hingebracht worden. Da hat ihn Anja Nölting auch das letzte Mal gesehen.«

»Wurde kein Anwalt beigeordnet?«

»Doch, aber das war gestern einer vom Notdienst. Hat gleich nach der Verkündung des Haftbefehls das Weite gesucht. Anja

Nölting hat dann die Protokollführerin gefragt, wo sie einen Strafverteidiger für ihren Mann findet, und die hat ihr wohl gesagt, dass die besten im Kriminalgericht wären.«

Klara Schubert zog die Augenbrauen hoch und sah Rocco Eberhardt an.

»Ich weiß«, sagte der lachend. »Eine sehr fragwürdige Empfehlung. Aber so hat sie ja schließlich mich getroffen, wer weiß also, wofür das gut ist.«

»Okay, eine Frau, die aus allen Wolken fällt, weil ihr Mann ein Straftäter ist. Das ist ja nun nicht so ungewöhnlich. Und dass er vorher vermeintlich ein ganz normales Leben geführt hat, auch nicht. Die meisten Mörder, wenn sie nicht gerade Berufskriminelle sind, handeln im Affekt und ohne irgendein vorheriges Anzeichen.«

»Stimmt. Aber irgendwas ist hier faul.«

»Und was?«

»Ich bin mir nicht sicher, aber die beiden haben eine sechsjährige Tochter, Lily. Als Anja Nölting von ihr erzählt hat, habe ich nachgefragt, wie es ihr geht und ob sie okay ist. Und anstatt mir zu antworten, hat sie relativ schnell das Thema gewechselt. So, als wenn irgendetwas mit Lily nicht stimmen würde.«

10. KAPITEL

Zwei Tage nach der Tat

Berlin-Moabit, JVA Moabit, Untersuchungsgefängnis:
Dienstag, 14. Januar, 9.03 Uhr

Ein muffiger Geruch empfing Rocco Eberhardt in den Kata-
komben des Kriminalgerichts. Fernab von dem Bereich, der für
die Öffentlichkeit zugänglich war, befand sich hier der direkte
Übergang vom Gericht zum Untersuchungsgefängnis Moabit.
Die beiden Gebäude waren miteinander verbunden, um Unter-
suchungshäftlinge einfach und ohne großes Aufsehen direkt zu
den Verhandlungen oder Haftprüfungsterminen in einen der
über zwanzig Säle des 1906 fertiggestellten neobarocken Baus zu
bringen. Ehrfurchtsvoll wie jedes Mal blickte Rocco Eberhardt
den langen Gang entlang, an dessen Ende auf so manchen Ver-
urteilten eine lebenslange Freiheitsstrafe wartete. Aber immerhin besser als früher, als es noch die Todesstrafe gab, dachte er.
Gar nicht weit von hier, im damaligen Zellengefängnis Lehrter
Straße, wurde am 11. Mai 1949 das letzte Todesurteil West-
deutschlands mit der Guillotine vollstreckt. Einem Gerücht zu-
folge soll die Todesmaschine noch heute im Keller des Unter-
suchungsgefängnisses Moabit liegen, zerlegt und in Kisten ver-
packt.

An der Schleuse zum Gefängnis angekommen, nickte Rocco
Eberhardt dem Justizbeamten zu und legte seinen Personalausweis, sein Handy und den roten Anwaltsausweis in die kleine
Metallschublade vor sich. Routiniert zog der Beamte sie auf
seine Seite der Scheibe, verglich die Daten, legte Handy und

Personalausweis in das Regal neben sich und schob Rocco Eberhardt seinen Anwaltsausweis zurück.

»Na, wollen Sie heute mal wieder einen unserer ganz besonderen Gäste besuchen, Herr Anwalt?«, fragte er dann mit einem ironischen Unterton.

»Neuer Fall, neues Spiel.«

Der Beamte winkte Eberhardt durch den Metalldetektor. Das Gerät gab kein Geräusch von sich. Dann warf er nur noch einen flüchtigen Blick in Eberhardts Aktentasche. Er kannte den Anwalt schon von diversen Besuchen in der JVA und hatte noch nie etwas zu beanstanden gehabt.

»Alles klar, dann können Sie weiter. Sie wissen ja, wo's langgeht.«

Eberhardt lief wie schon so oft zuvor den tristen Weg zu den Besprechungszellen entlang, in denen sich die Anwälte mit ihren Mandanten trafen. Er folgte dem mit farblichen Markierungen gekennzeichneten Gang über Treppen und Korridore mitten durch den Zellentrakt in dem sternförmig angeordneten Bau. In den kalten, von Neonlicht erhellten Fluren reihte sich eine Zellentür an die nächste. Zwischen den Etagen waren Metallnetze gespannt, zum einen, um eine mögliche Flucht in eines der benachbarten Stockwerke zu erschweren, zum anderen, um die Gefangenen vor Suizidversuchen durch Sprünge aus der Höhe zu schützen. Dazu kam, dass Europas größte Untersuchungshaftanstalt hoffnungslos überbelegt und in vielen Bereichen dringend modernisierungsbedürftig war.

»Guten Tag«, begrüßte Rocco Eberhardt die zuständige Beamtin ausgesprochen höflich, als er im Besuchsbereich für Anwälte angekommen war. Nicht ganz uneigennützig, denn sie vergab die Sprechzellen und entschied darüber, ob und wie schnell ein Gefangener vorgeführt wurde. Und das hing ganz maßgeblich davon ab, wie sich die Anwälte benahmen.

»Hallo, Herr Anwalt. Wer darf's denn heute sein?«, erwiderte sie mit einem Lächeln. Während einige seiner Kollegen die Beamten in Moabit wie untergeordnete Dienstleister behandelten, hatte Eberhardt sich von Anfang an bewusst bemüht, ihnen freundlich und respektvoll zu begegnen.

»Nölting, Nikolas Nölting. Ist gestern reingekommen.«

»Einen Moment, ich sehe mal nach, wo ich ihn finde.« Die Beamtin checkte ihren Computer und wies Rocco Eberhardt dann eine der Zellen am Ende des Ganges zu, die aufgrund ihrer Entfernung ruhiger und daher bei den Anwälten beliebter waren. »Müsste in etwa zehn Minuten da sein«, sagte sie und tippte dann noch etwas auf ihrer Tastatur ein.

Rocco Eberhardt bedankte sich und ging zu der Zelle. Sie war kahl und düster, durch das vergitterte Fenster schien nur wenig Licht. Im Zentrum stand ein alter Tisch mit vier nicht zueinanderpassenden Stühlen. Er warf seine Tasche auf einen der Stühle und blickte aus dem Fenster, während er auf seinen Mandanten wartete. Obwohl Nölting technisch gesehen noch nicht einmal sein Mandant war. Anja Nölting hatte ihn zwar gebeten, ihren Mann zu vertreten, aber solange Nikolas Nölting die anwaltliche Vollmacht noch nicht unterschrieben hatte, war Eberhardt offiziell auch noch nicht sein Verteidiger.

Sieben Minuten später wurde die Tür geöffnet, und Nölting betrat die Zelle.

Er mochte Anfang vierzig sein, war nur knapp mehr als einen Meter siebzig groß und hatte schmale Schultern. Unter seinem schwarzen Poloshirt sah man den Ansatz eines Bauches.

»Bitte«, sagte Rocco Eberhardt und zeigte auf die Stühle. Nölting erwiderte den Gruß freundlich und nahm Platz. Interessiert musterte Eberhardt sein Gegenüber und setzte sich ebenfalls.

»Rocco Eberhardt. Ich bin Strafverteidiger. Ihre Frau hat mich kontaktiert und mich gebeten, Sie zu vertreten. Das kann ich aber nur, wenn Sie mich dazu bevollmächtigen.«

Nölting nickte, lehnte sich dann in dem alten Holzstuhl zurück und schaute auf seine Hände, die er vor sich auf dem Tisch ineinandergefaltet hatte.

»Herr Nölting, Ihnen wird vorgeworfen, einen Menschen getötet und zwei Menschen schwer verletzt zu haben«, fuhr Eberhardt fort. »Das ist eine ernste Sache. Sind Sie sich dessen bewusst?«

Jetzt sah Nölting von seinen Händen auf, Eberhardt direkt in die Augen. Sein Blick war hellwach. Er wusste offensichtlich ganz genau, worum es hier ging. Für einen kurzen Moment meinte Eberhardt so etwas wie ein flüchtiges Lächeln über Nöltings Gesicht huschen zu sehen.

»Bevor ich Sie vertreten kann und wir uns über den Fall unterhalten, müssen Sie mich aber erst einmal offiziell beauftragen«, sagte Rocco Eberhardt und griff in seine Tasche. Er zog eine Klarsichthülle hervor, in der er immer eine Vielzahl von Standardvollmachten für Strafsachen bei sich trug, um sie dann gemeinsam mit dem Mandanten auszufüllen. Nachdem er Nöltings Namen in das dafür vorgesehene Feld eingetragen hatte, schob er das Exemplar zusammen mit einem Kugelschreiber über den Tisch. Nölting griff sich die Vollmacht und las sie scheinbar besonders gewissenhaft Wort für Wort durch. Dann unterzeichnete er sie und reichte sie Rocco zurück.

»Gut«, sagte dieser. »Damit haben wir die Formalitäten erledigt. Dann erzählen Sie mir doch bitte jetzt einmal mit Ihren eigenen Worten, was da überhaupt passiert ist.«

Erwartungsvoll sah Rocco Eberhardt seinen Mandanten an. Nölting hielt seinem Blick stand, ohne auch nur mit einer Wimper zu zucken.

»Das werde ich nicht tun«, erwiderte Nölting, und von einem

Moment auf den anderen nahm sein Gesicht einen nüchternen, fast emotionslosen Ausdruck an. »Ich habe Ihnen nichts weiter zu sagen.«

Dann erhob er sich, drehte sich auf dem Absatz um und verließ ohne ein weiteres Wort die Zelle. Das Treffen war beendet.

II. KAPITEL

Zwei Tage nach der Tat

Berlin-Moabit, Institut für Rechtsmedizin Berlin:
Dienstag, 14. Januar, 9.03 Uhr

Konzentriert las Doktor Justus Jarmer zum zweiten Mal sein Gutachten durch. Er hatte es im Auftrag der Staatsanwaltschaft zu den Verletzungen der Geschädigten in der Sache Nölting erstellt. Aus rechtsmedizinischer Sicht waren die Ergebnisse eindeutig. Die Obduktion hatte zweifelsfrei ergeben, dass Moritz Lindner seinen Schussverletzungen erlegen war, und deckte sich eins zu eins mit den Schilderungen der Zeugen am Tatort. Ebenso wie die Verwundungen der beiden Überlebenden.

So weit, so gut.

Trotzdem machte ihn etwas stutzig. Lindner hatte nach den tödlichen Schüssen nicht die geringste Chance zu überleben gehabt, während die anderen beiden Opfer der von Nölting abgegebenen Schüsse nur verhältnismäßig leichte Verletzungen davongetragen hatten. Das war schon ungewöhnlich. Jarmer prüfte erneut das Ergebnis seiner Untersuchung und fragte sich, ob er diese Auffälligkeit noch in seinen Bericht aufnehmen sollte. Er entschied sich dann aber dagegen. Damit würde er sich zu weit in den Bereich der Spekulation begeben. Wie das Gericht mit seinem Gutachten umging und welche Schlussfolgerungen es daraus zog, fiel nicht in seinen Zuständigkeitsbereich. Für ihn zählten nur die objektiven medizinischen Befunde. Und die hatte er so präzise, wie er das immer tat, dokumentiert.

12. KAPITEL

Zwei Tage nach der Tat

Berlin-Neukölln: Dienstag, 14. Januar, 10.23 Uhr

Kalt hing der Rauch in dem kleinen Hinterzimmer der Shisha-bar in der Nähe der Hermannstraße in Berlin-Neukölln. Die Einrichtung hatte schon bessere Zeiten gesehen. Alte Tapeten hingen zum Teil in Fetzen von den Wänden, und die Poster mit ihren mediterranen Landschaften waren längst verblichen.

Das Alter des Mannes, der auf der einen Seite des kleinen Tisches in der Mitte des Raumes saß, ließ sich nur schwer schätzen. Von Ende vierzig bis Anfang sechzig war alles möglich. Sein hageres, von Furchen durchzogenes Gesicht wurde von kurz geschnittenen, silbergrauen Haaren und einem akkurat getrimmten grauen Vollbart eingerahmt. Gänzlich in Kontrast dazu stand seine olivbraune Hautfarbe, die auf eine südländische Abstammung schließen ließ. Über einem schwarzen, eleganten Rollkragenpullover trug er ein graues Designersakko, unter dessen linkem Ärmel eine goldene Rolex hervorschaute.

Auf der anderen Seite des Tisches saß Abid Tawfeek. Er war etwas jünger, vielleicht Anfang dreißig und rutschte nervös auf seinem Stuhl hin und her. Und das kam nicht von ungefähr: Sein Gegenüber war Kamil Gazal, er war sein Chef, und er war extrem ungehalten.

»Und. Wie konnte das passieren? Habt ihr Scheiße gebaut?«, fragte Gazal mit starkem südländischem Akzent. Seine Stimme war hart und bedrohlich. Mit kalten blauen Augen fixierte er Abid, ohne dabei auch nur einmal zu blinzeln.

»Das konnten wir nicht vorhersehen«, erwiderte der Jüngere verteidigend. »Wir, wir haben nur …«

Gazal schnitt ihm mit einer Handbewegung das Wort ab. »Ich will wissen, wer das versaut hat. Noch heute. Und sorg dafür, dass nichts auf uns zurückfällt.«

Er sah seinem Gegenüber direkt in die Augen. Sein harter Blick sagte mehr als tausend Worte.

13. KAPITEL

Berlin-Charlottenburg, Café Windtime:
Dienstag, 14. Januar, 13.47 Uhr

Suchend blickte sich Rocco Eberhardt in dem kleinen, modern eingerichteten Gastraum des Cafés um, bis er Tobias Baumann entdeckte. Der saß, lässig und stylisch gekleidet wie immer mit blauer Cargohose, einem weißen T-Shirt und roten Sneakern an einem der kleinen Holztische auf der rechten Seite des höchstens fünfzig Quadratmeter großen Raumes. An den weiß gestrichenen Wänden hingen Bilder, die den Entstehungsprozess des Kaffees von der Ernte bis zur Röstung zeigten. Im Hintergrund lief eine Spur zu laut kubanische Musik.

Rocco Eberhardt und Tobias Baumann kannten sich gefühlt schon immer. Die beiden Männer verband seit der siebten Klasse eine tiefe Freundschaft. Nach dem Abitur waren sie einige Zeit getrennte Wege gegangen. Während Rocco Eberhardt Jura studiert hatte, war Baumann zur Polizei gegangen. Nach fünf Jahren bei der Kripo hatte er gekündigt. Das Beamtenleben mit all seinen Vorschriften und immer mehr administrativen Anforderungen war nicht nach seinem Geschmack. Stattdessen hatte er sich als Privatdetektiv selbstständig gemacht.

»Na, wieder einem Verbrecher auf freien Fuß verholfen und unsere Gesellschaft ein kleines bisschen unsicherer gemacht?«, zog Baumann seinen Freund mit einem breiten Grinsen auf.

»Ja, und gefährlich war er obendrein«, erwiderte Rocco Eberhardt vollkommen ungerührt, obwohl er wusste, dass Baumanns

Bemerkung mehr als nur einen Funken Wahrheit enthielt. Er stellte seine alte, braune Aktentasche auf der langen Bank ab, warf sein dunkelblaues Sakko darüber und setzte sich. Baumann schob ihm einen Cappuccino über den Tisch. Dankend nahm Rocco den Becher an und trank einen großen Schluck. Der Kaffee war stark und heiß, genauso wie er ihn liebte.

»Und wie geht's dir wirklich?«, fragte Baumann.

»Ich habe einen neuen Fall. Und vielleicht brauche ich da noch mal deine Hilfe.«

Neugierig sah der Detektiv auf. »Okay. Worum geht's?«

»Um den Killer-Beamten.«

»Der aus der Bäckerei, am Sonntag?«

»Genau der.«

»Und was kann ich da für dich tun?«

»Weiß ich auch noch nicht so genau. Momentan nichts, aber vielleicht später. Irgendwas stimmt da nicht.«

Baumann nickte. »Was sagt dein Mandant dazu?«

»Nichts.«

»Wie, nichts?«

»Gar nichts. Ich war heute im Knast und habe mir die Vollmacht für seine Vertretung geholt. Aber anstatt mit mir zu reden, hat er sie nur stumm unterschrieben und ist dann wieder gegangen.«

»Okay«, erwiderte Baumann skeptisch. »Klingt wirklich seltsam. Und jetzt?«

»Ich werde mir die Akte ziehen und schauen, was bisher ermittelt wurde.«

»Wer klagt an?«

»Bäumler!«

»Dann kannst du auf mich zählen, wenn es losgeht«, erwiderte Baumann trocken. Eberhardt wunderte diese Bemerkung nicht im Geringsten. Er wusste genau, dass Baumann während seiner

Zeit bei der Polizei einige Male mit dem selbstgefälligen Oberstaatsanwalt aneinandergeraten war. Und vielleicht war jetzt für
seinen Freund die Zeit gekommen, sich zu revanchieren.

14. KAPITEL

Vier Tage nach der Tat

Kriminalgericht Berlin-Moabit –
Staatsanwaltschaft, Abteilung Kapitalverbrechen:
Donnerstag, 16. Januar, 11.59 Uhr

Kopfschüttelnd blickte sich Rocco Eberhardt in dem neuen Büro von Oberstaatsanwalt Doktor Bäumler um. Schon wieder ein Upgrade, das ganz sicher die Sympathiewerte bei dessen Kollegen nicht gesteigert hatte. Der Platzmangel in der Berliner Justiz hatte zwischenzeitlich ein lächerliches Ausmaß angenommen, und Büros, die für eine Person schon beengt gewesen wären, wurden von bis zu drei Ermittlern geteilt. Für Bäumler schien das allerdings nicht zu gelten, denn sein Zimmer war beinahe doppelt so groß wie die übrigen Büros der Staatsanwaltschaft. Darüber hinaus war es ungewöhnlich repräsentativ eingerichtet. Neben dem großen, schweren Schreibtisch, an dem Bäumler saß, gab es noch einen kleinen Besprechungstisch mit dazupassenden Stühlen. An den hohen, in der für Behörden typischen beigen Farbe gestrichenen Wänden standen Regale, die bis unter die Decke reichten und mit juristischen Fachbüchern gefüllt waren.

»Schick«, sagte Rocco Eberhardt mit einem leicht zynischen Unterton und blickte Bäumler dabei herausfordernd an. Die beiden hatten sich schon in zahlreichen Verfahren gegenübergestanden, und es war kein Geheimnis, dass Bäumler eine tiefgreifende Abneigung gegen den erfolgreichen Strafverteidiger hegte. Rocco Eberhardt führte das darauf zurück, dass er ihn in mindestens zwei Verfahren ziemlich schlecht hatte aussehen lassen.

Trotzdem wunderte er sich, dass Bäumler seine spitze Bemerkung ignorierte und ihn volle zwei Minuten im Raum stehen ließ, ehe er von der vor ihm liegenden Akte aufsah und seine Lesebrille zurechtrückte. Das war selbst für Bäumler ungewöhnlich, und Rocco fragte sich, ob es dafür nicht noch einen anderen Grund gab, den er nicht kannte

»Eberhardt. Wie schön«, sagte er dann spöttisch und mit herablassendem Ton. »Sie verteidigen also den Angeschuldigten Nölting.«

Eberhardt nickte.

»Und, wie kann ich Ihnen helfen?«

»Indem Sie mir die Akte zukommen lassen«, sagte Eberhardt. »Ich hatte bereits gestern Akteneinsicht beantragt, und Sie haben das abgelehnt.«

Voller Genugtuung und in dem Glauben, Eberhardt gleich auflaufen zu lassen, lächelte Bäumler ihn an.

»Tja, Herr Rechtsanwalt, das tut mir jetzt aber sehr leid. Da kann ich Ihnen nicht helfen, auch wenn ich das noch so gerne täte.« Er machte eine Pause und schraubte dabei in aller Ruhe die Kappe seines goldenen Montblanc-Füllers zu. »Die Ermittlungen sind noch nicht abgeschlossen, und eine Akteneinsicht zu dieser Zeit würde den Untersuchungszweck gefährden. Ich bin mir sicher, dass Sie mit der entsprechenden Norm vertraut sind. Deshalb, lieber Herr Eberhardt: keine Akte für Sie.«

Langsam erhob er sich aus seinem schweren Sessel und knöpfte dabei sein Sakko zu. »War sonst noch was?«

»Ja«, erwiderte Eberhardt und sah sein Gegenüber triumphierend an. »Weil ich darauf vertrauen konnte, dass Sie die Akte nicht herausgeben würden, habe ich heute Morgen Haftprüfung beantragt.«

Für einen Moment zuckte Bäumler zusammen. Er schien keinen blassen Schimmer von dem Antrag gehabt zu haben, wusste aber sofort, was das bedeutete. Ein Antrag auf Haftprüfung war ein anwaltlicher Trick, schnell an die Ermittlungsakte heranzukommen, auch wenn die Haftprüfung in der Sache selbst keine Aussicht auf Erfolg haben würde. Der Einwand der Staatsanwaltschaft, dass die Einsicht die Ermittlungen gefährden würde, galt hier in der Regel nicht. Bäumlers Miene verfinsterte sich, und es dauerte einige Sekunden, bis er wieder zu seiner aufgesetzten Selbstsicherheit zurückfand. Hektisch griff er zu dem altmodischen Telefon auf seinem Tisch und führte ein kurzes Gespräch, ehe er den Hörer krachend auf die Gabel warf.

»Ein Irrtum meiner Geschäftsstelle, nichts weiter«, sagte er dann, sichtlich bemüht, sich seinen Ärger nicht anmerken zu lassen. Dann fügte er, gespielt gönnerhaft, hinzu: »Aber nun gut. Ich werde Ihnen Einblick gewähren. Wir senden Ihnen die Akte zu, nachdem ich sie noch einmal durchgesehen habe.«

»Vielen Dank, ich weiß Ihre Unterstützung sehr zu schätzen«, erwiderte Eberhardt süffisant und verließ das Büro des Oberstaatsanwaltes. Die Fronten waren geklärt, und Bäumler wusste jetzt, woran er war. Das Spiel hatte begonnen.

15. KAPITEL

Vier Tage nach der Tat

Berlin-Tempelhof:
Donnerstag, 16. Januar, 16.43 Uhr

Nervös zupfte Haasim Gazal an seinem weißen T-Shirt, auf dem in fetten, goldenen Lettern der Name einer Edelmarke prangte. Eine Mischung aus Panik und Verzweiflung stand ihm ins Gesicht geschrieben, seine dunklen Augen waren angsterfüllt.

»Ich schwöre dir, das konnte ich nicht kommen sehen. Bisher lief alles glatt, und auf einmal hat er ein Problem. Und dann diese Scheiße. Sag selbst, was hättest du anders gemacht?« Seine Stimme überschlug sich, und das Selbstbewusstsein, mit dem er keine zwanzig Minuten zuvor das Zimmer im hinteren Bereich des Wettbüros betreten hatte, war verschwunden.

Ihm gegenüber saß sein Onkel, Kamil Gazal, wie immer perfekt gekleidet, in einem klassischen, gedeckten Anzug. Er war vollkommen ruhig. Sein Gesicht zeigte keinerlei Regung. Einzig seine blauen Augen, mit denen er sein Gegenüber fixierte, gaben einen Hinweis auf seine Gefühlswelt. Sein Blick war kalt und unbarmherzig.

»Es ist egal, was ich oder ein anderer gesehen oder nicht gesehen hätten. Nölting war in deiner Verantwortung. Und Lindner auch. Ich habe mich offensichtlich in dir getäuscht. Ich hätte nicht auf meinen Bruder hören sollen und dir dieses wichtige Geschäft übertragen dürfen. Damit ist es auch mein Fehler.«

Er zog ein helles, seidenes Stofftuch aus der Innentasche seines schwarzen Sakkos und wischte sich damit über die Stirn.

Langsam und bedächtig faltete er es dann wieder zusammen, seinen Blick nach unten gerichtet. Er schien darüber nachzudenken, was er mit seinem Neffen anstellen sollte.

»Du wirst dich erst mal für eine Zeit zurückziehen und untertauchen«, sagte er dann. »Später sehen wir dann weiter. Ich werde das dann mit deinem Vater zusammen entscheiden.«

Völlig ruhig stand er auf, knöpfte sein Sakko zu und machte sich daran, das Zimmer zu verlassen. Kurz bevor er durch die Tür trat, drehte er sich noch einmal um.

»Und vergiss eine Sache nicht, Haasim! Der einzige Grund, warum du so gut davonkommst, ist, dass du der Sohn meines Bruders bist.«

16. KAPITEL

Fünf Tage nach der Tat

Berlin-Charlottenburg, Fasanenstraße 72,
Kanzlei Eberhardt: Freitag, 17. Januar, 12.03 Uhr

»Bitte, nehmen Sie doch Platz.« Rocco Eberhardt deutete in Richtung seines Besprechungstisches, und Anja Nölting setzte sich wortlos. Sie wirkte erschöpft – davon zeugten die dunklen Ringe unter den Augen und ihre eingefallenen Wangen. Ihre weiße Bluse und die dunkle Stoffhose ließen sie ungewöhnlich blass erscheinen. Ganz im Gegensatz zu Rocco, der wie fast immer im Büro einen dunkelblauen Anzug zu einem hellblauen Hemd trug und von Natur aus einen dunklen Teint hatte.

»Möchten Sie etwas trinken, einen Kaffee oder ein Wasser?«

»Vielen Dank, Ihre Mitarbeiterin hat mir schon etwas angeboten.« Anja Nölting kramte in ihrer Tasche und holte dann ein kleines Notizbuch und einen Stift hervor. Angespannt atmete sie ein.

»Ich war gestern bei Nikolas«, fing sie dann an. »Wir haben ungefähr eine halbe Stunde miteinander gesprochen, vor allem über Lily, und wie es ihr geht.«

»Gut«, erwiderte Eberhardt. »Und, wie kommt sie mit der Situation zurecht? Auf mich macht sie einen fröhlichen Eindruck, sie scheint viel zu lächeln.« Anja Nölting war mit ihrer Tochter in die Kanzlei gekommen, und Lily saß jetzt vorne bei Klara Schubert und malte.

Anja Nölting biss sich auf die Lippen und musste sich ganz offensichtlich zusammenreißen, um nicht in Tränen auszubrechen. »Das hat nicht unbedingt etwas zu sagen.« Sie seufzte. »Aber danke, ja, Lily geht es so weit gut.«

Rocco sah sie aufmerksam an.

»Ich habe mir ein paar Fragen aufgeschrieben«, fuhr Anja Nölting dann fort. Sie blätterte in ihrem Notizbuch, bis sie die richtige Seite fand. »Auch wenn es dumm klingt, möchte ich noch einmal sichergehen. Gibt es wirklich Beweise dafür, dass Nikolas das getan hat? Ich meine, ist da kein Irrtum möglich?«

Eberhardt schüttelte den Kopf. Daran gab es keinen Zweifel mehr. Kaum ein anderes Thema beherrschte die lokalen Medien zurzeit so sehr wie der Fall des ›Killer-Beamten‹. Zahlreiche Zeugen, unter ihnen auch einige, die während der Schießerei selbst in der Bäckerei gewesen waren, hatten genau beschrieben, was geschehen war.

»Was hat denn Ihr Mann gesagt? Sie waren doch gestern bei Nikolas.«

»Ja, schon. Aber er redet nicht über den …« Anja Nölting hielt inne und rang sichtlich nach Worten. »… über den Vorfall mit mir. Ich habe ihn gefragt, was denn in der Bäckerei überhaupt passiert ist, aber er hat immer wieder das Thema gewechselt und ist mir ausgewichen. Schließlich ist er sogar richtig wütend geworden. Ich habe es dann gut sein lassen, und wir haben nur über Lily geredet.«

Anja Nölting griff mit beiden Händen in die Taschen ihres Blazers, als suche sie etwas. Rocco Eberhardt, der ahnte, was es war, reichte ihr ein Taschentuch über den Tisch. Dankbar sah sie ihn an, ehe sie kurz darauf in Tränen ausbrach. Die Belastung war offensichtlich einfach zu groß.

»Ich erkenne meinen Mann gar nicht wieder«, schluchzte sie. »Es ist, als hätte Nikolas eine Mauer um sich herum gebaut. Er lässt nichts und niemanden an sich heran. Nicht einmal mich. Dabei haben wir doch immer alles geteilt. Das hat uns so stark gemacht ...« Anja Nölting hielt inne. Ihre Augen waren rot vom Weinen. »Ach, das ist jetzt auch egal ...«

Rocco Eberhardt beobachtete Anja Nölting ganz genau. Er wollte wissen, ob sie ihm etwas vorspielte. In zahlreichen Gesprächen mit seinen Mandanten und bei Zeugenbefragungen hatte er gelernt, dass es wichtig war, auf Kleinigkeiten zu achten. Die verrieten zumeist mehr als große Gesten und Worte, was wirklich in einem Menschen vorging.

Aber nichts deutete bei Anja Nölting darauf hin, dass sie unehrlich war. Sie schien tatsächlich nicht den blassesten Schimmer zu haben, wie es zu der Tat gekommen war, warum sich ihr Mann so seltsam verhielt und was sein Motiv gewesen war, einen Menschen zu töten und zwei weitere schwer zu verletzen. Oder sie lieferte hier gerade eine oscarreife Vorstellung ab. Rocco beschloss, das Thema vorerst auf sich beruhen zu lassen.

»Okay, ich verstehe. Also, Frau Nölting, es deutet tatsächlich alles darauf hin, dass Ihr Mann die ihm vorgeworfenen Taten begangen hat. Die Ermittlungen stehen allerdings noch ganz am Anfang, und in der Akte der Staatsanwaltschaft sind gerade mal die ersten Protokolle der Zeugenvernehmungen enthalten.« Er hielt kurze inne. »Ich weiß, dass das alles für Sie unbegreiflich ist. Trotzdem ist es wichtig, dass Sie lernen, mit der Situation umzugehen. Auch wegen Ihrer Tochter. Ich werde Ihnen deshalb jetzt ganz genau erklären, worauf Sie und Lily sich in nächster Zeit einstellen müssen.«

Ruhig und in einfachen Worten schilderte er ihr dann, was in den kommenden Wochen und Monaten passieren würde und wie ein Verfahren wegen Totschlags oder Mordes üblicherweise ablief. Die Ermittlungen würden einige Monate in Anspruch nehmen. Zeugen würden verhört, Gutachter beauftragt und die Akte nach und nach zusammengestellt werden. Erst wenn die Staatsanwaltschaft der Ansicht war, alle Informationen zusammengetragen und die Ermittlungen abgeschlossen zu haben, würde der leitende Staatsanwalt, in ihrem Verfahren also Doktor Bäumler, die Anklage bei Gericht einreichen. Die zuständige Richterin oder der zuständige Richter würde dann entscheiden, ob die Anklage zugelassen, es also zu einem Prozess kommen würde. Davon mussten sie in diesem Fall ausgehen. Doch bis es tatsächlich zu einer Hauptverhandlung in einem Gerichtssaal kam, würde es noch eine Weile dauern. Eberhardt rechnete erst im Sommer damit.

Aufmerksam hörte Anja Nölting zu und machte sich einige Notizen.

»Sehen Sie denn irgendwelche Möglichkeiten, dass mein Mann vorher aus dem Gefängnis kommt und zu Hause bei Lily und mir auf den Prozess warten kann?«, erkundigte sie sich.

Rocco hatte mit dieser Frage gerechnet. Das interessierte so gut wie jeden Angehörigen, der sich um einen Lieben sorgte, der in Untersuchungshaft saß und auf seinen Gerichtstermin wartete. Er schüttelte den Kopf.

»Es tut mir leid, Frau Nölting, aber bei dem Vorwurf, der Ihrem Mann zur Last gelegt wird, und aufgrund der vielen Zeugen, die die Tat in der Bäckerei schon jetzt bestätigt haben, können wir nicht damit rechnen. Es geht hier um ein Tötungsdelikt, wahrscheinlich wird sogar Mord angeklagt werden. Ich werde natürlich alles versuchen, um Ihren Mann aus der U-Haft, der Untersuchungshaft, zu holen, aber wirkliche Hoffnung kann ich Ihnen nicht machen. Die Tat wiegt einfach zu schwer.«

Anja Nölting nickte konsterniert. Und auch wenn Sie sich offensichtlich Hoffnungen gemacht hatte, dass sich die Situation für sie, Lily und ihren Mann besser darstellen würde, hatte Rocco Eberhardt den Eindruck, dass ihr die neuen Informationen Halt in einer Situation gaben, die ihr von einem Moment auf den anderen den Boden unter den Füßen weggerissen hatte.

Als gegen Viertel vor eins ihre Besprechung beendet war, vereinbarten sie einen neuen Termin in zwei Wochen. »Wenn Sie zwischendurch weitere Fragen habe, rufen Sie mich gerne an oder senden mir auch eine E-Mail. Okay?«

Dankbar nickte Anja Nölting. Sie wirkte jetzt viel ruhiger als noch vor einer Stunde, als sie mit Lily in die Kanzlei gekommen war.

Nachdem sie sich verabschiedet hatte, dachte Rocco darüber nach, wie sehr sich Anja Nölting für ihren Mann einsetzte und welches Glück dieser hatte. Anja Nölting liebte ihren Mann aufrichtig und versuchte, ihn nicht nur zu verstehen, sondern ihm auch zu helfen. Wenn Rocco dagegen an sein eigenes Liebesleben dachte, war das weit von der Qualität der Nöltings entfernt. Er wischte den Gedanken dann aber beiseite. Jetzt hatte er Wichtigeres zu tun. Rocco nahm seine Notizen vom Besprechungstisch und blickte auf sein Handy. Er hatte drei Anrufe in Abwesenheit erhalten. Zwei von seinem Vater und einen von Alessia.

Scheiße! Er sah auf seine Uhr. Es war fünf vor eins. Vor einer knappen halben Stunde war er mit seinem Vater zum Essen verabredet gewesen.

17. KAPITEL

Vier Wochen nach der Tat

Berlin-Charlottenburg, Fasanenstraße 72,
Kanzlei Eberhardt: Dienstag, 11. Februar, 19.47 Uhr

In den folgenden Wochen beanspruchten andere Fälle Roccos Aufmerksamkeit. Dennoch ertappte er sich immer wieder dabei, wie seine Gedanken zu Nöltings scheinbar sinnloser Tat abschweiften. An diesem Nachmittag hatte er die aktualisierte Ermittlungsakte erhalten und blätterte neugierig durch die zahlreichen Ausdrucke und Kopien auf dem für Behörden typischen, leicht gelblichen Umweltpapier.

Das Erste, was ihm ins Auge stach, war der Name des Rechtsmediziners, der mit dem in Strafverfahren üblichen Gutachten zu den Verletzungen der Geschädigten beauftragt war: Doktor Justus Jarmer! Dem erfahrenen Mediziner eilte in den Fluren des Berliner Strafgerichts der Ruf einer echten rechtsmedizinischen Kapazität voraus. Er war eine Koryphäe auf seinem Fachgebiet und zugleich ein vehementer Fürsprecher von Moral und Gerechtigkeit. Mehr als einmal hatte er mit seiner präzisen Analyse dazu beigetragen, Licht ins Dunkel scheinbar unlösbarer forensischer Sachverhalte zu bringen, und damit so manchem Prozess eine überraschende Wendung gegeben.

Auch Rocco hatte es in der Vergangenheit erwischt, als er in einem Verfahren auf Jarmers Expertise getroffen und seine Verteidigungsstrategie von einer Sekunde auf die nächste in sich zusammengefallen war. Seine Erinnerungen an diese letzte Begegnung waren alles andere als angenehm.

Aber in diesem Fall schien es nichts zu geben, was auf ein ähnliches Desaster hindeutete. Schnell und eher oberflächlich überflog Rocco die Ausführungen des Rechtsmediziners. Sie waren sachlich, präzise und brachten zunächst keine neuen Erkenntnisse: zwei Verletzte und ein Toter durch Schussverletzungen. Nicht mehr und nicht weniger.

Mehr Aufmerksamkeit widmete Rocco den Protokollen der Zeugenvernehmungen, die in der Akte auf das rechtsmedizinische Gutachten folgten. Eine Aussage stach ihm dabei besonders ins Auge. Sie schien Rocco emotional aufgeladener zu sein als die Angaben der übrigen Beteiligten, die während der Schießerei in der Bäckerei zugegen waren. Es waren nur Kleinigkeiten in der Wortwahl, Begriffe wie »kaltblütig« und »rücksichtslos«, aber genau die machten manchmal den Unterschied in der Bewertung aus. Rocco hatte im Laufe seiner Karriere Tausende Zeugenaussagen gelesen und Hunderte Zeugen vor Gericht befragt. Und diese Aussage hier unterschied sich deutlich von den anderen.

Vor allem ein Satz, auf der vierten Seite des Protokolls, war es, den er wieder und wieder las. Auf die Frage des vernehmenden Beamten, wie es denn genau zu den Schüssen gekommen war, hatte der Zeuge Brettschneider geantwortet: »*Nölting, also der Mann, der in die Bäckerei gestürmt kam, hat fast sofort das Feuer eröffnet. Ich weiß nicht genau, wie viele Schüsse das waren, aber mit einem oder mehreren Schüssen hatte er dann den Mann am Tisch abgeknallt. Regelrecht hingerichtet hat er ihn.*«

Rocco las die Aussage ein weiteres Mal durch, und ihn beschlich ein ungutes Gefühl. Es kam ihm vor, als könnte es da eine Beziehung zu Nölting geben. Als würde der Zeuge seinen Mandanten kennen, ja beinahe so, als wäre er voreingenommen. Rocco fragte sich, ob es sein konnte, dass der Zeuge Alexander Brettschneider die Absicht hatte, Nölting mit seinen Angaben mutwillig zu schaden? Er hatte das schon in anderen Verfahren erlebt, und die Ausdrucksweise von Brettschneider, die sich durch die gesamte Aussage zog, schien darauf hinzudeuten.

Aber warum?

Rocco griff zu seiner Kaffeetasse, entschied sich dann aber anders. Er stand auf und holte aus seinem Sideboard eine Flasche Rotwein und ein Glas. Mit einem Blick auf seine Uhr redete er sich ein, dass der Primitivo um diese Zeit das bessere Getränk für einen langen Arbeitstag war.

Nachdem er genüsslich einen großen Schluck genommen hatte, wandte er sich wieder seiner Akte zu.

Brettschneider! Er las die Aussage zum wiederholten Male bis zum Ende durch, fand aber mit Ausnahme der ungewöhnlichen Wortwahl zunächst keinen weiteren Hinweis auf eine Verbindung zwischen dem Zeugen und Nikolas Nölting. *Was soll's,* dachte er. Vielleicht war das eine erste Spur, ein erster Hinweis, dem er nachgehen könnte. Rocco machte sich eine Notiz und beschloss, Brettschneider bei seiner Vernehmung im Gerichtssaal ordentlich auf den Zahn zu fühlen.

18. KAPITEL

Zweiter Verhandlungstag –
sechs Monate nach der Tat

Berlin-Moabit, Kriminalgericht:
Mittwoch, 22. Juli, 9.23 Uhr

Ab heute geht es los, dachte Rocco Eberhardt und blickte sich in dem berühmten Schwurgerichtssaal 700 des Landgerichts Berlin um. Hier wurden schon so spektakuläre Prozesse wie der des Hauptmanns von Köpenick oder die Anschläge auf die Diskothek *La Belle* und das Restaurant *Mykonos* verhandelt. Kriminalfälle, die Berlin bewegt und verändert hatten. Auch Erich Honecker hatte sich hier wegen des Schießbefehls und der damit verbundenen tödlichen Schüsse an der innerdeutschen Grenze verantworten müssen.

Und heute ging es gegen Nikolas Nölting. Tag zwei. Es war der eigentliche Prozessbeginn, denn am ersten Tag war nur die Anklageschrift verlesen worden. Wie zu erwarten, war der Saal bis auf den letzten Platz gefüllt, und die Wachtmeister am Eingang hatten einiges zu tun, um keine weiteren Zuschauer mehr einzulassen.

In der ersten Reihe saßen die Gerichtsreporter der Berliner Tageszeitungen dicht gedrängt nebeneinander und hofften auf große Schlagzeilen für die nächste Ausgabe. Schließlich ging es um nicht weniger als den wohl spektakulärsten Fall der diesjährigen Gerichtssaison: das Verfahren gegen den ›Killer-Beamten‹. In der Öffentlichkeit kursierten die unterschiedlichsten Gerüchte, was hinter der Tat stecken könnte; was Nöltings Motiv war. Doch letztlich war alles bloße Spekulation. Denn obwohl die

Fakten klar auf der Hand lagen, konnte niemand die Frage beantworten, wie der unauffällige Stadtrat aus Brandenburg, fürsorgender Familienvater und liebevoller Ehemann, zum kaltblütigen Killer mutieren konnte. Es fehlte das Motiv.

Rocco Eberhardt blickte auf seine Uhr, eine fünfzehn Jahre alte Omega Seamaster. Er hatte sich die Uhr zum Bestehen seines zweiten Staatsexamens selbst geschenkt und trug sie seither in jedem wichtigen Verfahren als Glücksbringer. Noch fünf Minuten, dann müsste es losgehen.

Ein letztes Mal ging er die Protokolle mit den Aussagen der beiden Zeugen durch, die heute am Vormittag gehört würden. Beide waren in der Bäckerei, als Nölting mit seiner Waffe um sich schoss. Und beide waren unverletzt aus der Situation herausgekommen. Rocco Eberhardt machte sich noch einige letzte Notizen und klappte dann die Akte zu. Er kannte die Aussagen ohnehin nahezu auswendig. Trotzdem würde er jedem Wort aufmerksam folgen. Zeugen waren immer für eine Überraschung gut, dachte er. Im Positiven wie im Negativen. Mehr als in allen anderen Bereichen des Rechts kam es in einem Strafverfahren auf Spontaneität und Souveränität unmittelbar in der Verhandlung an. Nicht nur einmal war es Rocco gelungen, aufgrund eines schwachen oder wankelmütigen Zeugen einen Prozess im letzten Moment in eine ganz neue Richtung zu drehen. Ob das nun gerecht war oder nicht, spielte nach all den Jahren immer weniger eine Rolle für ihn.

Ein einziges Mal vor vielen Jahren hatte er den Fehler begangen, einen Mandanten und dessen Geschichte zu nahe an sich heranzulassen.

Zwei Freunde hatten miteinander ein Fußballspiel im Fernsehen angeschaut. Dabei war zu viel Alkohol geflossen. Sie waren jeweils Fans der anderen Mannschaft und über das Ergebnis so sehr in Streit geraten, dass es zu einer körperlichen Auseinandersetzung, einer Messerstecherei, gekommen war. Einer der beiden

Männer wäre beinahe ums Leben gekommen, während der andere, Roccos späterer Mandant, nur einigermaßen leichte Verletzungen davongetragen hatte. Roccos Mandant hatte darauf geschworen, sich nur verteidigt zu haben und dass sein Freund ihn zuerst attackiert hätte. Obwohl einiges gegen diese Geschichte sprach und die Ergebnisse der Untersuchungen ein anderes Bild zeigten, hatte Rocco sich überzeugen lassen und seinem Mandanten geglaubt, ja geradezu mit ihm sympathisiert. Das führte im Ergebnis nicht nur zu einer besonders engagierten Verteidigung, bei der Rocco unter Aufbringung aller juristischen Möglichkeiten als Verteidiger geglänzt hatte, sondern auch zu einem sehr milden Urteil. Im Anschluss an die Verkündung zollten ihm zahlreiche Kollegen ihren Respekt, und in der Presse wurde er als Meister seines Fachs gefeiert. Die Sache wurde allerdings nur wenige Wochen nach dem aufsehenerregenden Urteil zu einer von Roccos größten persönlichen Niederlagen. Der von ihm verteidigte Mandant hatte nicht nur vor Freunden damit geprahlt, wie er alle ausgetrickst und auch seinen eigenen Anwalt belogen hatte, sondern war, wie von Staatsanwaltschaft und Gutachtern vorausgesagt, wieder rückfällig geworden und hatte dann in einer vergleichbaren Situation ein unschuldiges Leben ausgelöscht.

Dieser Fall hatte für immer Roccos Einstellung zu seinem Beruf verändert. Den idealistischen Jurastudenten ließ er hinter sich. Aus einer Berufung wurde ein Beruf. *No more bullshit!* Er war Strafverteidiger und hatte einen klaren Auftrag. Die bestmögliche Vertretung seiner Mandanten. Doch er durfte diese Menschen und ihre Geschichten nicht persönlich an sich heranlassen, er musste rational bleiben. Und damit ihm nie wieder ein solcher Fehler wie damals unterlaufen würde, beurteilte er seine Mandanten und deren Probleme inzwischen wie die Aufgaben eines komplexen Spiels. Ein Spiel, das er gewinnen wollte, ohne Frage. Aber eben nur ein Spiel. Anders war sein Job nicht zu ertragen.

Im selben Moment ging ein Raunen durch die Menge, und Rocco wurde aus seinen Gedanken gerissen. *Game on!*

Die Vorsitzende Richterin, Doktor Ariane Gregor, die beiden beisitzenden Richter und die Schöffen hatten den Saal betreten. Groß, blond und mit einem streng nach hinten gebundenen Haarknoten strahlte die Vorsitzende Richterin eine natürliche Autorität aus, die keine Fragen offenließ.

Rocco Eberhardt kannte sie schon aus einigen Verfahren und hatte sie immer als besonnen und gerecht erlebt. Sie leitete ihre Verfahren gleichermaßen souverän und objektiv und war dafür bekannt, keine unnötigen Ablenkungen in ihrem Gerichtssaal zuzulassen. Freundlich nickte sie Rocco Eberhardt zu und ließ dann ihren Blick durch den Saal schweifen. Ganz offensichtlich suchte sie Oberstaatsanwalt Doktor Bäumler, der nicht auf seinem Platz saß. Tatsächlich stand er bei den Reportern, und es machte den Anschein, als würde er eines seiner zahlreichen Interviews geben, mit denen er in den vergangenen Wochen immer wieder für Zündstoff in diesem Verfahren gesorgt hatte.

Die Richterin drückte auf den Knopf des Mikrofons vor sich, um es einzuschalten, damit alle im Saal ihre Worte hören konnten, und räusperte sich dann so, dass auch Bäumler, der mit dem Rücken zu ihr stand, sich angesprochen fühlte und zu ihr umdrehte. Der Oberstaatsanwalt warf den Journalisten noch ein letztes Wort zu und lächelte jovial, ehe er sich auf den Weg zu seinem Platz machte.

Kurz darauf führten zwei Wachtmeister Nikolas Nölting durch eine Seitentür aus den unterirdischen Gerichtskatakomben in den Saal und brachten ihn in den von Panzerglas geschützten Bereich hinter dem Tisch der Verteidigung.

Die Uhr im Gerichtssaal zeigte genau halb zehn, als Doktor Ariane Gregor die Sitzung eröffnete und die erste Zeugin aufrief.

19. KAPITEL

Zweiter Verhandlungstag –
sechs Monate nach der Tat

Berlin-Moabit, Kriminalgericht:
Mittwoch, 22. Juli, 9.32 Uhr

Carola Jungbauer, siebenundfünfzig Jahre alt, alleinstehend und Sekretärin an einer Grundschule in Charlottenburg, nahm auf dem Zeugenstuhl Platz. Trotz der stickigen Luft und der Wärme im Gerichtssaal hatte sie ihren viel zu großen blauen Mantel anbehalten.

Nach dem Abgleich ihrer persönlichen Daten stellte die Vorsitzende Richterin ihr die ersten Fragen zu den Geschehnissen vor gut sechs Monaten. Behutsam führte sie die Zeugin durch die Ereignisse des Tages bis zu ihrem Eintreffen in der Bäckerei »Aux Délices Français«, kurz bevor Nikolas Nölting den Verkaufsraum betrat.

»Sie waren also bei dem Bäcker, weil Sie Kuchen kaufen wollten. Kam es denn noch dazu?«

Carola Jungbauer, die gerade noch ihren Blick gesenkt hatte, sah jetzt wieder auf. Rote Äderchen durchzogen ihre blaugrauen Augen. Die Anspannung stand ihr förmlich ins Gesicht geschrieben.

»Nein, dazu ist es nicht mehr gekommen. Ich weiß noch, dass nach mir drei bis vier weitere Kunden in die Bäckerei gekommen sind, bevor das alles passierte. Und dann, dann kam er rein.«

Sie drehte sich zu Nölting um. Ihre Stimme zitterte, und Tränen stiegen in ihre Augen. Sie musste sich sammeln, bevor sie weitersprechen konnte.

»Auf einmal war da ein wahnsinniger Lärm. Ich dachte im ersten Moment, mein Trommelfell würde platzen, und wusste gar nicht, was gerade um mich herum passierte. Und dann habe ich gesehen, wie das Gesicht von Frau Franz erstarrte. Frau Franz, das ist die junge Verkäuferin aus der Bäckerei, ein wirklich nettes Mädchen ... Sie hatte ihre Augen aufgerissen, und es war, als würde die Zeit stehen bleiben. Und dann habe ich gesehen, wie sich auf ihrer weißen Bluse ein roter Fleck bildete. Der wurde immer größer. Ich glaube, das war am Arm. Oder an der Schulter? Auf jeden Fall habe ich mich umgeblickt, und dann habe ich ihn gesehen. Er stand da mit dieser Waffe in der Hand. Eine Pistole oder ein Revolver. Ich weiß es nicht, ich kenne mich damit ja nicht aus. Völlig ruhig und ausdruckslos. Ich meine, ohne Hass oder so. Ich habe dann Panik bekommen und bin rausgerannt. Einfach nur gerannt.«

Es war jetzt völlig still im Gerichtssaal. Alle Augen waren auf die Zeugin gerichtet.

»Sie sind also aus der Bäckerei gerannt, um sich in Sicherheit zu bringen«, nahm die Vorsitzende Richterin den Faden wieder auf. »Was geschah dann?«

»Ich bin hinter der nächsten Ecke stehen geblieben und habe mich umgeschaut. Dann sah ich, dass vor der Bäckerei ein Polizist auf dem Boden lag. Den hatte ich vorher gar nicht bemerkt. Er ist aufgestanden und in die Bäckerei geeilt. Ich weiß noch, dass ich dachte: Ein Glück, jetzt wird er den Mann festnehmen. Und dann bin ich auch wieder zur Bäckerei zurück.«

»Warum sind Sie wieder zurückgegangen?«

Die Zeugin schaute betreten auf den Boden, und ihr war anzusehen, dass sie sich in ihrer Haut nicht besonders wohlfühlte.

»Ich wollte doch wissen, was passiert war«, antwortete sie kleinlaut.

»Hatten Sie denn keine Angst?«, hakte Doktor Ariane Gregor nach. Rocco ahnte, worauf sie hinauswollte, und lehnte sich ein wenig nach vorn.

»Doch, schon.« Carola Jungbauer machte eine Pause. »Aber ich war so neugierig.«

Ihre Stimme war jetzt ganz leise, und sie schaute sich im Gerichtssaal um. Sie schämte sich offensichtlich, aber ihre Ehrfurcht vor dem Gericht war so groß, dass sie sich nicht traute, die Sache zu beschönigen. Genau das hatte die Vorsitzende Richterin geahnt. Dass Carola Jungbauer hier die Wahrheit sagte, auch wenn sie sich dadurch in kein positives Licht setzte, erhöhte ihre Glaubwürdigkeit und wertete ihre ganze Aussage auf.

»Und was haben Sie dann gemacht?«, fragte die Vorsitzende Richterin.

»Ich bin ganz langsam zurückgegangen, bis zu dem Fenster von der Bäckerei. Und dann habe ich reingeschaut und gesehen, wie der Mann, der geschossen hatte, auf dem Boden lag. Der Polizist hat eine Waffe auf ihn gerichtet und ihn angeschrien. Ich konnte allerdings nicht genau hören, was, weil die Tür ja zu war. Aber es sah so aus, als ob er schreien würde. Und dann habe ich gesehen, dass da noch zwei Menschen auf dem Boden lagen. Da war viel Blut. Und dann habe ich schon die Martinshörner gehört.«

Carola Jungbauer schilderte in den nächsten zehn Minuten sehr detailliert, was außerhalb der Bäckerei geschah, und die Vorsitzende Richterin hakte an der einen oder anderen Stelle noch einmal nach. Dann beendete sie ihre Vernehmung und erteilte Oberstaatsanwalt Doktor Bäumler das Fragerecht, der davon allerdings keinen Gebrauch machte. Auch Rocco Eberhardt hatte keine weiteren Fragen, allerdings aus gänzlich anderen Erwägungen heraus. Er hatte sich für den heutigen Verhandlungstag ein wesentliches Ziel gesetzt: Er würde klarstellen, dass sein

Mandant sich im Anschluss an die Schüsse freiwillig und widerstandslos hatte festnehmen lassen und dass nach den vier abgegebenen Schüssen von ihm keine Gefahr mehr ausging. Das änderte zwar nichts an dem Geschehen, könnte aber für die spätere Beurteilung der Schuld eine wesentliche Bedeutung haben. Ein einsichtiger Angeklagter, der seine Handlung im Nachhinein bedauerte und alles unternahm, dass kein weiterer Schaden mehr entstehen würde, konnte mit einer milderen Strafe rechnen. Und um das zu erreichen, brauchte er den zweiten Zeugen.

20. KAPITEL

Zweiter Verhandlungstag –
sechs Monate nach der Tat

Berlin-Moabit, Kriminalgericht:
Mittwoch, 22. Juli, 10.57 Uhr

Dieter Wieczorek trat deutlich selbstbewusster als Frau Jungbauer auf. Als Steuerberater einer bekannten Berliner Kanzlei war er es gewohnt, Verhandlungen jeglicher Art zu bestreiten. Sehr zum Leidwesen der Gerichtsreporter brachte die Aussage des mit grauem Anzug und einfarbiger Krawatte sehr konservativ gekleideten Zeugen aber auch keinerlei Neuigkeiten, sondern bestätigte nur das, was allgemein bekannt war.

Zum Motiv, also Nöltings Beweggründen, konnte der zweite Zeuge genauso wenig sagen wie schon zuvor Frau Jungbauer.

Nachdem die Vorsitzende Richterin ihre Vernehmung beendet hatte, verzichtete Oberstaatsanwalt Bäumler erneut auf weitere Fragen, sodass jetzt Rocco Eberhardt an der Reihe war.

Anders als Frau Jungbauer war Dieter Wieczorek von Anfang an in den Räumen der Bäckerei und hatte auch die Festnahme vor Ort mitbekommen. Er war für Rocco der perfekte Zeuge, um seinen Punkt zu machen.

»Herr Wieczorek«, begann er mit einem freundlichen und offenen Lächeln und schaute den Zeugen zuversichtlich an. »Vielen Dank erst einmal, dass Sie uns heute bei der Aufklärung dieses auch für Sie sicherlich sehr belastenden Geschehens unterstützen. Ich habe auch nur eine Frage an Sie, dann sind wir für heute fertig, und Sie können wieder gehen.«

Wieczorek nickte und schaute Rocco Eberhardt aufmerksam an.

»Sie haben uns gerade berichtet, dass mein Mandant, Herr Nölting, direkt nach der Abgabe der Schüsse die Waffe hat fallen lassen, dass er sich hingekniet und die Hände hinter dem Kopf verschränkt hat. Ist das zutreffend?«

»Absolut, genauso ist es gewesen.«

»Sehr gut, dann bin ich beruhigt, dass ich alles richtig verstanden habe«, erwiderte Rocco und nickte.

»Dann gehe ich davon aus, dass nach Ihrer Einschätzung von meinem Mandanten zu diesem Zeitpunkt keine Gefahr mehr ausging, ist das richtig?«

Wieczorek musste kurz nachdenken, ehe er antwortete.

»Das stimmt, da haben Sie recht. Herr Nölting wirkte mit einem Mal völlig anders. Ich hatte sogar den Eindruck, dass er nur auf seine Festnahme wartete.«

»Angst hatten Sie also keine mehr?«, hakte Rocco nach, der jetzt sicher war, seine Aussage zu bekommen.

»Nein, zu diesem Zeitpunkt nicht mehr. Und kurz danach kam dann ja auch der Polizist rein, aber das habe ich ja schon erzählt.«

»Ja, das haben Sie«, bestätigte Rocco und wollte jetzt die Aussage so schnell als möglich beenden, damit das letzte Statement von Wieczorek nicht wieder verwässert würde. Er wandte sich daher direkt an Doktor Ariane Gregor. »Dann habe ich auch keine Fragen mehr, Frau Vorsitzende.«

Die nickte nur und entließ dann auch den Zeugen Nummer zwei, ehe sie eine Mittagspause von einer Stunde anordnete. Zuschauer und Prozessbeteiligte verließen den Saal, und zwei Wachtmeister führten Nikolas Nölting in eine Zelle hinter dem Gerichtssaal, in der er die Pause verbringen würde.

Nachdenklich blickte Rocco Eberhardt seinem Mandanten hinterher. Nölting hatte während der Aussagen der beiden Zeu-

gen regungslos hinter ihm gesessen, und selbst als Frau Jungbauer schilderte, wie er in der Bäckerei um sich geschossen hatte,
verzog er keine Miene.

Was ist dein Geheimnis?, fragte sich Rocco Eberhardt. *Warum
hast du das getan? Ob du es mir verrätst oder nicht, ich werde es
herausbekommen.*

21. KAPITEL

Zweiter Verhandlungstag –
sechs Monate nach der Tat

Berlin-Moabit, auf der Straße vor dem Kriminalgericht:
Mittwoch, 22. Juli, 12.13 Uhr

Unruhig lief Abid Tawfeek in einer auffällig bunten Designerjacke auf dem Gehsteig vor dem alten Gerichtsgebäude hin und her. Seit einer Viertelstunde versuchte er vergebens, seinen Boss zu erreichen. Er steckte sich gerade eine weitere Zigarette an, die dritte in den letzten zehn Minuten, als sein Telefon klingelte. Endlich!

»Und? Was ist passiert?«, fragte Kamil Gazal mit kalter, harter Stimme.

»Nichts, Chef, bisher gar nichts.«

»Gar nichts? Was heißt das? Ich habe in den Nachrichten gehört, dass die ersten Zeugen vernommen wurden.«

»Ja, das stimmt. Aber die haben nichts gesagt, was uns gefährlich werden könnte. Die haben einfach nur erzählt, dass Nölting da rein ist und um sich geballert hat.«

»Und Nölting selbst?«

»Keine Ahnung. Der sitzt einfach hinter seinem Anwalt und sagt nichts.«

»Okay. Du bleibst da und passt weiter genau auf.«

»Ja, Chef, mach ich. Ich glaube nicht, dass Nölting was verrät. Er hat die ganzen letzten sechs Monate geschwiegen, warum also sollte er das jetzt ändern?«

Der junge Mann warf seine Zigarette auf den Boden. Mit der Sohle seines schwarzen Sneakers trat er sie aus.

»Nölting ist auch nicht der Einzige, um den ich mir Sorgen mache«, sagte Gazal am anderen Ende der Leitung. Dann legte er auf.

22. KAPITEL

Zweiter Verhandlungstag –
sechs Monate nach der Tat

Berlin-Moabit, Kriminalgericht, Schwurgerichtssaal 700:
Mittwoch, 22. Juli, 13.22 Uhr

In der Pause hatte Eberhardt sich mit Anja Nölting getroffen und ihr kurz berichtet, was bisher geschehen war. Weil sie zu einem späteren Zeitpunkt selbst als Zeugin geladen war, durfte sie gemäß einer Norm aus der Strafprozessordnung nicht an der Verhandlung teilnehmen, damit sie vor ihrer eigenen Vernehmung nicht durch das bisherige Geschehen beeinflusst wurde. Blass und mit eingefallenem Gesicht hörte sie ihm zu. Das Verfahren zehrte an ihren Nerven, und sie hatte in den vergangenen Wochen weiter abgebaut.

Nachdem sie sich verabschiedet hatten, begab Eberhardt sich wieder in den Gerichtssaal, um noch einmal die Notizen für die nächste Zeugenaussage durchzugehen. Gerade als er damit fertig war, hörte er neben sich eine ihm nur allzu bekannte Stimme.

»Na, Herr Rechtsanwalt. Läuft wohl nicht so gut für Sie heute, oder? Wollten wohl mit dem Zeugen Wieczorek einen Punkt landen, oder? Ist aber vollkommen egal, denn ein Toter und zwei Geschädigte reichen mir allemal für eine Verurteilung.«

Süffisant lächelnd blickte Oberstaatsanwalt Doktor Bäumler ihn an. »Und ich sagen Ihnen noch was, Eberhardt. Das lief bis jetzt nicht gut für Sie, und es wird gleich nicht besser werden. Ich sage mal, nach der nächsten Aussage ist der Fall erledigt.« Bäumler machte eine Pause und fuhr dann mit gespielt bedauernder Miene fort. »Und Ihr Mandant auch.«

»Wenn Sie meinen«, erwiderte Eberhardt völlig ungerührt und beugte sich dann wieder über die Akte vor sich. *Wenn du glaubst, mich damit provozieren zu können, hast du dich geschnitten,* dachte er. *Abgerechnet wird am Schluss.*

Bäumler wandte sich, offenbar enttäuscht darüber, dass Eberhardt sich nicht reizen ließ, ab und widmete seine Aufmerksamkeit dem Gerichtsreporter einer der auflagenstärksten Zeitungen der Hauptstadt, der gerade wieder in den Verhandlungssaal gekommen war. Der Oberstaatsanwalt witterte offensichtlich die Gelegenheit, kurz vor Aufruf der Sache noch eine Schlagzeile für den nächsten Tag zu markieren.

Fünf Minuten später, alle Beteiligten waren wieder in den Saal zurückgekehrt, und die Wachtmeister hatten die Türen geschlossen, setzte die Vorsitzende Richterin das Verfahren fort. Polizeioberkommissar Schäfer, der dritte Zeuge des Verfahrens, wurde aufgerufen.

»Herr Polizeioberkommissar Schäfer, schildern Sie uns doch bitte, was sich am 12. Januar genau zugetragen hat.«

»Jawoll, Frau Vorsitzende«, erwiderte der Polizist mit breitem Berliner Dialekt. Aufrecht und selbstbewusst saß er in seiner dunkelblauen Uniform auf dem Zeugenstuhl. Seine Schirmmütze hatte er vor sich auf dem Tisch abgelegt. Im Laufe seiner Dienstzeit hatte er in unzähligen Verfahren ausgesagt. Und auch wenn dieser Prozess sich aufgrund seiner Medienpräsenz von den meisten Fällen unterschied, merkte man ihm seine Routine an.

»Ick bin bei der Direktion 2, Abschnitt 24 am Kaiserdamm als KOB, also als Kontaktbereichsbeamter, beschäftigt«, fuhr er fort, sichtlich darum bemüht, vor Gericht so gut es ging hochdeutsch zu sprechen, was ihm aber kaum gelang. »Das bedeutet, dass ick in meinem Bereich um die westliche Neue Kantstraße, in dem auch die Bäckerei liegt, Streifendienst leiste und für die Bürger da bin. Ick arbeite schon seit Jahren in dem Kiez und kenne die meisten Geschäfte und Menschen, die da wohnen und arbeiten, recht jut.«

Schäfer, der ein kleines schwarzes Notizbuch in den Händen hielt, setzte seine Lesebrille auf und blätterte in den Seiten, bis er die richtige Stelle gefunden hatte. Mit leicht monotoner Stimme fuhr er fort und zitierte aus seinen Aufzeichnungen.

»Am 12. Januar hatte ick um neun Uhr morgens Dienstbeginn. Ich fange ja für gewöhnlich immer ein paar Minuten früher mit meiner Route an, doch an diesem Tag habe ick schon kurz vor acht begonnen.«

»Warum genau haben Sie gerade an diesem Tag Ihren Dienst schon eine gute Stunde vor dem eigentlichen Beginn angetreten?«, fragte Richterin Gregor.

»Tja, det is 'ne jute Frage. Ick hatte eine SMS-Nachricht erhalten. Auf meinem Diensthandy. Das ist an sich nicht so unjewöhnlich, weil meine Nummer ja bekannt ist, die steht ja auch auf meiner Visitenkarte, die ick bei Bedarf verteile.«

»Und welchen Inhalt hatte diese Textnachricht?«

»Det war nur eine kurze Nachricht von einer Nummer, die ick nicht kannte. Ick hab die Nachricht auch noch jespeichert. Sie lautet: *Kommen Sie um 8.15 Uhr zur Bäckerei ›Aux Délices Français‹. Ich habe eine wichtige Information für Sie. FL.*«

»Hatten Sie irgendeine Idee, von wem diese Nachricht gewesen ist?«, hakte die Vorsitzende Richterin nach.

»Nee, ick konnte mit dem Absender *FL* gar nichts anfangen.«

»Und kam Ihnen das nicht ungewöhnlich vor?«

»Nicht wirklich, weil ja viele Bürger meine Nummer haben. Aber ick wollte natürlich schon wissen, von wem die Nachricht war, und hab dann einfach die Nummer jewählt. Ist aber niemand ranjegangen. Es kam nur die Stimme, dass der Anschluss vorübergehend nicht zu erreichen ist. Dann habe ick beim Revier anjerufen, um die Nummer überprüfen zu lassen, aber das hat auch nichts jebracht. Das war eine Prepaidkarte, die in einem Handyshop in Schöneberg verkauft worden war, wie die Kollegen später ermittelt haben. Es gab aber keine eindeutigen personenbezogenen Daten. Als Nutzer war der Handyshop selber einjetragen. Das passiert leider sehr häufig, sodass wir oft nicht wissen, wer die Karten eigentlich verwendet.«

»Und hat Sie das nicht stutzig gemacht?«

»Ja wissen Sie, im Nachhinein ist man ja immer schlauer. Ick hatte mich schon ein wenig über diese SMS jewundert und wollte auch wissen, was dahinter steckt. Deshalb bin ick dann ja auch noch vor meinem eigentlichen Schichtbeginn zur Bäckerei. Aber Sorgen habe ick mir damals keine jemacht, wenn Sie das meinen.«

»Sie sind dann also zur Bäckerei gefahren. Wann sind Sie dort etwa angekommen, und was ist dann passiert?«

»Ick bin nicht wirklich jefahren, sondern jelaufen. Vom Abschnitt am Kaiserdamm bis zum ›Aux Délices Français‹ sind das keine zehn Minuten. Ick bin die Witzlebenstraße runter, am Lietzensee vorbei, direkt auf die Neue Kantstraße.«

»Und dann?«

»Ick war vielleicht so gegen zehn nach da, also wenige Minuten vor der vereinbarten Zeit. Ich habe mich umjeschaut, ob jemand auf mich wartet, aber außer den Kunden, die in die Bäckerei gingen, und einigen Passanten war niemand zu sehen.«

Schäfer machte eine Pause und blätterte wieder in seinem Notizbuch. »Als gegen zwanzig nach acht immer noch niemand da war, habe ich die Telefonnummer noch mal anjerufen, aber wieder niemanden erreicht.«

»Und was geschah dann?«

»Dann kam der Angeklagte auf seinem Fahrrad anjeradelt.«

In der folgenden Dreiviertelstunde berichtete Schäfer haarklein, was sich bis zur Festnahme von Nölting und dem Eintreffen der Kollegen am Tatort zugetragen hatte. Er beendete seine Aussage damit, wie er im Anschluss an die Untersuchung durch die Ärztin am Tatort mit einem Kollegen ins Krankenhaus gefahren war, um sich noch einmal durchleuchten zu lassen.

»Und, war alles in Ordnung?«, fragte die Vorsitzende Richterin.

»Alles bestens – danke, Frau Vorsitzende.«

»Vielen Dank. Dann habe ich keine weiteren Fragen mehr.«

Sie nickte Oberstaatsanwalt Doktor Bäumler zu, der nur darauf gewartet hatte, endlich seinen besten Zeugen zu befragen. Mit einem breiten Lächeln rückte er seine weiße Fliege zurecht und erhob sich von seinem Platz.

»Herr Polizeioberkommissar Schäfer. Zunächst einmal danke ich Ihnen für Ihren Einsatz und Wagemut. Ihr schnelles und mutiges Handeln hat mit Sicherheit dazu beigetragen, dass hier nicht noch Schlimmeres geschehen ist. Wer weiß, wie viele Menschen Nölting sonst noch erschossen hätte.«

Bäumler, ging es Eberhardt durch den Kopf. *Der lässt doch wirklich keine Gelegenheit aus, Stimmung zu machen.* Auch Richterin Doktor Gregor sah den Oberstaatsanwalt genervt an. Sie konnte unprofessionelles Verhalten nicht ausstehen, und Bäumler führte sich auf wie in einem schlechten Hollywoodfilm.

»Herr Oberstaatsanwalt, ich möchte Sie doch sehr bitten, den Bereich der Spekulation zu meiden. Ob und was ansonsten noch geschehen wäre, und was der Angeklagte getan oder nicht getan hätte, können und werden wir voraussichtlich nie erfahren.«

Bäumler schüttelte mit gespieltem Ausdruck von Unverständnis überdeutlich seinen Kopf, als würde man ihm eine wichtige Meinung verwehren. Für einen Moment schien es, als wollte er widersprechen, besann sich dann aber eines Besseren.

»Natürlich, Frau Vorsitzende«, erwiderte er und widmete sich dann erneut Schäfer.

Eberhardt machte sich während der weiteren Vernehmung des Zeugen durch Bäumler einige Notizen und freute sich insgeheim. Ganz offensichtlich hatte der Staatsanwalt der einzig interessanten neuen Information in Schäfers Aussage keine Bedeutung beigemessen, denn er hatte nur belanglose Fragen gestellt. Zu der alles entscheidenden Frage aber, zu der es auch keinen Hinweis in den Akten gab, hatte er nichts wissen wollen. Und auch Eberhardt vermied es tunlichst, die Aufmerksamkeit von Bäumler jetzt darauf zu richten. Denn diese Frage wollte er außerhalb des Gerichtssaals klären.

Wer hatte Schäfer die SMS geschrieben und warum?

23. KAPITEL

»Hey, Tobi, in der Sache Nölting hätte ich jetzt einen Auftrag für dich. Hast du noch Interesse?« Rocco Eberhardt stand auf der Dachterrasse seiner Wohnung. In der einen Hand hielt er sein iPhone, in der anderen ein Glas mit eiskaltem Rosé.

»Wenn du so beschissen zahlst wie beim letzten Mal, dann nicht«, erwiderte Tobias Baumann.

»Okay, wenn du die Info bringst, die ich brauche, lege ich noch einen Grillabend bei mir obendrauf.«

»Dry Aged Beef?«

»Unbedingt!«

»Gin Tonic?«, hakte Baumann nach.

»Auf jeden Fall.«

»Okay, Rocco. Ich bin dabei. Worum geht's?«

»Wir hatten heute den zweiten Verhandlungstag in der Sache. Und da ist etwas Komisches passiert. Einer der Zeugen, der Polizist, der Nölting festgenommen hat, war gar nicht zufällig am Tatort. Er war nur da, weil er eine SMS von einem Unbekannten erhalten hatte.«

»Und von wem?«

»Na ja, das sollst du rausfinden.«

»Hat die Staatsanwaltschaft sich nicht darum gekümmert?«

»Nein. Bäumler ist das total egal. Der kriegt seine Verurteilung schon deshalb, weil mein Mandant um sich geschossen hat. Das ist ja unstreitig.«

»Und wozu brauchst du dann noch die SMS?«

»Weil der ganze Fall keinen Sinn macht. Nölting hat kein Motiv für die Tat. Zumindest keines, das ich kenne. Ich habe ihn in den vergangenen Monaten jede zweite Woche im Knast besucht und ihm immer wieder klargemacht, wie wichtig eine Aussage, irgendeine Art von Erklärung für ihn sein könnte. Aber er bleibt dabei, dass er weiter zu allem, was seine Tat betrifft, schweigen wird. Die Sache mit der SMS ist jetzt mal die erste Spur. Ich bin mir nicht sicher, ob sie irgendwohin führt, aber vielleicht ja doch. Was anderes habe ich nicht.«

»Sag mal Rocco, wozu gibst du dir das Ganze überhaupt, wenn es deinem Mandanten egal ist? Lass ihn doch in den Bau gehen, wenn er unbedingt will.«

»Auf keinen Fall«, konterte Eberhardt. »Nur weil mein Mandant sich seltsam benimmt, leiste ich doch keine schlechte Arbeit.« Nachdenklich fügte er hinzu: »Irgendwie werde ich das Gefühl nicht los, dass es einen Grund gibt, warum er sich so verhält. Warum er nicht redet. Und das müssen wir rauskriegen. Außerdem geht es gegen Bäumler. Und der darf einfach nicht gewinnen.«

»Okay, ist ja deine Kohle«, sagte Baumann zweifelnd. »Dann schieß mal los.«

In den nächsten vierzig Minuten teilte Rocco mit seinem Freund alle wichtigen Informationen, die dieser für seine Ermittlungen brauchte. Nachdem sie aufgelegt hatten, goss er sich noch ein Glas Wein ein, legte sich auf seine Liege und blickte nachdenklich in den Berliner Nachthimmel.

Warum widme ich dem Fall so viel Aufmerksamkeit, wenn Nölting offenbar eh in den Knast will?, rief sich Eberhardt die Frage seines Freundes noch mal ins Gedächtnis. *Eigentlich könnte es mir doch vollkommen egal sein …*

Aber das war es nicht.

24. KAPITEL

Dritter Verhandlungstag

Berlin-Moabit, Kriminalgericht, Schwurgerichtssaal 700:
Montag, 27. Juli, 10.53 Uhr

Doktor Justus Jarmer nahm auf der für den Sachverständigen
vorgesehenen Bank Platz und legte seine dunkelbraune, von Patina gezeichnete Aktentasche vor sich ab.

Rocco Eberhardt blickte skeptisch zu dem Rechtsmediziner
hinüber. Der letzte Fall, bei dem sie sich im Gerichtssaal begegnet waren, war ihm noch gut in Erinnerung. Vor nicht einmal
einem Jahr hatte Jarmer seine Verteidigung regelrecht zerschossen. Rocco Eberhardt hatte damals einen Angeklagten vertreten,
der bei einer Party in eine Schlägerei verwickelt worden war und
einen Gast beinahe totgeschlagen hatte. Im Anschluss an die Tat
wurde seinem Mandanten Blut abgenommen. Gut drei Promille
sprachen für sich, und Eberhardts gesamte Verteidigungsstrategie basierte genau auf diesem Umstand: Sein Mandant konnte
aufgrund seiner Alkoholisierung die Folgen seines Handelns nur
eingeschränkt beurteilen, wodurch eine Strafrahmenmilderung
anzunehmen war. Die Fakten waren eindeutig, dachte Rocco,
und ging von einem einfachen Verfahren aus. Seine ganze Argumentation fiel aber plötzlich wie ein Kartenhaus in sich zusammen, als Jarmer mittels einer toxikologischen Nachtrunkanalyse,
die hieb- und stichfest gewesen war, zweifelsfrei bewiesen hatte,
dass sein Mandant zum Zeitpunkt seiner Tat voll handlungsfähig gewesen war und sich erst danach betrunken hatte. Rocco
war damals weniger wegen des harten Urteils verärgert, und auch

nicht, weil sein Mandant ihn angelogen hatte, das kam ständig vor, sondern weil er vor Gericht verloren hatte. Er hasste es, zu verlieren.

Das Gutachten, das Jarmer in der Sache Nölting zu den Verletzungen der überlebenden Geschädigten erstellt hatte, kannte er schon aus der Akte, ebenso wie die Ergebnisse der Obduktion des erschossenen Moritz Lindner, die Jarmer noch am späten Nachmittag des Tattages durchgeführt hatte.

Anders als bei ihrem letzten Aufeinandertreffen ging Rocco Eberhardt heute deshalb nicht davon aus, dass der Bericht des Rechtsmediziners in diesem Fall etwas Neues zutage fördern würde. Gedanklich konzentrierte er sich deshalb schon auf den Zeugen, der am Nachmittag vernommen werden würde: Alexander Brettschneider.

Entsprechend wenig Aufmerksamkeit widmete er der Befragung Jarmers zu seinen Personalien und der Belehrung über dessen Rechte und Pflichten als Sachverständiger. Erst als die Vorsitzende Richterin Jarmer das Wort erteilte, hörte Rocco Eberhardt wieder wirklich zu.

»Zunächst einmal habe ich gute Neuigkeiten«, begann Jarmer. »Die Geschädigten Carola Franz und Doktor Peter Renz sind mittlerweile beide wieder wohlauf.«

Ein Raunen ging durch den Saal, und die Boulevardjournalisten, die auch an diesem Tag wieder die erste Reihe des Gerichtssaals belagerten, machten sich eifrig Notizen. Das wiederum erregte das Interesse von Oberstaatsanwalt Doktor Bäumler, der bis zu diesem Zeitpunkt gelangweilt in einer juristischen Fachzeitschrift geblättert hatte. Er hatte ein natürliches Gespür dafür, wenn es darum ging, die Aufmerksamkeit auf sich zu ziehen, und witterte offensichtlich eine Schlagzeile, die seinen Namen trug. Weniger zu Jarmer selbst als zum Publikum gewandt, fragte er deshalb: »Und wie geht es Lindner?«

Vereinzelt hörte man Lachen im Gerichtssaal. Überwiegend sorgte die Bemerkung aber für Irritation. Dass Moritz Lindner noch in der Bäckerei den Folgen seiner Verletzungen erlegen war, war nicht nur allgemein bekannt, sondern in den vergangenen Monaten auch ausführlich von den Medien berichtet worden.

Rocco Eberhardt schüttelte angewidert den Kopf. Eine selbst für Bäumlers Verhältnisse unerwartet niveaulose Bemerkung. Das sah offensichtlich auch die Vorsitzende Richterin so.

»Ich bitte den Vertreter der Staatsanwaltschaft, solche Unterbrechungen künftig zu unterlassen. Ich erteile Ihnen noch früh genug das Wort«, wies sie Bäumler in einem derart strengen Tonfall zurecht, dass dieser für einen kleinen Moment zusammenzuckte, eher er wieder zu seiner offensichtlich gespielten Selbstgefälligkeit zurückfand.

Deutlich freundlicher wandte sich die Vorsitzende Richterin dann wieder Doktor Jarmer zu.

»Bitte entschuldigen Sie die Störung. Es freut mich sehr zu hören, dass die beiden wieder wohlauf sind. Vielen Dank für diese gute Nachricht.« Dann blickte sie in die Akte und fuhr mit der Verhandlung fort. »Sie haben am 14. Januar die Obduktion des in der Bäckerei ›Aux Délices Français‹ erschossenen Moritz Lindner durchgeführt. Im Anschluss haben Sie am 16. Januar die beiden Geschädigten Franz und Renz im Westend-Klinikum untersucht. Würden Sie dem Gericht bitte mitteilen, was Sie festgestellt haben?«

Jarmer nickte und schilderte in der folgenden halben Stunde die Ergebnisse seiner Untersuchungen. Die Vorsitzende Richterin hakte nur nach, wenn sie aufgrund der Verwendung eines medizinischen Fachbegriffs durch den Rechtsmediziner sichergehen wollte, dass auch die beiden Schöffen alles richtig verstanden.

Im Ergebnis waren Carola Franz und Doktor Renz jeweils von einem Projektil aus der Dienstwaffe von Polizeioberkommissar Schäfer, die der Angeklagte Nölting ihm vor der Bäckerei entwendet hatte, getroffen worden. Beide hatten, entgegen der ersten Einschätzung vor Ort, keine lebensgefährlichen Verletzungen davongetragen. Anders verhielt es sich mit Lindner, der nach Jarmers Angaben von zwei Schüssen in unmittelbarer Herznähe getroffen wurde und wenige Minuten später noch am Tatort verstorben war.

Rocco Eberhardt, der den Ausführungen Jarmers bis dahin mit reduzierter Aufmerksamkeit gefolgt war, wurde plötzlich hellhörig. Er zeichnete eine schematische Skizze mit den Positionen der Beteiligten auf das weiße Papier vor sich. Irgendetwas stimmte hier nicht. Aber was? Wie in einer Schleife hörte er den letzten Satz des Rechtsmediziners immer wieder in seinem Kopf. *Lindner war von zwei tödlichen Schüssen getroffen worden. Jegliche medizinische Hilfe war von vornherein aussichtslos.* Das bedeutete, dass keine Hilfe, wäre sie auch noch so schnell am Tatort eingetroffen, ihn noch hätte retten können. *Er musste zwangsläufig sterben.*

25. KAPITEL

Dritter Verhandlungstag

Berlin-Moabit, Kriminalgericht, auf dem Flur vor dem
Schwurgerichtssaal 700: Montag, 27. Juli, 12.07 Uhr

Nach der Anhörung des Rechtsmediziners hatte Richterin Gregor die Verhandlung für neunzig Minuten unterbrochen. Rocco Eberhardt drehte sich kurz zu Nölting um, erkannte aber schon an dessen Gesichtsausdruck, dass sein Mandant auch nach Jarmers Bericht kein Interesse hatte, sich mit ihm zu besprechen. Rocco zuckte mit den Achseln und nickte Nölting deshalb nur kurz zu, ehe dieser für die Mittagspause wieder in die Wartezelle gebracht wurde.

Auf diesen Moment, Eberhardt endlich einmal alleine interviewen zu können, hatten die zahlreichen Gerichtsreporter nur gewartet. Sie stürzten sich geradezu auf den Anwalt, voller Hoffnung, ihm ein Statement zu dem Fall entlocken zu können. Denn im Gegensatz zu Bäumler hatte Rocco Eberhardt sich gegenüber der Presse noch überhaupt nicht zu dem Verfahren geäußert.

»Herr Eberhardt, Tommi Lobrecht vom *Tagesspiegel*. Nur eine kurze Frage: Wie beurteilen Sie nach dem bisherigen Verlauf des Verfahrens die Situation Ihres Mandanten?« Und mit einem geradezu spitzbübischen Lächeln fügte er hinzu: »So wie es aussieht, haben Sie schlechte Karten, oder?«

Eberhardt, den die provozierende Frage eher amüsierte als ärgerte, blickte von seinen Unterlagen auf. Er kannte Lobrecht gut, hatte ihn oft im Gerichtssaal gesehen und ihm auch schon das eine oder andere Statement gegeben. Eigentlich schätzte er die pointierte und gut recherchierte Berichterstattung des Reporters. Doch heute hatte er kein Interesse daran, sich mit ihm oder einem seiner Kollegen zu unterhalten. Abwehrend hob er die Hände in Richtung der mehr als zehn Journalisten, die ihm ihre Aufnahmegeräte entgegenstreckten.

»Meine Damen, meine Herren. Wie schon an den letzten beiden Tagen werde ich auch heute keine Stellungnahme abgeben.« Er lächelte sie verschmitzt an und drehte sich zu Oberstaatsanwalt Doktor Bäumler. »Ich könnte mir aber vorstellen, dass Sie beim Vertreter der Anklage mehr Erfolg haben.«

Die Reporter folgten Eberhardts Blick, und als sie verstanden, dass sie bei ihm keine weitere Auskunft erhalten würden, zogen sie gesammelt weiter zu Bäumler.

Rocco Eberhardt konnte sich ein Lächeln darüber nicht verkneifen, dass er die Pressevertreter so einfach losgeworden war. Dann fiel sein Blick auf den Stuhl, auf dem eben noch Justus Jarmer gesessen hatte, und das Lächeln verflog. Zwei verletzt, einer musste sterben. War das wirklich Zufall gewesen? Er hätte ihn fragen sollen. Doch was, wenn er Jarmer damit selbst auf eine Idee brachte, die seinem Mandanten nur schaden konnte? Dann hätte Jarmer erneut die Chance, seine Verteidigung in der Luft zu zerpflücken. Eberhardt zögerte. Ach, was soll's, dachte er. *Schlechter als jetzt kann ich auch nicht dastehen.* Er schnappte sich seinen Kugelschreiber und einen Block und verließ den Verhandlungsraum. Auf dem Flur blickte er sich suchend um und nahm gerade noch wahr, wie Justus Jarmer am Ende des Ganges um eine Ecke bog. Mit langen Schritten folgte er dem Mediziner.

»Doktor Jarmer, einen Moment bitte!«

Jarmer blieb stehen und drehte sich um. Als er den Strafverteidiger erkannte, blickte er ihn fragend an.

»Herr Eberhardt, oder? Was kann ich für Sie tun?«

»Ich habe mir während Ihres Berichtes gerade eben ein paar

Notizen gemacht, und mir ist etwas aufgefallen, das ich gerne mit Ihnen besprechen möchte«, erwiderte Rocco Eberhardt.

Jarmer sah auf seine Uhr und runzelte die Stirn. Ganz offensichtlich hatte er nur wenig Zeit. Oder schlichtweg kein Interesse, sich mit dem Anwalt zu unterhalten.

Knapp entgegnete er: »Und warum haben Sie mich das nicht im Gerichtssaal gefragt?«

Für einen Moment stockte Eberhardt. *War wohl doch keine so gute Idee, mit dem Rechtsmediziner zu sprechen.* Aber irgendetwas tief in ihm drin sagte ihm, dass er Jarmer nicht einfach gehen lassen sollte. Schließlich folgte er seinem Instinkt. »Ich will offen mit Ihnen sein. Das Ergebnis Ihrer Untersuchung lässt augenscheinlich einige Rückschlüsse zu, die vielleicht ein ganz neues Licht auf den Fall werfen. Dass Bäumler sich nicht weiter dafür interessiert, ist klar. Die Fakten sprechen für eine Verurteilung. Aber für meinen Mandanten steht alles auf dem Spiel, und jeder noch so kleine Strohhalm kann helfen.«

Jarmer hatte Eberhardt aufmerksam zugehört und sah ihn durchdringend an. Auch er schien sich nicht sicher zu sein, was er von dem Anwalt halten sollte. Rocco wusste, dass Jarmer generell kein großer Freund von Strafverteidigern war, das war in Moabit bekannt. Dennoch schien er Jarmers Neugier geweckt zu haben. Denn der Mediziner zog sein iPhone aus der Tasche und prüfte die Termine in seinem Kalender.

Mit zweifelndem Unterton in der Stimme sagte er: »Ich weiß nicht genau, wohin das führen soll. Üblicherweise ist meine Arbeit mit der Aussage vor Gericht beendet.« Er zögerte.

»Aber es stimmt, dass das hier alles etwas, sagen wir mal, skurril ist.«

Es kam Rocco so vor, als gäbe sich Jarmer einen Ruck.

»Was soll's. Ich habe jetzt keine Zeit, aber kommen Sie doch morgen um 11.30 Uhr zu mir ins Institut.«

26. KAPITEL

Dritter Verhandlungstag

Berlin-Moabit, Kriminalgericht, Schwurgerichtssaal 700:
Montag, 27. Juli, 14.29 Uhr

Eine gute Stunde später wurde die Verhandlung mit der Vernehmung des nächsten Zeugen fortgesetzt.

Auf den ersten Blick schien es nichts Besonderes an Alexander Brettschneider zu geben. Anfang fünfzig, mit dunklen kurzen Haaren, einem Schnauzbart und einem mit Motiven bedruckten Hemd, gab er sich selbstbewusst, als er im Gerichtssaal Platz nahm. Rocco Eberhardt ließ sich allerdings von der zur Schau getragenen Souveränität des Angestellten im mittleren Dienst nicht täuschen. Brettschneider wippte unaufhörlich mit seinem rechten Fuß und rückte die vor ihm liegenden Blätter immer wieder gerade zurecht. Eberhardt war klar, dass der Mann völlig nervös war. Sehr gut, dachte er, vielleicht hast du ja wirklich etwas zu verbergen. Wollen wir doch mal sehen, was deine Aussage hergibt. Da Jarmer als Sachverständiger formaljuristisch nicht als Zeuge galt, war Brettschneider der vierte in ihrem Verfahren.

Nach der Vernehmung durch die Vorsitzende Richterin, die im Wesentlichen die Aussagen der beiden ersten Tatzeugen bestätigte, und einigen belanglosen Fragen des heute auffällig gesitteten Oberstaatsanwalts Bäumler erteilte Doktor Ariane Gregor Rocco Eberhardt das Fragerecht.

»Herr Brettschneider«, begann Eberhardt in einem für den bisherigen Verhandlungsverlauf ungewöhnlich scharfen Ton. »Ich möchte offen sein. Ich werde das Gefühl nicht los, dass Sie uns ein bisschen mehr zu sagen haben, als Sie bisher zu Protokoll gegeben haben.«

Brettschneider zuckte zusammen.

»Wie meinen Sie das?«, fragte er unsicher, und seine ganze gespielte Selbstgefälligkeit fiel in sich zusammen. Schweißperlen bildeten sich auf seiner Stirn.

»Ich meine das so, wie ich es gesagt habe.«

Hilfe suchend blickte Brettschneider zur Vorsitzenden Richterin, die Eberhardt ihrerseits fragend ansah. Offenbar wusste auch sie nicht, worauf er hinauswollte.

Rocco ahnte, dass er nur sehr wenig Zeit hatte, ein greifbares Ergebnis zu produzieren, denn Doktor Ariane Gregor ließ keine Spielereien in ihrem Gerichtssaal zu.

»Dann will ich Ihrem Gedächtnis mal auf die Sprünge helfen«, fuhr er deshalb unbarmherzig fort, auch um Brettschneider weiter einzuschüchtern. Wenn es da wirklich etwas gab, musste er Brettschneider so schnell wie möglich maximal unter Druck setzen und in die Ecke drängen.

»In Ihrer Aussage bei der Polizei vom 14. Januar dieses Jahres, Blatt siebenundvierzig fortfolgende der Akte, sagten Sie wörtlich: Nölting, also der Mann, der in die Bäckerei gestürmt kam, hatte fast sofort das Feuer eröffnet. Ich weiß nicht genau, wie viele Schüsse das waren, aber mit einem oder mehreren Schüssen hatte er dann den Mann am Tisch abgeknallt. Regelrecht hingerichtet hat er ihn.«

Rocco machte eine Pause und fixierte den Zeugen mit festem Blick. »Können Sie sich daran noch erinnern?«

Nervös nestelte Brettschneider an seinen Händen. »Ja, daran kann ich mich erinnern.«

»Und kommt Ihnen diese drastische Wortwahl nicht selbst etwas ungewöhnlich vor? Das hört sich für mich ein bisschen so

an, als wenn Sie meinem Mandanten, Herrn Nölting, eins aus-
wischen wollten. Es wirkt, als ob es da etwas gibt, das Sie uns
bisher verschwiegen haben.«

Brettschneider schaute betreten auf den Boden, offensichtlich
unsicher, ob und was er darauf erwidern sollte.

Rocco war sich jetzt fast sicher, dass er einen Treffer gelandet
hatte. Brettschneider wusste etwas, womit er nicht rausrücken
wollte. Doch noch bevor er eine weitere Frage in Richtung des
Zeugen abfeuern konnte, sprang Oberstaatsanwalt Bäumler auf
und wandte sich empört an die Richterin.

»Frau Vorsitzende, ich weiß nicht, was das soll. Wir sind doch
hier nicht im Wilden Westen? Ich kann nicht erkennen, worauf
der Vertreter der Verteidigung hier hinauswill. Er scheint zu ver-
wechseln, wer hier auf der Anklagebank sitzt. Müssen wir uns
das wirklich anhören?«

Souverän und in der für ihre Verhandlungsführung so typi-
schen ruhigen Art erwiderte sie nur kurz: »Vielen Dank für
Ihren Hinweis, Herr Doktor Bäumler. Bitte nehmen Sie wieder
Platz.«

Dann wandte sie sich mit einem fragenden Blick an Eberhardt.

»Herr Verteidiger, ich muss Doktor Bäumler in der Sache zustimmen und möchte Sie bitten, Ihren Tonfall etwas zu mäßigen.
Gerne können Sie von Ihrem Fragerecht in vollem Umfang Gebrauch machen, aber bitte in einer Form, die sachdienlich ist.«

»Natürlich«, erwiderte Eberhardt selbstbewusst und blickte
dann wieder zu Brettschneider. »Also, Herr Brettschneider. Verraten Sie uns doch bitte, ob es da etwas zwischen Ihnen und
meinem Mandanten gibt, das wir wissen sollten.«

Alexander Brettschneider griff mit zittriger Hand zu dem
Wasserglas vor sich und trank einen großen Schluck. Dann antwortet er, nicht ohne sich vorher zweimal zu räuspern. »Also, mit

dem Nölting, also ...« Er machte eine Pause. Dann setzte er sich gerade hin und sagte mit übertrieben lauter Stimme: »Nein, da gibt es nichts. Gar nichts.«

Eberhardt war sich sicher, dass das die Unwahrheit war, und hoffte, Brettschneider mit der nächsten Frage als Lügner zu entlarven. Doch dann passierte etwas, womit auch er nicht gerechnet hatte.

Brettschneider sah zu der Vorsitzenden Richterin auf und sagte mit zittriger Stimme: »Frau Richterin, es tut mir leid, aber ich fühle mich nicht gut. Ich glaube, ich habe mir irgendwas eingefangen.«

Rocco Eberhardt glaubte seinen Ohren nicht zu trauen. Der will doch jetzt nicht aus der Verhandlung raus?! Gerade jetzt, wo ich ihn in der Mangel habe.

Doch noch bevor Doktor Ariane Gregor etwas auf die Frage von Brettschneider erwidern konnte, sprang Oberstaatsanwalt Doktor Bäumler erneut auf und eilte mit einem besorgten Blick zu dem Zeugen.

»Herr Brettschneider, ist alles in Ordnung, oder sollen wir jemanden rufen? Sie sehen ja fürchterlich aus.« Er drehte sich zu der Vorsitzenden Richterin und sagte so laut, dass es auch bis in die hinterste Ecke des Saales zu hören war: »Wir müssen sofort unterbrechen, sonst klappt uns der Zeuge noch zusammen. Wir brauchen einen Sanitäter.«

Die Vorsitzende Richterin schnappte nach Luft, und Rocco war sich sicher, dass sie Bäumler gleich zurechtweisen und klarstellen würde, dass immer noch sie diejenige war, die die Verhandlung führte und nicht er. Doch ihr Blick schweifte erst zu Brettschneider und dann zu den zahlreichen Reportern, die nach Bäumlers Ausruf allesamt von ihren Plätzen gesprungen waren, um zu sehen, was da vorne genau passierte. Eberhardt dämmerte, dass ihr keine andere Wahl blieb: Da sie erst einmal feststellen musste, wie es um Brettschneider bestellt war, würde sie Bäumlers Spiel mitspielen. Sie fragte deshalb den Zeugen, ob er nicht einen Schluck Wasser trinken wolle oder ob er ernsthafte Schwierigkeiten hatte.

»Ich glaube, es wird schlimmer«, erwiderte der nur und stützte sich jetzt sogar mit den Händen am Tisch ab, als müsse er befürchten, sonst von seinem Stuhl zu fallen.

Der schauspielert doch, dachte Rocco und konnte nicht fassen, was hier gerade passierte.

Der Lärmpegel im Saal war mittlerweile so angestiegen, dass die Vorsitzende Richtern laut in ihr Mikrofon rufen musste, um sich Gehör zu verschaffen.

»Ich unterbreche die Sitzung für zwanzig Minuten.«

An die Wachtmeister gewandt sagte sie: »Bitte räumen Sie den Saal und rufen Sie den Sanitäter. Der Zeuge fühlt sich nicht wohl.«

Keine drei Minuten später, der Saal war bis auf die Verfahrensbeteiligten leer, kam der Sanitäter, der im Gericht von allen liebevoll-scherzhaft nur Schwester Conny genannt wurde, obwohl er tatsächlich Cornelius hieß. Nachdem er Brettschneider, der sich zwischenzeitlich auf dem Boden des Gerichtssaals ausgestreckt hatte, auf eine kleine Matte gelegt hatte, maß er dessen Blutdruck und stellte routiniert einige Fragen. Dann wandte er sich an die Vorsitzende.

»Frau Doktor Gregor, 'nen Arzt brauchen wir hier sicher nicht, aber ich würde mal sagen, der Zeuge braucht etwas Ruhe. Vernehmen würde ich den heute nicht mehr.«

27. KAPITEL

Im Anschluss an die Verhandlung war Rocco Eberhardt auf dem Weg zu seinem Auto und wählte die Nummer seines besten Freundes.

»Tobi«, rief er, als dieser das Gespräch erst nach dem siebten Klingelton angenommen hatte, »die Verhandlung heute lief scheiße, aber wir haben eine weitere Spur.«

»Moment, warte kurz«, erwiderte dieser, und es klang, als wäre er gerade mit etwas anderem beschäftigt. Nach einigen Geräuschen, die Rocco nicht zuordnen konnte, war die Stimme von Tobias Baumann klar und deutlich zu hören. »Sorry, Alter, was gibt's?«

»Stör ich dich gerade?«, fragte Rocco.

»Nein, nein, alles gut, ich war nur gerade … Ach, egal. Also, schieß los.«

»Ich habe gerade eben in der Verhandlung den Zeugen Brettschneider befragt, in der Sache Nölting. Und ich bin mir sicher, dass er irgendwas damit zu tun hat.«

»Okay«, erwiderte Baumann. »Hört sich ein bisschen verworren an. Was genau meinst du?«

In den folgenden Minuten berichtete Rocco seinem Freund, was in der Verhandlung passiert war, und endete damit, dass die Vernehmung in genau einer Woche fortgesetzt würde.

»Ich möchte, dass du dich um Brettschneider kümmerst. Der Typ verschweigt irgendwas. Fühle ihm ein bisschen auf den Zahn. Wäre doch gelacht, wenn du da nicht mehr rauskriegst. Ich meine, wer, wenn nicht du?«

»Na, das kann ich schon machen. Ich weiß noch nicht, wie ich das zeitlich organisiere. Da ist ja auch noch die Sache mit der SMS. Aber egal, das kriege ich schon irgendwie hin. Mach dir keine Sorgen, ich kümmere mich drum. Wird allerdings ein paar Tage dauern. Und sag mal«, fügte er dann hinzu, »kannst du nicht bei Nölting checken, was er dazu sagt? Wenn er was sagt.«

»Habe ich ohnehin geplant. Ich bin morgen früh bei ihm«, schloss Eberhardt das Gespräch und legte auf. Vielleicht war es gar nicht so schlecht, dass Brettschneider heute zusammengeklappt war. Das gab ihm eine Woche Zeit, sich auf den zweiten Teil seiner Vernehmung gründlich vorzubereiten. Und dann würde er Brettschneider nach allen Regeln der Kunst auseinandernehmen.

28. KAPITEL

»Wir müssen es ihm irgendwann sagen, sonst kann ich ihm gar nicht mehr unter die Augen treten!«, rief Alessia vorwurfsvoll Richtung Badezimmer. Dann angelte sie mit ihrem rechten Fuß die leichte Decke, die ans Ende des Bettes gerutscht war, ehe sie sich zufrieden das dicke Daunenkissen unter den Kopf stopfte. Eine Strähne fiel ihr ins Gesicht, und sie versuchte vergeblich, sie wegzupusten. »Und wenn du es nicht machst, dann sage ich es ihm.«

»Nein, nein, ich mach das schon«, rief er durch das laute Rauschen der Dusche zurück.

Das versprichst du mir jetzt schon seit einem halben Jahr, dachte Alessia. *Ohne dass etwas passiert.* Sie fühlte sich wie eine Verräterin. Nicht, weil sie etwas falsch gemacht hatte, das war es nicht. Sondern vielmehr, weil sie ein Geheimnis vor ihrem großen Bruder hatte. Dabei war das gar nicht ihre Idee. Okay, wahrscheinlich würde er nicht begeistert sein, das glaubte sie auch. Aber er würde darüber hinwegkommen. Heimlichkeiten waren so gar nicht ihr Ding.

»Wann willst du es ihm sagen?«, fragte sie nochmals, als er die Dusche abgestellt hatte.

»Nächte Woche, das verspreche ich dir. Dieses Mal wirklich.«

»Ja, ja, und dann kommt wieder was dazwischen. So wie …« Aber weiter kam sie nicht, denn im nächsten Moment flog ihr sein feuchtes Handtuch direkt ins Gesicht.

»Oh, du Mistkerl«, sagte sie mit gespielt vorwurfsvollem Ton, setzte sich im Bett auf und warf mit dem Kissen nach ihm. Sie verfehlte ihn nur knapp, weil er sich gerade noch rechtzeitig geduckt hatte. Mit drei Sätzen war er bei ihr und drückte sie sanft auf die Matratze. Zärtlich strich er ihr die Strähne aus dem Gesicht und küsste sie leidenschaftlich. Dann stand er auf und griff nach seinen Klamotten, die auf dem Stuhl neben dem Bett lagen. Während er sich anzog, sagte er: »Ich muss jetzt los. Aber wenn du willst, kannst du hierbleiben. Ich bin vor Mitternacht zurück.«

Er beugte sich noch einmal zu ihr hinunter, gab ihr einen Kuss und verschwand dann im Flur. Als er die Tür hinter sich zugeschlagen hatte, zog Alessia die Decke bis unter ihr Kinn. Sie überlegte kurz, ob sie jetzt hier schlafen oder doch lieber nach Hause fahren sollte. Sie entschied sich für die zweite Variante. Sie hatte morgen einen harten Tag vor sich und brauchte ihren Schlaf. Wenn sie noch blieb, würde sie doch nicht zur Ruhe kommen. Und dann würde sie am nächsten Tag unausstehlich sein.

Schnell zog auch sie sich an, schloss das Fenster und löschte alle Lichter. Nachdem sie die Wohnungstür hinter sich zugezogen hatte, tastete sie im Hausflur nach dem Lichtschalter. Mit einem Flackern erwachte die Beleuchtung zum Leben. Alessia vergewisserte sich noch einmal, dass sie die Tür auch richtig geschlossen hatte, und wollte gerade die Treppe hinunterlaufen, als ihr Blick noch an seinem Klingelschild hängen blieb. Vor vier Jahren, als er hier eingezogen war, hatte er seinen Namen provisorisch auf ein Stück Papier geschrieben und dann mit einem dicken Streifen durchsichtigen Klebebandes über dem Messingschild des Vorgängers angebracht. Das muss er auch mal austauschen, dachte sie, denn man konnte den Namen kaum noch lesen. In verblasster Schrift stand dort: *Tobias Baumann.*

29. KAPITEL

Rocco Eberhardts morgendlicher Besuch bei seinem Mandanten war – wie zu erwarten gewesen – ergebnislos. Auch dieses Mal hatte Nölting erklärt, dass er keine Angaben zu seiner Tat oder seinem Motiv machen würde. Auch nicht zu dem Zeugen Brettschneider. Frustriert, aber nicht überrascht hatte Rocco sich im Anschluss auf den Weg in das Institut für Rechtsmedizin gemacht.

Die Klimaanlage in Justus Jarmers Büro surrte gleichmäßig und sorgte trotz der unerträglichen Hitze, die an diesem Tag über Berlin gekommen war, für eine angenehme Temperatur in seinem Dienstzimmer in der Turmstraße. Das Büro war zweckmäßig eingerichtet, das Mobiliar bestand im Wesentlichen aus einem grauen Schreibtisch und einem kleineren Tisch auf der anderen Seite mit jeweils passenden Stühlen. Die Wände waren weiß getüncht. Einzig eine Magnetwand, die an der linken Seite neben Jarmers Schreibtisch angebracht war, passte so gar nicht in den ansonsten nüchternen Raum. Neben einer ganzen Reihe kunterbunter Zeichnungen hingen dort zahlreiche Fotos, auf denen Justus Jarmer mit zwei Kindern, einem Jungen und einem Mädchen, zu sehen war. Die Atmosphäre auf den Bildern wirkte vertraut, fröhlich und ausgelassen. *Interessant,* dachte Rocco. Hinter der analytischen Maschine, die Jarmer in seinem Berufsleben war, schien sich in seinem Privatleben noch eine ganz andere Persönlichkeit zu verbergen.

Rocco musste unbewusst lächeln, erinnerte sich dann aber an den eigentlichen Zweck seines Besuchs. Während er an dem kleinen Besprechungstisch an der Stirnseite des Büros Platz nahm, führte Jarmer noch ein Telefonat zu Ende. Dabei ließ der Rechtsmediziner unablässig einen roten Plastikkugelschreiber geschickt und schnell um seine Finger kreisen. Anscheinend ohne es zu merken. Eberhardt war von der Fingerfertigkeit derart fasziniert, dass er seinen Blick kaum abwenden konnte. Jarmer mochte ein begnadeter Mediziner sein, aber er hätte auch ohne Weiteres eine Karriere als Zauberkünstler einschlagen können. Vielleicht waren die beiden Berufe auch gar nicht so weit voneinander entfernt, dachte er. Das Ergebnis ihrer Arbeit war häufig für eine Überraschung gut.

Als Jarmer sein Gespräch erst gute fünfzehn Minuten später beendet hatte, kam er zu Eberhardt an den Tisch und setzte sich. »Entschuldigen Sie bitte, aber das war wichtig«, sagte er und wirbelte dabei immer noch den Stift in seiner Hand herum.

»Was sein muss, muss sein«, erwiderte Eberhardt, leicht verärgert, dass Jarmer ihn so lange warten ließ. Er war sich nach wie vor nicht sicher, ob es wirklich eine gute Idee war, sich mit dem Mediziner zu treffen.

»Wie genau kann ich Ihnen denn jetzt helfen?«, fragte Jarmer skeptisch und runzelte die Stirn.

Rocco hatte das Gefühl, dass Jarmers Entscheidung, mit ihm zu reden, nach wie vor auf Messers Schneide stand. Großes Interesse hatte der Arzt wohl nicht. Rocco beschloss also, gleich zum Punkt zu kommen, bevor Jarmer es sich noch anders überlegte. Und das, ohne ein Blatt vor den Mund zu nehmen. Er war sich dabei auch bewusst, dass Jarmers Informationen kein positives Licht auf seinen Mandanten werfen könnten. Er wusste aber auch, dass er momentan feststeckte, und setzte daher alles auf eine Karte. Es gab hier mehr zu gewinnen, als zu verlieren. Herausfordernd und vielleicht etwas forscher als gewöhnlich sagte er: »Als Sie gestern über die Verletzungen der drei Geschädigten berichtet haben, hatte ich den Eindruck, dass Ihr Bericht nicht vollständig war.«

Jarmer zog die Augenbrauen hoch. »Wie meinen Sie das?«

»Ich glaube, Sie haben dem Gericht nur genau das gegeben, was gefragt war. Aber das war nicht alles, was Sie hätten sagen können, oder?«

»Und was ist daran so falsch?«, hakte Jarmer scharf nach. Er schien die Frage als Angriff zu verstehen.

»Na ja. Ich dachte immer, dass Sie Rechtsmediziner auch eine Art Detektive sind. Und dass Sie ein Interesse an der Wahrheit hinter dem Offensichtlichen haben. Allerdings war ich gestern ein bisschen enttäuscht nach Ihrem Vortrag. Ich glaube, dass Sie uns etwas verschwiegen haben!«

»Herr Eberhardt, ich bin mir nicht so sicher, worauf Sie hinauswollen. Wenn Sie mich beleidigen oder meine Arbeit infrage stellen wollen, verschwenden Sie Ihre Zeit. Da müssen Sie sich schon jemand anderen suchen. Ich habe mich nur zu einem Treffen bereit erklärt, weil ich die leise Hoffnung gehegt hatte, dass Sie ernsthaft an meiner Expertise interessiert sind. Abgesehen davon finde ich es sehr, sagen wir mal, bemerkenswert, dass Sie als Strafverteidiger mir die Unterschlagung der Wahrheit vorhalten«, ergänzte Jarmer mit leicht zynischem Unterton. »Wenn ich mich recht erinnere, ist das mit der Wahrheit ja auch nicht immer gut für Sie ausgegangen, oder? Und wenn wir schon dabei sind, habe ich nur sehr begrenztes Verständnis dafür, wie Sie und Ihresgleichen den Gerichtssaal immer wieder für Ihre Spielchen missbrauchen.«

Jarmer atmete tief durch, und es schien, als wenn er sich sehr zusammenreißen musste, um seine Contenance zu bewahren. »Machen wir uns doch nichts vor. Es geht Ihnen doch gar nicht um die Wahrheit, es geht Ihnen doch nur darum, zu gewinnen. Sie vertreten Ihre Mandanten auf Teufel komm raus, und wenn

Sie absichtlich oder durch Zufall eine Information in die Hände bekommen, die Ihnen hilft, weiden Sie diese bis zur Unkenntlichkeit aus. Und wenn es einen Fakt gibt, der Ihnen nicht in den Plan passt, dann sehen Sie zu, dass Sie das Ganze runterspielen oder lächerlich machen.«

Rocco war überrascht. Mit dieser emotionalen Ansprache hatte er nun wirklich nicht gerechnet. Unbeirrt davon fuhr Jarmer fort. »Besonders abscheulich finde ich es, wenn Sie einen Zeugen in der Luft zerreißen, als unglaubwürdig darstellen oder einfach nur in die Ecke drängen, um ihn fertigzumachen. Und im Zweifel nur, um Ihr Ziel zu erreichen, das nächste noch größere Mandat und den nächsten noch spektakuläreren Fall für sich zu entscheiden.« Jarmer ließ seinen Kugelschreiber auf den Tisch fallen und blickte Rocco ernst an. »Um den Sieg geht es für Sie. Aber für mich«, fügte er hinzu, »für mich geht es um die Wahrheit. Im Gegensatz zu den meisten Strafverteidigern sehen wir Rechtsmediziner uns dazu verpflichtet, auch aus unserem hippokratischen Eid heraus.«

Rocco spürte, wie Wut in ihm aufstieg, und instinktiv wollte er Jarmers Anschuldigungen direkt von sich weisen. *Als ob er die Wahrheit als Spiel betrachten würde!* Er besann sich dann aber im letzten Moment eines Besseren und atmete tief durch, um seine Ruhe zurückzugewinnen. Deshalb war er heute nicht in das rechtsmedizinische Institut gekommen. Heute ging es ihm wirklich um die Sache, und jetzt war nicht der richtige Moment, sich mit Jarmer über das Für und Wider der Strafverteidigung zu streiten. Er hatte einen Mandanten, der seit vielen Monaten in Moabit einsaß, einen Mandanten mit einer Frau und einer Tochter, die ihm vermutlich sehr viel bedeuteten. Deshalb war er hier. Und er war sich sicher, dass Jarmer den Schlüssel zu etwas Wichtigem in der Hand hielt. Und das wollte er, das musste er herausbekommen.

So versöhnlich wie er konnte erwiderte er deshalb auf die Ausführungen des Mediziners: »Das verstehe ich, Herr Doktor Jarmer. Nehmen Sie es mir bitte nicht übel, wenn ich Ihnen nicht in allen Punkten zustimme, und gerne können wir uns auch mal zu einem anderen Zeitpunkt darüber unterhalten, aber heute bin ich zu Ihnen gekommen, weil ich in einer Sackgasse stecke. Und weil ich die Vermutung habe, nein, weil ich sicher bin, dass Sie mir helfen können. Nicht meinetwegen, und nicht aufgrund eines Spiels, sondern weil es der Wahrheit dient, so wie Sie es schon sagten.«

Jarmer blickte Eberhardt nachdenklich an. Die letzten Worte des Verteidigers schienen etwas in ihm ausgelöst zu haben. »Ich bin mir nach wie vor nicht ganz sicher, auf was Sie eigentlich hinauswollen. Und ich will auch mal darüber hinwegsehen, dass Sie für meinen Geschmack etwas zu forsch auftreten. Und nur der guten Ordnung halber möchte ich klarstellen, dass mein Bericht tatsächlich absolut vollständig im Hinblick auf den Auftrag gewesen ist. Alles andere stand nicht zur Debatte.« Süffisant fügte er dann hinzu: »Auch wenn das Resultat der Schießerei schon etwas bemerkenswert ist.«

Na also, dachte Eberhardt. Jarmer war angriffslustig, er wusste aber genau, worum es ihm ging.

»Dann sind Sie auch der Meinung, dass gestern im Gerichtssaal nicht alle Details zur Sprache kamen?«, hakte Rocco nach und hoffte, dass ihr Gespräch doch noch eine konstruktive Wendung nehmen würde.

Jarmer nickte und ließ dabei wieder unablässig seinen Kugelschreiber um die Finger seiner rechten Hand kreisen. Mit der linken klappte er die Akte auf, die zwischen den beiden Männern auf der Tischplatte lag, und zeigte auf eine anhand eines Computers erstellte Grafik.

»Ich bin jetzt schon seit knapp zwanzig Jahren in der Rechtsmedizin tätig und habe Tausende Tote untersucht«, sagte er. »Sie haben recht. Das ist schon ein bisschen wie Detektivarbeit. Wenn es für ein Verbrechen nicht wie in dem Fall Nölting zahlreiche Zeugen gibt, sondern wir nur eine Leiche haben, geht es ja nicht nur darum, festzustellen, woran jemand gestorben ist, sondern auch, was genau passiert ist.«

Er hielt kurz inne und blickte Rocco Eberhardt direkt in die Augen.

»Was passiert ist, ist hier aber nicht die Frage. Die Aussagen in der Akte decken sich eins zu eins mit den Ergebnissen meiner Untersuchungen. Schauen Sie, hier können Sie die Flugbahn der Geschosse genau verfolgen«, fuhr Jarmer fort und zeigte auf vier Linien, die von einem zentralen Punkt auf der Grafik abgingen und in drei bildlich dargestellten Figuren endeten. »Das erste Projektil hat die Bäckereifachverkäuferin Franz knapp unterhalb der Schulter getroffen. Ein sauberer Durchschuss, der keine inneren Blutungen durch eine Gefäßläsion verursacht hat.«

Rocco Eberhardt machte sich auf seinem Zettel eine Notiz.

»Der Ausschuss ist dabei kaum größer als der Einschuss, was im Wesentlichen eine Folge der Beschaffenheit des verwendeten Projektils und des Auftreffwinkels ist.«

»Und was bedeutet das?«, hakte Eberhardt interessiert nach.

»Dass dies zu einer untypisch komplikationslosen Schussverletzung geführt hat. Wäre Frau Franz die einzige Verletzte gewesen, hätte ich gesagt, sie hat großes Glück gehabt.«

»Aber das hat sie nicht?«

»Doch, schon. Aber …«, erwiderte Jarmer, »… schauen wir uns jetzt erst einmal den vierten Schuss an, der Doktor Renz getroffen hat, bevor wir zu Nummer zwei und drei kommen.« Jarmer zeigte auf die Darstellung. »Der Geschädigte wurde durch einen Streifschuss an seinem Oberschenkel verletzt. Das Projektil hat bei ihm eine grabenförmige Wunde aufgerissen, ganz oberflächlich. Ohne in den Körper einzudringen.«

»Auch er hat also Glück gehabt?«, fragte Rocco Eberhardt. Der Rechtsmediziner nickte.

»Sozusagen. Ganz im Unterschied allerdings zu unserem dritten Opfer.«

Jarmer zeigte auf die beiden Linien auf der Skizze, die unmittelbar nebeneinander ihr Ziel erreicht hatten. »Lindner wurde tödlich getroffen. Die Geschosse sind knapp nebeneinander in unmittelbarer Herznähe in den Körper eingedrungen. In der militärischen Ballistik wird diese unmittelbare Schussabgabe hintereinander auf denselben Zielpunkt als ›double taps‹ bezeichnet. Die Wahrscheinlichkeit tödlicher Treffer ist bei dieser Technik von zwei Schüssen zu praktisch demselben Zeitpunkt ungleich höher als bei einzeln abgegebenen Schüssen. Die gravierenden Verletzungen haben zunächst einen Kreislaufstillstand bei Lindner verursacht, der nach wenigen Sekunden zur Bewusstlosigkeit und nach etwa sieben Minuten aufgrund der fehlenden Sauerstoffversorgung zum Hirntod geführt hat.«

»Mit anderen Worten: Lindner hatte keine Chance?«, fragte Eberhardt.

»Ganz genau. Und das lässt im Ergebnis nur zwei Rückschlüsse zu.« Jarmer hielt inne und blickte Eberhardt an. Er wollte sehen, ob der Anwalt selbst die richtigen Schlüsse zog.

»Entweder Franz und Renz hatten unfassbares Glück im Unglück und Lindner einfach nur Pech«, begann Eberhardt. »Oder aber ...« Eberhardt machte eine Pause und sah Jarmer dann fragend an.

Der nickte bestätigend und führte den Satz zu Ende: »... oder Ihr Mandant wusste ganz genau, was er tat.«

30. KAPITEL

»Das ist jetzt acht Monate her, da haben wir wirklich keine Aufnahmen mehr!«, sagte der junge Verkäufer leicht genervt und öffnete mit einem Cutter das große Paket, das der DHL-Bote gerade geliefert hatte. Zum Vorschein kamen Displayschutzfolien für das Sortiment des kleinen und für Berlin so typischen Handyladens. Die Regale in dem winzigen Verkaufsraum waren bis unter die Decke mit Telefonzubehör jeglicher Art vollgestopft. Und auf den Haken an den Wänden gab es von der Schutzhülle über Kabel bis zu einfachen und billigen Kopfhörern und Bluetooth-Lautsprechern alles, was das Technikherz begehrte.

Doch all das interessierte Baumann kein bisschen. Er war hier, weil er eine Information brauchte, die für Rocco Eberhardt von großer Bedeutung war. Er hatte Nachforschungen über die anonyme SMS angestellt, aufgrund derer Polizeioberkommissar Schäfer zur Bäckerei »Aux Délices Français« gekommen war. Ein alter Bekannter, mit dem er vor Jahren bei der Polizei zusammengearbeitet hatte, hatte für ihn auf dem kurzen Dienstweg einige Informationen eingeholt und schließlich die Adresse des kleinen Handyshops präsentiert. Die SIM-Karte, von der die SMS geschickt worden war, kam aus diesem Geschäft. Und Baumann würde hier nicht eher rausgehen, bis er wusste, wer diese SIM-Karte gekauft hatte.

Er zeigte auf eine der beiden Kameras, die von der Decke des kleinen Handyreparaturservices herabhingen.

»Die Aufnahmen, die ladet ihr doch direkt in die Cloud. Ich kenne das System ganz genau, ich habe damit auch schon gearbeitet. Die Daten bleiben über ein Jahr gespeichert und werden dann erst automatisch überschrieben. Es sei denn, jemand löscht sie absichtlich vorher, aber das ist gar nicht so einfach bei den großen Files.«

»Dann haben wir sie eben gelöscht!«, erwiderte der Verkäufer zusehends genervt. »Und jetzt gehen Sie bitte. Mein Chef kommt gleich wieder, und ich habe echt keinen Bock auf Ärger. Warum fragen Sie mich das alles überhaupt?«

Baumann merkte, dass er so nicht weiterkam. Okay, dachte er, es geht ja auch anders. Wird zwar eine Kleinigkeit kosten, aber das ist es hoffentlich auch wert.

»Hör mal, es ist mir vollkommen egal, was ihr hier veranstaltet und was ihr sonst an wen verkauft. Ich will nur wissen, wer diese spezielle SIM-Karte gekauft hat. Nicht mehr und nicht weniger.« Er hielt inne, griff in seine Jackentasche und zauberte mit einem gewinnenden Lächeln einen Fünfzigeuroschein hervor. »Die Information soll ja auch nicht gratis sein.«

Als hätte er einen Schalter umgelegt, entspannten sich die Gesichtszüge des Verkäufers. Er witterte ganz offensichtlich schnell zu verdienendes Geld.

»Okay, dann schaue ich gerne noch mal nach. Wir müssen aber schnell machen, bevor mein Chef da ist.« Sein Blick fixierte den Geldschein in Tobias Baumanns Hand. »Das macht einhundert!«

»Du kriegst fünfzig, wenn ich meine Information bekomme.«

Der Verkäufer dachte kurz nach, schien dann aber mit dem Deal zufrieden zu sein und begann, blitzschnell auf der Tastatur seines Rechners herumzuhacken. Keine dreißig Sekunden später drehte er mit einem triumphierenden Lächeln den Monitor zu Baumann.

Auf dem Bildschirm war eine Standaufnahme in überraschend guter Qualität zu sehen. Vor dem Verkaufstresen konnte Baumann deutlich die Gestalt eines Mannes erkennen, dessen Gesicht allerdings durch ein Basecap verdeckt war.

»So, das hier ist er. Du hast deinen Mann, ich kriege meine fünfzig Euro.«

»Auf keinen Fall, den kann man ja gar nicht erkennen.«

Der Verkäufer schnaufte kurz genervt, ehe er wieder etwas auf seiner Tastatur eintippte. Das Bild fing jetzt langsam an, sich zu bewegen. Baumann konnte genau verfolgen, wie der Mann auf dem Monitor in seine Tasche griff, ein Portemonnaie herausholte und dann einige Geldscheine auf den Tresen zählte. Als er das Wechselgeld zurückbekam, fiel ihm eine Münze auf den Boden. Er bückte sich, hob die Münze auf, und als er wieder nach oben kam, konnte man für einen Moment sein Gesicht sehen.

»Halt, genau hier!«, befahl Baumann. »Kannst du da bitte mal ein bisschen reinzoomen.«

Wieder tippte der junge Mann auf seine Tastatur, und das Antlitz des Mannes füllte jetzt den gesamten Bildschirm aus.

»Ausgezeichnet. Und davon bitte einen Ausdruck!«

Der Verkäufer nickte, klickte mit der Maus, und der Drucker fing an zu surren. Das Ergebnis war perfekt, und Baumann steckte den hochauflösenden Farbdruck des Screenshots in seine Tasche.

Zufrieden reichte er seinem Gegenüber den Fünfzigeuroschein über den Tresen. Es gab keinen Zweifel. Rocco würde zufrieden sein. Auf dem Screenshot der Überwachungskamera war eindeutig Nikolas Nölting zu erkennen.

31. KAPITEL

»Er hat ihn absichtlich erschossen! Garantiert! Und *nur* ihn!« Rocco Eberhardt stand am Grill auf seiner Dachterrasse und wendete die großen Rib-Eye-Steaks, die in der Hitze des Feuers einen appetitlichen Duft verströmten. Dann griff er nach seinem Drink, den er auf der Balustrade zum Hof, von der an immer mehr Stellen der Putz abzublättern begann, abgestellt hatte, und nahm einen großen Schluck.

»Moritz Lindner musste sterben. Nölting hat ihn tatsächlich regelrecht hingerichtet. Genauso, wie Brettschneider das bei der Polizei ausgesagt hat. Wortwörtlich: hingerichtet! Und wenn wir mal ehrlich sind, dann war es auch so. Das kann kein Zufall gewesen sein. Brettschneider ist das nicht nur so rausgerutscht. Dafür hat er sich in der Verhandlung viel zu leicht von mir aus der Ruhe bringen lassen. Und dann ist er doch auch nur deshalb zusammengebrochen, damit ich ihn nicht weiter befragen konnte. Das war doch nur Fake. Ich bin ganz sicher, dass er irgendwas mit der Schießerei zu tun haben muss. Und die anderen beiden Opfer waren nur Ablenkung, davon bin ich nach dem Gespräch mit Doktor Jarmer zu hundert Prozent überzeugt.« Er hielt inne und blickte auf seinen Freund Tobias Baumann hinab, der lässig in einem der beiden Liegestühle lag. »Die Frage ist nur«, fuhr Rocco fort, »warum musste Lindner sterben? Oder vielmehr, wofür musste er sterben?«

Tobias Baumann hielt sich eine Hand vor die Augen, als er zu seinem Freund aufblickte. Die untergehende Sonne schien ihm direkt ins Gesicht und blendete ihn.

»Okay. Lass uns noch einmal alles von vorne durchgehen«, sagte er. »Dann sehen wir, was uns fehlt und was wir als Nächstes brauchen.«

Rocco nickte.

»Also«, fing Baumann an. »Nölting fährt morgens mit dem Fahrrad zum Bäcker, weil er Lindner erschießen will.«

»Genau. Folglich muss er dafür sorgen, dass Lindner da ist. Und er braucht eine Waffe«, ergänzte Eberhardt die Worte seines Freundes.

»Punkt eins: Lindner! Gehen wir davon aus, dass die beiden sich kannten. Er hat ihn also angerufen oder eine Nachricht geschickt, und sie haben einen Ort und eine Zeit vereinbart. Wie sich aus der Akte ergibt, war Lindner weder bewaffnet, noch hat er mit einem Angriff gerechnet, sonst hätte er nicht einfach Zeitung gelesen und Espresso getrunken, während er auf Nölting wartete.«

»Okay, das müssen wir noch beweisen, aber lassen wir das mal so stehen«, sagte Eberhardt. »Bleibt Punkt zwei: die Waffe!«

Tobias Baumann zeigte auf den Ausdruck auf dem Esstisch, den er am Nachmittag im Handyshop bekommen hatte.

»Genau. Die hat Nölting sich an den Tatort bringen lassen. Sehr schlau angestellt. Er hat sich die SIM-Karte in Schöneberg besorgt und die anonyme SMS an Polizeioberkommissar Schäfer geschickt. Er muss den KOB schon gekannt haben, was ja auch kein Wunder ist. Der arbeitet direkt in seinem Kiez.«

»Richtig«, fuhr Rocco fort. »Er hat dem Beamten also die Nachricht geschickt, weil er wusste, dass der dann zur Bäckerei kommen würde. Natürlich bewaffnet. Er hat Schäfer auch absichtlich ausgewählt. Der Gute ist schon etwas in die Jahre gekommen, und so war es für Nölting keine große Schwierigkeit, ihn zu überwältigen, um ihm die Waffe abzunehmen.«

»Absolut«, bestätigte Baumann. »Und mit der Waffe ist er dann in die Bäckerei und hat Lindner erschossen. Und damit nicht auffällt, dass er es auf Lindner abgesehen hatte, hat er zur Ablenkung auch noch die anderen beiden angeschossen.«

»Außerdem haben wir noch Brettschneider«, warf Rocco ein. »Nach seinem erbärmlichen Auftritt vor Gericht und den Hinweisen in der Akte müssen wir auch in Erwägung ziehen, dass er in die Sache verwickelt sein könnte. Fakt ist, dass er ebenfalls in der Bäckerei war. Die ganze Zeit. Alle drei. Lindner, Nölting und Brettschneider.«

»Stimmt«, erwiderte Baumann. »Stellt sich nur die Frage, welche Rolle er spielte und ob es einen Grund gibt, dass Nölting ihn nicht auch aufs Korn genommen hat.«

Eberhardt nickte und wandte sich wieder dem Grill zu. Er nahm die beiden Rib-Eye-Steaks vom Rost und legte sie auf ein Holzbrett, damit sie noch ein wenig ruhen konnten.

»Guter Punkt, das müssen wir auch noch rauskriegen. Wir wissen jetzt aber immerhin schon, was hier geschehen ist und wie Nölting das angestellt hat.« Er füllte die beiden Gläser mit Gin und Tonicwater auf. Mit einer einladenden Geste reichte er seinem Freund einen der Drinks und bat ihn Platz zu nehmen.

»Deshalb, lieber Tobi, müssen wir eine Frage beantworten: Was hatten Nölting, Lindner und Brettschneider miteinander zu schaffen?«

32. KAPITEL

Kamil Gazal war Geschäftsmann durch und durch. Natürlich nicht im üblichen Sinne. Er leitete ein Wirtschaftsunternehmen und bediente eine Nachfrage, die es schon immer gegeben hatte. Und die es auch immer geben würde. Er war nicht der Erfinder der Drogen. Und auch nicht der Prostitution. Und schon gar nicht hatte er das Glücksspiel erfunden. Ganz im Gegenteil. Er hatte es nur neu organisiert. Besser als jeder vor ihm.

Verächtlich zerknüllte er das Boulevardblatt, das in einem reißerischen Artikel von dem Kampf eines lokalen Politikers gegen das organisierte Verbrechen in der Hauptstadt berichtete. Auch Gazals Name war in dem Bericht abgedruckt. Alles verzerrt! Alles übertrieben! Alles Lüge! Für einen Moment überlegte er, der Zeitung einige Informationen über diesen Politiker zuzuspielen, die dessen Engagement als bloße Scheinheiligkeit entlarven würden. Aber dann besann er sich eines Besseren. Das konnte warten, und diesen Trumpf würde er erst ziehen, wenn die Zeit gekommen war. Jetzt hatte er ein viel dringlicheres Problem. Ein Problem, das mit jedem Tag größer wurde. Das viele Bargeld, das er mit seinen Unternehmungen umsetzte. Er hatte einen Weg gefunden, das Geld anzulegen. Profitabel anzulegen. Sehr profitabel. Und legal. Zumindest nach seinen Maßstäben. Dieser Weg war ihm seit einem halben Jahr versperrt. Aber nicht nur das. Wenn seine Methode entdeckt würde, drohte er all das zu verlieren. Sie könnten es beschlagnahmen. So wie vor gar nicht allzu langer Zeit erst die Wohnungen und dann eine Villa einer anderen Clanfamilie. Das durfte ihm nicht passieren. Das musste er verhindern. Und er würde es verhindern.

Kamil Gazal griff zu seinem Handy und wählte die Nummer seines einzigen Vertrauten. Nach dem zweiten Klingeln wurde das Gespräch angenommen. Ohne lange Vorrede kam er direkt auf den Punkt.

»Habibi. Gut, dass ich dich erreiche. Ich brauche deine Hilfe. Wir müssen handeln!«

»Hallo, Kamil. Was ist los, mein Lieber? Wo müssen wir handeln?«, erwiderte Sair Gazal, Kamils jüngerer Bruder und die Nummer zwei in ihrem Unternehmen.

»Nölting! Bisher hat er die Klappe gehalten. Und das war auch gut, solange er alleine im Knast saß. Aber jetzt, wo der Prozess losgegangen ist, mache ich mir Sorgen. Die Presse schnüffelt herum, und sein Anwalt wirkt ein bisschen übereifrig. Die Vernehmung von diesem Brettschneider, oder wie der heißt, hat mir gar nicht gefallen. Die Zeitungen haben sich geradezu darauf gestürzt. Wir dürfen kein Risiko eingehen. Es kann gut gehen, aber es kann auch sein, dass ihm jemand einen Deal anbietet, wenn er quatscht. Wir müssen sicherstellen, dass das nicht passiert. Aber so, dass er es nicht gleich merkt. Einfach dicht an ihm dranbleiben und rausfinden, was er denkt.«

»Okay, verstehe. Und wie stellst du dir das vor?«

»Er braucht dringend neue Freunde. Wen haben wir in Moabit?«

33. KAPITEL

Berlin-Charlottenburg, Wäscherei Star,
Königin-Elisabeth-Straße 11:
Freitag, 31. Juli, 7.34 Uhr

Frustriert über seine bisher ergebnislosen Erkundigungen, welche Rolle Alexander Brettschneider in der Sache spielte, betrat Tobias Baumann die kleine Wäscherei unweit von Nöltings Wohnung. Da auch Brettschneider in der Nähe lebte, hoffte Baumann, hier vielleicht weitere Hinweise zu erhalten.

Die Luft in dem engen Raum war stickig, und es roch nach Waschmittel. Die Wände waren von zahlreichen Ständern gesäumt, an denen Hunderte von Hemden und anderen Kleidungsstücken in dünner Plastikfolie hingen. Neben dem Mitarbeiter, der seitlich des Verkaufstresens in einer atemberaubenden Geschwindigkeit eine Hose bügelte, standen noch zwei Kunden in dem kleinen Raum. Alle drei waren angeregt in eine Unterhaltung vertieft.

Eine ältere Frau mit kurzen grauen Haaren und in schlichtem Sommerkleid blickte Baumann kurz an, fuhr dann aber an die anderen beiden gewandt fort: »Das mit dem Nölting, das hätte ich nicht gedacht. So ein netter Mann. Der war doch auch immer mit seiner Tochter Lily unterwegs. Richtig nett hatte er immer auf mich gewirkt.«

»Stimmt«, erwiderte der andere Kunde, ein mittelalter Mann mit kurzen Hosen und rotem T-Shirt. Er schüttelte den Kopf. »Das kann ich auch gar nicht verstehen.« Mit einem Lächeln fügte er hinzu: »Nettes Mädchen, die Kleine, hat wenig gesagt, aber wirkte auch immer irgendwie fröhlich.«

Der Mitarbeiter der Wäscherei blickte jetzt zu Baumann. »Entschuldigung, kann ich Ihnen helfen?«

Baumann überlegte kurz, ehe er antwortete. Er hatte das Gefühl, dass er hier vielleicht einige wichtige Informationen erhalten konnte, denn ganz offensichtlich kannten die drei Nölting ganz genau.

»Oh, bitte, lassen Sie sich nicht stören«, sagte er deshalb. »Ich wollte eigentlich nur wissen, wie schnell Sie einen Anzug reinigen können und was das kostet.« Dann blickte er auf sein iPhone. »Einen Moment bitte«, sagte er und hielt sich das Telefon ans Ohr, als würde er einen Anruf annehmen. Er wollte das Gespräch nicht stören, sondern beschloss einfach heimlich zuzuhören, während er so tat, als würde er telefonieren.

Sein Plan funktionierte, denn die ältere Dame nahm ihren Faden wieder auf. Ohne weiter auf Baumann zu achten, setzte sie ihr Gespräch mit den anderen beiden fort.

»Aber das mit dem Nölting, das ist schon merkwürdig, oder? Einfach so aus dem Nichts«, sagte sie.

Der andere Kunde nickte.

»Und wissen Sie was, der Typ, dieser Lindner, den der Nölting erschossen hat, den habe ich da ja auch schon öfter gesehen. In der Bäckerei, meine ich.«

Baumann, der sich bemühte, den Eindruck aufrechtzuerhalten, er würde ein Telefonat führen, hörte weiter gespannt zu.

»Das stimmt«, erwiderte jetzt der Mitarbeiter der Wäscherei, stellte sein Bügeleisen vor sich ab und hängte die Hose auf einen Bügel.

»Und der andere, der in der Zeitung war. Der vor Gericht zusammengebrochen ist, der war doch auch öfter da. Wie hieß der doch gleich?«

Baumann musste sich sehr zusammenreißen, dass er jetzt nicht *Brettschneider* rief, und wäre fast aus seiner Rolle gefallen.

Im letzten Moment konnte er sich aber noch beherrschen und gab sich alle Mühe, die Freude über das, was er hier gerade hörte, zu verbergen.

»Weiß ich auch nicht«, erwiderte dann die ältere Dame. »Aber Sie haben recht. Den habe ich da auch schon öfter gesehen. Alle drei. Und gab es da nicht auch mal was zwischen diesem Zeugen und Nölting? Ganz grün waren die sich doch auch nicht, oder?«

Doch noch bevor jemand auf ihre Frage antworten konnte, blickte sie auf ihre Uhr und zuckte mit den Schultern. »Wer weiß, was da alles dahintersteckt«, sagte sie mit verschwörerischem Ton. »Aber ich muss jetzt los.« Sie griff sich einige Kleidungsstücke vom Verkaufstresen, winkte noch kurz und war im nächsten Moment verschwunden.

Auch der andere Kunde verabschiedete sich, sodass jetzt nur noch Baumann und der Mitarbeiter in der Wäscherei übrig blieben.

Baumann beendete sein vorgetäuschtes Gespräch.

»Sorry«, sagte er und fügte dann mit einem Lächeln hinzu: »Meine Frau.«

Der Mitarbeiter lachte und sagte nur: »Das ist immer wichtig.« Mit einem Zwinkern fügte er hinzu: »Happy wife, happy life.« Dann griff er sich eine weitere Hose und breitete sie auf dem Bügelbrett vor sich aus.

»Neun Euro fünfzig und zwei Tage«, sagte er dann.

Baumann, der aufgrund all der Informationen, die er so unverhofft erhalten hatte, für einen Moment auf dem Schlauch stand, nickte dann. »Alles klar, dann weiß ich Bescheid«, sagte er, »dann bringe ich morgen mal was vorbei.«

Bevor er durch die Tür der Wäscherei nach draußen trat, drehte er sich noch einmal um. »Wie war eigentlich noch einmal Ihr Name, bitte?«, fragte er den Mitarbeiter.

»Klammer, Franz Klammer.«

34. KAPITEL

Martin Schmitz war beileibe kein Freund von Nikolas Nölting. Nölting hatte ihm den Job weggenommen, der rechtmäßig eigentlich ihm zugeschrieben war.

Mit der linken Hand verscheuchte er eine Fliege, die sich gerade auf dem Ärmel seines karierten Hemdes niedergelassen hatte, und blickte sich im Büro seines ehemaligen Kollegen um. Große gerahmte Fotos von aktuellen Bauvorhaben aus ihrer Gemeinde schmückten die Wände des weiß gestrichenen Raumes. Die neuartige True-Light-Röhre verbreitete eine angenehme Atmosphäre, nahezu identisch mit dem mittäglichen Tageslicht, und die hellen Büromöbel hatten erst vor drei Jahren die jahrzehntealten Holztische und -stühle aus den Zeiten des geteilten Deutschlands ersetzt.

Schmitz dachte an Nölting. Als der alte Sachgebietsleiter vor sechs Jahren in Pension gegangen war, hätte er dessen Posten einnehmen sollen. Und er hätte das Geld, das ihm die Beförderung eingebracht hätte, gut gebrauchen können. Dann hätte er sich endlich seinen Lebenstraum, ein eigenes kleines Häuschen für sich und seine Frau und die beiden Kinder, leisten können. Mit Garten. Und vielleicht einer Schaukel und einem Sandkasten. Gerade jetzt, wo das dritte auf dem Weg war, hätten sie etwas mehr Platz gut gebrauchen können.

Stattdessen kam dann Nölting. Ein typischer Karrierebeamter aus dem Westen. Nölting wurde ihm direkt vor die Nase gesetzt. Er hatte schon immer die Vermutung gehegt, dass etwas an der

Aktion faul gewesen war. Und nicht nur das. Alles, was er in den Jahren zuvor mit seinem alten Chef aufgebaut hatte, die ganzen Abläufe und die Struktur, die sie geschaffen hatten, wollte Nölting über den Haufen werfen. Dabei kannte er, Schmitz, sich doch viel besser mit allen Vorgängen und der ganzen Situation in Nauen aus.

Aber Nölting wollte das alles ändern. Ganz gleich, was gut oder schlecht gewesen war. Hauptsache anders und so, wie er es wollte.

Gut, er war fleißig und zielstrebig. Das musste Schmitz anerkennen. Und sie hatten dann ja auch tatsächlich einiges Gute für die Gemeinde bewirkt. Das war aber natürlich nicht alleine Nöltings Verdienst, sondern vor allem auch der seine. Aber dann fing Nölting irgendwann an, sich von den Kollegen abzusondern. Immer öfter arbeitete er außer Haus, nahm seine Termine nicht mehr in der Behörde wahr und erzählte auch immer weniger von seiner Familie und seiner Tochter Lily, um die sich vorher alles gedreht hatte. Irgendwann hatte er sich verändert. Und dann, aus heiterem Himmel, hat er in der Bäckerei in Berlin drei Leute abgeknallt. Was für ein Desaster. Er, Schmitz, hatte ja schon immer vermutet, dass mit Nölting was nicht stimmte.

Seitdem er kommissarisch Nöltings Vorgänge und die Leitung des kleinen Teams übernommen hatte, hatte er endlich den Job, der ihm nach seiner Meinung schon längst zugestanden hatte. Nur die offizielle Beförderung und damit auch das für ihn so wichtige Gehalt standen noch aus. Vorerst. Aber das würde sich hoffentlich auch bald ändern. Er heulte seinem Ex-Chef keine Träne nach und hätte kein Problem damit, wenn er nicht wieder zurückkehrte.

35. KAPITEL

Brutal wurde Nikolas Nölting von hinten umgestoßen und stürzte auf den harten, rauen Boden des Gefängnishofes. Der Angriff kam so unerwartet, dass er sich nicht mehr rechtzeitig abstützen konnte und jetzt mit dem Gesicht im Dreck lag. Langsam drehte er sich auf die Seite und blickte in das Antlitz eines großen Mannes, der ohne Weiteres in der amerikanischen Wrestling-Liga als *The Beast* durchgegangen wäre. Auf der rechten Seite seines massiven, kahl rasierten Schädels waren die Ziffern *88* eintätowiert. Auf den Knöcheln der Finger seiner riesigen Faust, die er Nölting drohend entgegenstreckte, prangten die Buchstaben *H-A-T-E*. Mit einem verächtlichen Gesichtsausdruck blickte der Schläger auf Nölting hinab.

»Na, du Schwuchtel, bist wohl zu blöd, um geradeaus zu gehen, was?« Er lachte.

Die beiden Männer, die ihn links und rechts flankierten und ganz offensichtlich zu ihm gehörten, stimmten in das Gelächter ein. Einer beugte sich runter zu Nölting und spuckte ihn an. Instinktiv hielt der sich schützend die Hände vor sein Gesicht. Er stieß sich mit den Beinen, noch immer auf dem Boden liegend, langsam zurück. Weg von den Männern. Was hatte er ihnen getan? Er kannte die drei überhaupt nicht. Sicher, er hatte sie in den letzten Monaten immer mal wieder gesehen. Sie gehörten zu den Nazis hier im Knast, aber die blieben meistens unter sich. Er hatte keine Ahnung, warum sie ihn jetzt angriffen. Bisher hatte sich niemand um ihn gekümmert. Er wusste nicht, was er tun sollte. Er war vollkommen überfordert. Ängstlich blickte er sich um. *Warum kam ihm kein Wachtmeister zu Hilfe? Hatten sie nicht bemerkt, wie er bedroht wurde?* Vielleicht konnten sie ihn nicht sehen, weil die drei Männer so vor ihm standen, dass ihr Blickfeld verdeckt wurde.

»Na, willst du Schläge?«, fragte der Anführer des Trios spöttisch und holte mit seiner Faust aus.

Nölting schloss die Augen. Doch der erwartete Schlag blieb aus. Stattdessen hörte er eine andere Stimme, mit fremdländischem Akzent.

»Hey, was soll das, du Spinner? Lass den Mann in Ruhe. Er hat dir nichts getan.«

Nölting öffnete die Augen, und es dauerte einige Sekunden, bis er die Situation erfasste. Die drei Nazis waren von einer Gruppe von etwa sieben dunkelhaarigen, arabisch aussehenden Männern umgeben. Ihr Anführer war von seiner Statur her dem *Beast* absolut ebenbürtig. Er hielt dessen Faust mit eisernem Griff umklammert und starrte ihn mit durchdringendem Blick an.

»Drei zu eins. Das nennt ihr fair? Wenn hier jemand eine Schwuchtel ist, dann ja wohl du!«

Der Nazi ließ seine Faust sinken und wich zurück. Er blickte kurz in die Runde und kam dann wohl zu der Erkenntnis, dass er und seine beiden Kumpane zahlenmäßig so unterlegen waren, dass sich eine weitere Konfrontation nicht lohnte.

Entschuldigend hob er die Hände. »Is ja gut, Mann, reg dich nicht auf.« Er nickte seinen Freunden zu und wies in die andere Richtung des Hofes. Doch bevor er ging, drehte er sich noch einmal zu Nölting um. »Mit dir sind wir noch nicht fertig, du Pussy.«

Nölting zuckte zusammen, und die Nazis lachten verächtlich. Der Mann, der ihm geholfen hatte, streckte ihm seine Hand entgegen. »Hey, lass dich von dem Arschloch nicht ärgern. Er ist nur ein Idiot. Komm, ich helfe dir.«

Nölting war überrascht. Er wusste nicht, was er denken sollte. *Warum hatte man ihn angegriffen? Und womit hatte er die Hilfe verdient?*

»Komm, gib mir deine Hand«, wiederholte der Mann nochmals und sah Nölting dabei freundlich an. »Ich bin Bassem.«

Nölting ergriff die Hand und ließ sich vom Boden hochziehen. Bassem klopfte ihm den Dreck von den Schultern.

Im nächsten Moment kam einer der Wachtmeister auf die Gruppe zu. »Hey, was ist hier los? Auseinander! Was ist hier passiert?«

»Nichts, ich bin nur gefallen, und die haben mir aufgeholfen«, erwiderte Nölting, der verhindern wollte, dass Bassem und seine Freunde Ärger bekamen. Er hatte das Gefühl, dass er ihnen etwas schuldig war.

Skeptisch sah ihn der Beamte an. Dann nickte er aber und ging weiter.

»Danke«, sagte Nölting, nach den richtigen Worten suchend. »Danke, dass ihr mir geholfen habt. Ich weiß nicht, was die sonst mit mir angestellt hätten.«

»Das ist doch Ehrensache. Wir passen jetzt auf dich auf. Du musst dir keine Sorgen machen. Die Schweine werden dir nichts mehr tun.«

Nölting nickte. Er war von dem Angriff der Nazis ebenso überrascht wie von der Hilfe der Araber. Aber es war ein gutes Gefühl zu wissen, dass ihm jemand zur Seite stand. Vermutlich konnten sie die Nazis nicht ausstehen und halfen ihm deshalb. *Der Feind meines Feindes ist mein Freund,* oder so, dachte Nölting. Was immer es auch war. Schaden konnte es auf jeden Fall nicht, Verbündete hier im Knast zu haben.

Bassem lächelte und klopfte Nölting vertraulich auf die Schulter. Doch bevor er weiterging, sah er ihn noch einmal durchdringend an. »Es ist immer gut zu wissen, auf wessen Seite man steht«, sagte Bassem. Und mit einem Ton, der keine Zweifel an der Ernsthaftigkeit seiner Worte erkennen ließ, fügte er hinzu: »Und es ist auch immer gut zu wissen, wann und wo man schweigen muss.«

Nölting zuckte zusammen. Mit einem Mal war ihm klar, dass der ganze Vorfall kein Zufall, sondern vielmehr eine klare Botschaft an ihn gewesen war.

36. KAPITEL

Berlin-Moabit, Kriminalgericht: Montag, 3. August, 11.44 Uhr

Baumann war nach der Unterhaltung, die er in der Wäscherei mitbekommen hatte, vollends überzeugt, dass Brettschneider etwas mit der ganzen Sache zu tun hatte.

Rocco selbst blieb hingegen lange Zeit skeptisch. Die Beweislage war dünn, und alles, was sie hatten, waren sehr dürftige Informationen über eine mögliche Beziehung von Brettschneider zu Nölting und Lindner.

Baumann aber war hartnäckig, und schließlich hatten sie, auch aufgrund der Zeitnot und weil sie momentan keine weiteren Spuren hatten, eine halbwegs tragbare Arbeitshypothese entwickelt: Sie wussten, dass Nölting, Lindner und Brettschneider schon zuvor gemeinsam in der Bäckerei gewesen waren. Nölting hatte Lindner offensichtlich gezielt erschossen, und Brettschneider schien ein Problem mit Nölting zu haben, ja wollte diesem sogar schaden. Zumindest ergab sich das als Möglichkeit aus den Aussagen in der Akte und dem tatsächlich sehr auffälligen Verhalten von Brettschneider in seiner ersten Vernehmung als Zeuge vor Gericht, die dieser dann abgebrochen hatte.

All das konnte darauf hindeuten, dass Lindner und Brettschneider gemeinsame Sache gemacht haben könnten. Und auch wenn Rocco im Unterschied zu Baumann bei Weitem nicht so überzeugt von ihrer These war, hatte er sich schließlich dazu durchgerungen, dieser möglichen Fährte nachzugehen. *Was konnten sie schon verlieren?*

Das war sein heutiges Verhandlungsziel, und jetzt, da er eine Entscheidung getroffen hatte, würde er es auch knallhart durchziehen.

Nachdem er am Tisch der Verteidigung Platz genommen hatte, wurde Nikolas Nölting in den Verhandlungssaal geführt. Rocco fiel sofort die frische Schürfwunde an der rechten Schläfe seines Mandanten auf.

»Herr Nölting«, fragte er besorgt. »Was ist passiert?«

Der blickte ihn nichtssagend an, so als wisse er überhaupt nicht, was Eberhardt von ihm wollte.

»Die Wunde, da an Ihrer Stirn«, hakte Rocco nach und fragte sich, ob sein Mandant wirklich keinen Schimmer hatte, wovon er sprach, oder ob er ihn für dumm verkaufen wollte.

Nölting nickte nur kurz und murmelte leise vor sich hin: »Bin auf dem Hof gestolpert.« Dann faltete er wie schon an den anderen Tagen seine Hände in seinem Schoß zusammen und blickte starr und ausdruckslos vor sich hin.

Rocco Eberhardt schaute seinen Mandanten konsterniert an, und von einem Moment auf den anderen überkam ihn ein Gefühl von Unsicherheit. Er wusste nicht, ob er Nölting glauben sollte. Er wusste überhaupt nicht, was er von ihm halten sollte. Nölting war und blieb stumm und verschlossen. Was ging bloß in diesem Menschen vor? War Nölting den ganzen Aufwand wirklich wert? Oder sollte er dieses Spiel einfach verloren geben? Er blickte zu Oberstaatsanwalt Doktor Bäumler, der angeregt mit einem der anwesenden Reporter diskutierte. Mit jedem Tag, den der Prozess lief, bekam der Staatsanwalt mehr Oberwasser.

Eberhardt wusste, dass sie an einen Scheidepunkt gelangten. Das Verfahren drohte sich festzufahren. Wenn hier nicht bald etwas passierte, wenn er nicht bald Licht ins Dunkel bringen würde, könnte das hier ziemlich schnell und unspektakulär zu Ende gehen. *Wofür also das Ganze?*

Seine Gedanken sprangen an den Tag zurück, als er Anja Nölting vor sechs Monaten zum ersten Mal getroffen hatte. Wie sie vor ihm stand, hilflos, überfordert und ohne jeden Halt. Und er dachte an Lily Nölting. Ein sonderbares Mädchen, das irgendein Geheimnis umgab, dem er noch nicht auf die Schliche gekommen war.

Ein lautes Lachen ließ ihn aufhorchen. Bäumler. Jovial klopfte der selbst ernannte Hüter des Rechts dem Gerichtsreporter auf die Schulter und flüsterte ihm etwas ins Ohr. Der nickte, blickte dann wissend zu Nölting und Eberhardt und stimmte in das Lachen des Oberstaatsanwaltes ein.

Angewidert von Bäumlers selbstverliebtem Gehabe spürte Rocco Eberhardt in jeder Faser seines Körpers, wie sein Kampfgeist wieder erwachte.

Er schob alle persönlichen Empfindungen beiseite. Gefühle waren in seinem Job nur hinderlich.

Er war hier angetreten, um zu gewinnen. Ganz gleich, was seine Mandanten ihm normalerweise sagten, meistens waren es doch nur Lügen. Deshalb machte es auch keinen Unterschied, dass Nölting jetzt schwieg. Vermutlich hätte auch er nur irgendeine ausgedachte rührselige Geschichte erzählt, die ihm, Rocco, in dem Prozess überhaupt nicht geholfen hätte.

Hier ging es um das große Spiel. Es ging gegen Bäumler. Und es gab nur ein Ziel: das Spiel zu gewinnen. Und heute würde er auf dem Weg dahin einiges wettmachen. Er würde Brettschneiders Rolle in diesem Fall ans Licht bringen.

Zufrieden mit seiner Entscheidung griff er zu seinem Kugelschreiber und machte sich eine Notiz in der Akte. Mit großen Lettern schrieb er auf das Papier: *Verlieren ist keine Option! Koste es, was es wolle!*

Im nächsten Moment öffnete sich die Tür an der Stirnseite des Raumes. Doktor Ariane Gregor betrat mit den übrigen Richtern und Schöffen den Saal. Souverän und mit der natürlichen Autorität, die sie umgab, legte sie ihre Akten vor sich ab und wandte sich an das Publikum. »Darf ich Sie bitten, Platz zu nehmen, ich möchte gerne anfangen.«

Keine fünf Minuten später hatte sie die Verhandlung eröffnet und Brettschneider aufgerufen, der heute in deutlich besserer Verfassung zu sein schien als noch in der vergangenen Woche. Nach der erneuten Belehrung des Zeugen erteilte die Richterin Rocco Eberhardt das Fragerecht.

Der erhob sich, blätterte aber noch auffallend lange in der vor ihm liegenden Akte, als suche er ein bestimmtes Blatt. Dann, mit einem Mal, hielt er inne und sah den Zeugen mit einem gewinnenden Lächeln an.

»Herr Brettschneider, ich freue mich, Sie heute so wohlauf zu sehen. Ich hoffe, es geht Ihnen wieder besser?«

Brettschneider, der offenbar unsicher war und nichts Falsches sagen wollte, nickte nur kurz, ehe er erwiderte: »Ja, danke. Hatte wohl was Schlechtes gegessen.«

»Das ist bedauerlich, aber es freut mich zu hören, dass Sie wieder gesund sind«, sagte Rocco und blätterte wieder in seiner Akte. Er wollte den tatsächlichen Beginn der Vernehmung noch ein bisschen hinauszögern, um das Unwohlsein des Zeugen so weit wie möglich zu erhöhen.

»Entschuldigen Sie, ich suche gerade die Stelle, an der ich mir die Notizen von dem letzten Termin gemacht habe.«

Brettschneider nickte.

»Okay, habe sie gefunden. Zuletzt, Herr Brettschneider, hatten Sie meine Frage, ob es da etwas zwischen Ihnen und meinem Mandanten, also Herrn Nölting, gäbe, verneint. Habe ich das richtig notiert?«

»Ja, das stimmt. Da kann ich mich erinnern. Das war unmittelbar, bevor mir so schlecht geworden ist.«

»Ausgezeichnet. Und sagen Sie, Herr Brettschneider. Möchten Sie dabei bleiben, oder ist Ihnen vielleicht noch etwas eingefallen, was Sie möglicherweise doch mit meinem Mandanten verbindet?«

»Also, nein. Eigentlich gibt es da nichts«, erwiderte Brettschneider unsicher und blickte von Rocco zu der Vorsitzenden Richterin und wieder zurück.

»Eigentlich. Also gibt es da doch etwas?«, hakte Eberhardt nach. Und noch bevor Brettschneider antworten konnte, fuhr er fort: »Lassen Sie mich meine Frage vielleicht etwas präzisieren. Gibt es irgendetwas zwischen meinem Mandanten und Ihnen, was Franz Klammer wissen könnte?«

»Franz Klammer?«, fragte Brettschneider und sah ehrlich verblüfft aus, so als könne er mit dem Namen nichts anfangen.

Mit einem Mal fühlte Rocco eine gewisse Unsicherheit und spürte, wie sein Adrenalinspiegel anstieg. *Was wäre, wenn Brettschneider die Wahrheit sagte?* Trotz dieses unguten Gefühls im Bauch und weil er sich vorher auf seine Strategie festgelegt hatte, wischte er diesen Gedanken dann aber beiseite. Ein Zurück würde ihm jetzt auch nicht helfen. Stattdessen entschied er sich, den Zeugen nur noch mehr in die Enge zu drängen. *Alles oder nichts!* Und während er diesen Entschluss fasste, wusste er insgeheim, wie er jetzt alle Regeln der Zeugenvernehmung, die zum Einmaleins eines jeden Verteidigers gehörten, über den Haufen warf.

Allen voran seine wichtigste Regel: *Stelle einem Zeugen niemals eine Frage, wenn du nicht weißt, was dieser antwortet!*

»Franz Klammer«, sagte er dann, »der Mitarbeiter der Wäscherei Star in der Königin-Elisabeth-Straße.«

»Ach so, der«, erwiderte Brettschneider und wirkte mit einem Mal viel ruhiger. »Ja, den kenne ich.« Er lächelte und sah erleichtert aus. »Und wie war noch mal die Frage?«, erkundigte er sich dann und sah in Eberhardts Richtung.

»Meine Frage war, ob es da etwas zwischen Ihnen und meinem Mandanten gibt, das Herr Klammer wissen könnte.«

»Nein, da gibt es wirklich nichts!«, erwiderte Brettschneider jetzt so beharrlich, dass Rocco für einen Moment innehielt. *Sagte Brettschneider die Wahrheit, oder spielte er seine Rolle einfach nur so gut und log ihn unverschämt an?* Er hielt Zweiteres immerhin für möglich und fuhr unbarmherzig mit seiner Vernehmung fort.

»Und wenn ich Herrn Klammer fragen würde, ob er da nicht etwas wüsste, wären Sie sich dann immer noch so sicher?«

In diesem Moment sprang Bäumler auf, doch noch bevor er etwas sagen konnte, winkte die Vorsitzende Richterin mit einer deutlichen Handbewegung ab und ergriff selbst das Wort.

»Herr Verteidiger, bei allem Verständnis, das ich für Sie und Ihre Strategie aufbringen möchte, frage ich mich, worauf Sie hinauswollen. Wie oft wollen Sie dem Zeugen die gleiche Frage stellen? Wenn Sie einen Beleg haben, dass hier etwas nicht stimmt, dann würde ich das gerne wissen. Für Spielereien haben wir hier keine Zeit, und das ist ganz sicher auch nicht der richtige Ort dafür!«

Selbstbewusst wandte sich Rocco Eberhardt an die Richterin. *Alles oder nichts!*

»Frau Vorsitzende«, begann er. »Da der Zeuge sich nicht zu erinnern scheint, habe ich einen Beweisantrag zur Vernehmung des Zeugen Franz Klammer vorbereitet.«

»Und wozu soll dieser Zeuge aussagen?«, fragte Doktor Ariane Gregor die zwingende Zulässigkeitsvoraussetzung eines Beweisantrages ab.

Rocco griff zu seiner Akte und holte zwei Exemplare zum Vorschein. Gerade als er dazu ansetzen wollte, diese zu verlesen, meldete sich Brettschneider zu Wort.

»Entschuldigung, ich glaube, ich weiß jetzt doch, worauf Sie hinauswollen«, sagte er und blickte Rocco Eberhardt selbstbewusst in die Augen. »Das liegt nun aber schon ein paar Jahre zurück, sodass ich gar nicht daran gedacht habe, dass das hier eine Rolle spielt. Also, ich dachte, Sie wollten was anderes hören.«

Rocco beschlich ein ungutes Gefühl. Er blickte in den Zuschauerraum, wo Tobias Baumann saß, doch der zuckte nur mit den Schultern.

»Also«, fuhr Brettschneider fort. »Herr Nölting und ich, wir haben bis vor vier Jahren in dem gleichen Haus gewohnt. Und, na ja, da gab es halt immer wieder Krach abends, weil sein Kind so geschrien hat. Das hat mir natürlich nicht gepasst. Und da habe ich dann meine Meinung gesagt, dass ich das nicht gut finden würde. Na ja, vielleicht war ich da ein bisschen deutlich, und es kam dann auch zu einem Streit, und da ging dann auch was kaputt.« Er machte eine Pause und sah dann die Richterin an. »Das habe ich aber alles ersetzt! Cent für Cent.«

Während Brettschneider weiterredete, spürte Rocco Panik in sich aufsteigen. Ein Blick zu Bäumler genügte, und ihm war klar, dass er gerade ein katastrophales Eigentor geschossen hatte. Mit jedem Satz von Brettschneider wurde klarer, dass sich Baumanns und seine große Spur, alles, was er in die Aussage und deren Wortlaut reingelesen hatte, die ganze Verbindung, die er bei Brettschneider zu Nöltings Tat gesehen hatte, in Luft auflöste.

Brettschneider hatte vor Jahren eine Auseinandersetzung mit Nölting wegen Lärms in einem Mietshaus gehabt, die wohl ein bisschen ausgeartet war. Und die ganze Unterhaltung in der Wäscherei, in die Baumann so viel reingelesen hatte, war völlig unerheblich. Es gab ganz offensichtlich keine Verbindung zwischen Lindner und Brettschneider, keine Verschwörung gegen Nölting. Am Ende hatte er nichts mit ihrem Prozess zu tun. Das Ganze war nicht mehr und nicht weniger als ein ganz gewöhnlicher Nachbarschaftsstreit.

37. KAPITEL

Klara Schubert kannte Rocco Eberhardt so gut wie den Sohn, den sie nie hatte. Ein Blick genügte, und sie wusste, dass heute etwas gewaltig schiefgelaufen sein musste. *Hoffentlich nicht in dem Verfahren Nölting,* dachte sie.

Rocco rauschte nur mit einem kurzen »Hallo« an ihr vorbei in sein Büro und warf die große, weiße Holztür krachend hinter sich ins Schloss.

Klara wusste nicht genau, was passiert war, nahm sich aber fest vor, mit ihrem Chef zu reden, bevor er die Kanzlei in den Feierabend verlassen würde.

In den vergangenen Jahren hatte es immer wieder Situationen gegeben, in denen er feststeckte und ihm ein Gesprächspartner, nämlich sie, half, den richtigen Weg einzuschlagen. Klara Schubert hatte das Gefühl, dass jetzt wieder ein solcher Moment gekommen war. Meistens hatte es nie mehr gebraucht, als Rocco die Gelegenheit zu geben, über einen Fall zu reden. Und ihn darin zu bestärken, auf seine Gefühle und seinen Instinkt zu vertrauen. Sie hatte in den vielen Jahren ihrer Zusammenarbeit gelernt, wie sehr sich die Arbeit von Anwälten in den unterschiedlichen Rechtsgebieten unterschied. Während Zivilrechtler und Öffentlichrechtler ihre Fälle fast ausschließlich schematisch abarbeiteten, gingen Strafverteidiger viel zielorientierter vor. Und dabei kam es nicht nur auf die Fakten und vermeintlich eindeutigen Tatsachen an, sondern vielmehr auf ein Gespür für die Motive und Gefühle, die hinter den oft gewalttätigen Straftaten steckten. Klara Schubert hatte gelernt, dass alle erfolgreichen Strafverteidiger über die Fähigkeit verfügten, hinter das Offensichtliche zu blicken und ihrem Instinkt zu folgen. Rocco hatte diesen Instinkt, nur manchmal waren die Zweifel in ihm zu groß, sich darauf zu verlassen. Jetzt schien wieder eine solche Situation zu sein, und Klara Schubert nahm sich vor, ihren Chef in seinem Selbstvertrauen zu bestärken. Und sie hatte auch noch einen anderen Grund, warum sie ihn heute unbedingt noch sprechen musste.

Etwa dreißig Minuten später hörte sie, wie Rocco nebenan seine Sachen zusammenpackte, um die Kanzlei für den Abend zu verlassen.

Mit zwei Gläsern Rotwein betrat sie sein Büro und stellte die Getränke auf dem großen Besprechungstisch ab. Ihr Blick fiel dabei auf das große Aquarell von Gertrude Köhler, das in all seinen bunten Farben und einfachen Motiven eine natürliche Fröhlichkeit ausstrahlte, die jedem Betrachter ein Lächeln auf die Lippen zaubern musste. Genau deshalb hatte sie es für ihren Chef ausgesucht: um einen Kontrast zu den vielen schweren Gesprächen zu bilden, die er immer wieder in seinem Büro führen musste.

Rocco, der seinen Computer gerade heruntergefahren hatte, stand mit seinem Sakko in der einen und seiner alten, ledernen Aktentasche in der anderen Hand hinter dem Schreibtisch und schaute seine langjährige Mitarbeiterin an. In seinem Blick konnte sie gleichermaßen Erschöpfung und Ärger erkennen. Und er sah nicht so aus, als hätte er jetzt große Lust auf ein spätes Gespräch mit ihr. Sie kannte das schon, am liebsten wollte er seine Gedanken ja immer für sich behalten.

Demonstrativ blickte er auf seine Uhr. »Ich wollte gerade gehen, das war ein harter Tag.«

Klara Schubert ignorierte Roccos halbherzigen Versuch, sich aus der Affäre zu ziehen, und wies mit der Hand auf den Konferenztisch, ehe sie selbst daran Platz nahm.

Mit einem langen Seufzer legte Rocco Sakko und Aktentasche wieder ab und setzte sich zu seiner Mitarbeiterin.

»Also?«, fragte sie und sah ihn dabei aufmunternd an.

»Ich habe mich heute zum Affen gemacht!« Er trank einen Schluck Wein und schaute dann gedankenverloren auf die dunkelrote Flüssigkeit in seinem Glas. »Und noch viel schlimmer: Ich habe dem Fall geschadet und die Siegchancen verringert.« Nachdenklich fügte er hinzu: »Und ich habe auch meinem Mandanten geschadet.«

Klara blieb still. Sie wusste, dass er nur einen Moment brauchte, um seine Gedanken zu sortieren und in Worte zu fassen.

»Da war doch dieser Zeuge, Brettschneider, der letzte Woche schon mal ausgesagt hat, bis ihm dann schlecht geworden ist.« Rocco machte eine Pause und atmete schwer aus. »Ich war mir so sicher, dass er was mit der Sache zu tun hatte.« Er klang verärgert, aber auch ein bisschen selbstironisch. Als täte es ihm gut, über seine heutige Niederlage zu sprechen. »Und Tobias auch! Seine Ermittlungen schienen das ja zu unterstreichen. Nur leider hat er sich getäuscht. Und ich habe das nicht überprüft. Und dann habe ich es vor die Wand gefahren. Mit Anlauf. Und Bäumler hat sich gefeiert.« Er trank einen großen Schluck Wein und berichtete dann von dem Desaster, das sie heute im Gerichtssaal erlebt hatten.

»Na ja«, erwiderte Klara Schubert mitfühlend. »Das ging wirklich gewaltig in die Hose. Aber sehen Sie es doch mal so. Die Aussage von Brettschneider in der Akte hatte bis dahin ein unwidersprochen negatives Bild auf Nölting geworfen. Und wenigstens das konnten Sie heute ausräumen.«

Rocco blickte sie nur kurz an, und für einen kleinen Moment entspannten sich seine Gesichtszüge. Er war offensichtlich dankbar für ihre aufmunternden Worte. Dann verfinsterte sich seine Miene aber wieder.

»Der ganze Fall Nölting macht überhaupt keinen Sinn. Wir wissen, was passiert ist, aber nicht, warum. Nölting schweigt weiter, und ich habe keine Ahnung, warum er nicht redet. Das läuft momentan alles darauf hinaus, dass ich den Fall verliere! Und das darf nicht sein!« Mit dem nächsten Schluck leerte er das Glas. »Vielleicht sollte ich mich noch mal mit Anja Nölting treffen. Auch wenn ihr nicht bewusst ist, worum es hier geht, hat sie vielleicht irgendeine Information, die uns helfen könnte. Irgendwas muss es doch geben!«

Klara Schubert nickte. »Das stimmt. Und vielleicht weiß ich sogar, was das sein könnte.«

Erstaunt blickte Rocco auf.

»Allerdings geht es weniger um Anja Nölting als vielmehr um ihre Tochter. Tatsächlich müssen wir über Lily reden. Denn ich habe heute etwas rausbekommen. Die Kleine ist ein einzigartiges junges Mädchen mit einem ganz besonderen Wesen.« Sie hielt inne und sah ihren Chef an.

Rocco erwiderte ihren Blick fragend. »Wie meinen Sie das?«

»Ich glaube, sie hat eine Behinderung. Wenn man es nicht weiß, nimmt man es kaum wahr. Und mir ist das in den vergangenen Monaten auch nicht aufgefallen. Die wenigen Male, die ihre Mutter sie mitgebracht hat, wirkte Lily von Anfang an sehr fröhlich und hat auffallend viel gelacht. Als Anja Nölting aber letzte Woche bei Ihnen im Büro war und Lily länger vorne bei mir saß und gemalt hat, habe ich etwas bemerkt. Lily schien ganz in ihrer eigenen Welt zu sein. Ihre Bewegungen waren etwas ruckartig, und sie hat mehrmals scheinbar ohne Grund angefangen zu lachen und in die Hände zu klatschen.«

»Aber das muss doch nichts heißen, oder? Vielleicht ist die Kleine einfach besonders fröhlich und war so in ihre Malerei vertieft, dass sie die Umgebung um sich herum vergessen hat. Damit wäre sie ja nicht das einzige Kind.«

»Stimmt. Deshalb habe ich meine gute Freundin Evelyn gefragt. Sie ist seit über zwanzig Jahren Kinderärztin und meinte, dass es sich um das Angelman-Syndrom handeln könnte. Das ist eine Behinderung, bei der die körperliche und geistige Entwicklung verzögert ist, je nach Ausprägung mehr oder weniger stark wahrnehmbar. Eines der Symptome ist, dass die Betroffenen überdurchschnittlich viel und oft lachen und sehr fröhlich wirken.«

Rocco horchte auf. »Angelman-Syndrom. Davon habe ich noch nie gehört.« Sofort dachte er an Justus Jarmer – der einzige Mediziner, den er wirklich kannte. Ihn müsste er dazu unbedingt befragen.

Und dann hatte er auf einmal eine Idee. Und er sah in Klaras Blick, dass sie ganz offensichtlich den gleichen Gedanken hatte.

»Wenn Sie recht haben, ich meine, wenn die Kleine wirklich unter dieser Krankheit, dieser Behinderung leidet – welche Form der Betreuung braucht ein Mädchen wie Lily dann üblicherweise?«

»Nach Aussage von Evelyn hängt das stark von der Intensität der Behinderung ab. Sicher aber ist, dass die Betroffenen im Verlauf ihres gesamten Lebens auf Unterstützung durch andere angewiesen sind und entwicklungsfördernde Hilfen und Maßnahmen die Selbstständigkeit der Betroffenen erheblich verbessern. Und …«

»… und diese Maßnahmen sind vermutlich, je nachdem, wie intensiv sie sind, auch entsprechend teuer«, führte Rocco den Gedanken zu Ende. Er lächelte jetzt.

38. KAPITEL

Kopfschüttelnd studierte Justus Jarmer den Artikel im *Tagesspiegel*, der sachlich, und ohne etwas zu beschönigen, Rocco Eberhardts Niederlage vor der Schwurgerichtskammer vom Vortag schilderte.

Gerade hatte ich angefangen, Sympathie für ihn zu entwickeln, dachte Jarmer. *Und dann schießt er sich grundlos auf einen Zeugen ein, der ganz offensichtlich nicht das Geringste mit der ganzen Sache zu tun hat. Wieder nur einer der üblichen Winkeladvokaten-Tricks! Am Ende sind sie doch alle gleich. Haben ein Ziel vor Augen und gehen ohne Rücksicht auf Verluste wie eine Dampfwalze darauf los.*

Nachdenklich klappte er die Zeitung vor sich zu und legte sie beiseite. In diesem Moment klingelte sein Telefon. Ein Blick auf das Display ließ ihn spontan lächeln. Es war Frederik, sein neunjähriger Sohn.

»Papa, wann kommst du heute nach Hause?«, hörte er die Stimme seines Jungen durch das Telefon.

»Erst später, mein Lieber, wenn du schon schläfst. Ich muss heute noch etwas länger arbeiten, leider.«

»Oh«, hörte er Frederik seufzen. Sein Sohn klang richtiggehend enttäuscht. »Ich dachte«, fuhr er dann mit einem Funken Hoffnung in der Stimme fort, »wir könnten endlich weiter Harry Potter lesen. Das hast du doch am Wochenende versprochen!« Nach einer kurzen Pause fügte er hinzu: »Und ohne dich will ich nicht weiterlesen, sonst weißt du ja gar nicht, was da passiert.«

Von einem Moment auf den nächsten hatte Justus Jarmer ein so schlechtes Gewissen, dass er gar nicht wusste, was er antworten sollte.

Er blickte auf seine Uhr. Es war jetzt zehn nach sieben. Um acht Uhr war er zu einem Gastvortrag des Berliner Landesverbandes des Deutschen Kinderschutzbundes eingeladen, wo er sich seit einiger Zeit engagierte. Der Rechtsmediziner war der festen Überzeugung, dass Politik und Gesellschaft sich viel zu wenig um das Wohl der Kinder kümmerten. Und jedes Mal, wenn er ein Kind obduzieren musste, das Opfer sinnloser, oft häuslicher Gewalt geworden war, schwor er sich, auch weiter zu versuchen, etwas dagegen zu unternehmen. Deshalb war das heute wichtig. Für ihn und für die Kinder. Er konnte diesen Termin jetzt nicht mehr absagen. Und morgen Abend war er mit einem bekannten Journalisten verabredet, der über einen Artikel Jarmers in einer international renommierten Fachzeitschrift für Suizidforschung berichten wollte.

»Es tut mir leid, Freddy«, sagte er deshalb entschuldigend. »Diese Woche ist einfach eine ganze Menge los bei mir. Ich mache das wieder gut, ja? Donnerstagabend machen wir beide es uns richtig gemütlich zu Hause, und dann lesen wir weiter, okay?«

»Na gut«, antwortete Freddy, klang dabei aber wenig begeistert. Dann gab er seinem Vater noch das schmatzende Geräusch eines Kusses durchs Telefon, und nachdem sich beide eine gute Nacht gewünscht hatten, legte Justus Jarmer auf.

Kaum hatte er das Telefon beiseitegelegt, klingelte es erneut. An der Nummer im Display erkannte er sofort, dass es Rocco Eberhardt war. Er blickte auf seine Uhr und überlegte für einen Moment, das Gespräch in die Mailbox laufen zu lassen. Die Veranstaltung würde pünktlich um acht Uhr beginnen. Dann besann er sich aber eines Besseren. Wenn Eberhardt ihn um diese Zeit anrief, musste es dafür einen guten Grund geben.

»Herr Rechtsanwalt, was kann ich für Sie tun?«, fragte er, nachdem er das Gespräch angenommen hatte.

»Entschuldigen Sie die späte Störung, aber ich habe nur eine kurze Frage. In dem Fall Nölting sind neue Fakten aufgetaucht. Die Tochter meines Mandanten, Lily, scheint eine seltene Krankheit zu haben, die möglicherweise im Zusammenhang mit Nöltings Verhalten steht. Ich weiß aber nicht, ob ich hier in die richtige Richtung denke, und dachte, dass Sie mir dazu vielleicht etwas sagen könnten.«

Jarmer runzelte die Stirn. Er war sich nicht sicher, was er davon halten sollte. Außerdem musste er wirklich demnächst aufbrechen. Auf der anderen Seite packte ihn aber auch eine gewisse Neugier. Vielleicht würde diese Information etwas Licht ins Dunkel von Nöltings Verhalten bringen. Das interessierte auch ihn.

»Na, dann schießen Sie mal los«, sagte er schließlich und hörte aufmerksam zu, als Rocco Eberhardt ihm von Lily und dem Angelman-Syndrom erzählte, und welche Überlegungen er dazu angestellt hatte.

Als Eberhardt fertig war, dachte Jarmer kurz nach. Die Symptome, die der Anwalt beschrieben, und die Schlussfolgerungen, die er daraus gezogen hatte, waren logisch und nachvollziehbar, weshalb er ihm im Wesentlichen bestätigte, was Eberhardt bereits angenommen hatte. Außerdem konnte er Eberhardt noch ein paar weitere Informationen geben, die wichtig für die Beurteilung der Situation waren und die der Anwalt noch nicht erwähnt hatte. Nachdem Eberhardt sich für die schnelle Unterstützung und die Auskünfte bedankt und sie das Gespräch beendet hatten, griff Jarmer sich seine Jacke und löschte das Licht. *Interessant,* dachte er, *vielleicht nimmt der Fall ja doch noch eine unerwartete Wendung.*

39. KAPITEL

Berlin-Moabit, Alt-Moabit 93, Kanzlei Rödelmann,
Berg & Lindner – Rechtsanwälte und Notare:
Dienstag, 4. August, 11.03 Uhr

Tobias Baumann hatte keinen Zweifel: Es gab einen Grund, warum Moritz Lindner sterben musste. Nach der krachenden Niederlage mit Brettschneider hatte er keine Lust, Rocco noch einmal auf die falsche Fährte zu schicken und zu enttäuschen. Dieses Mal musste er abliefern. Ganz konkret hieß das, er musste herausfinden, warum Nölting Lindner erschossen hatte. Was war es Nölting wert, nicht nur ein Menschenleben zu nehmen, sondern auch seine eigene Familie zu zerstören?

Baumanns Recherchen hatten ihn in die Anwalts- und Notarkanzlei geführt, in der Lindner jahrelang als Partner tätig gewesen war. Er war ohne Termin mitten am Vormittag vorbeigekommen und hatte sich am Empfang als Mandant ausgegeben, der ein Grundstück erwerben wollte und einen Notar suchte.

Er saß jetzt schon seit einer guten halben Stunde in dem Wartezimmer der Kanzlei. Die schweren Teppiche und dunklen Ledersessel erinnerten ihn an die Einrichtung eines Gentlemen-Klubs in London. Zumindest stellte er sich die Klubs genauso vor. An den Wänden hingen Bilder, auf denen vor allem Seeschlachten und andere maritime Szenen zu sehen waren. Ein kristallener Leuchter spendete warmes Licht. Baumann beobachtete das Geschehen um sich herum mit großer Aufmerksamkeit. Die vier Mitarbeiterinnen, die das Sekretariat unter sich aufgeteilt hatten, arbeiteten unter Hochdruck. Eine unangenehme Spannung hing in der Luft, und aus einem der Anwaltsbüros war ein lautes, kontroverses Gespräch zu hören. Baumann hatte das Gefühl, dass irgendetwas hier nicht stimmte.

Er blickte gerade auf seine Uhr, als die jüngste Mitarbeiterin mit einem entschuldigenden Blick einen zweiten Kaffee auf den kleinen Mahagonitisch vor ihm abstellte.

»Entschuldigen Sie bitte, dass Sie so lange warten müssen. Es kann auch noch ein bisschen dauern, aber Doktor Rödelmann ist sofort für Sie da, wenn er mit seinem Gespräch fertig ist.«

»Kein Problem«, erwiderte Baumann entgegenkommend. »Ich hatte ja auch keinen Termin. Ich bin froh, dass er so kurzfristig überhaupt Zeit für mich hat.«

Dankbar lächelte sie ihn an. »Ich wünschte, alle unsere Mandanten wären so verständnisvoll wie Sie. Sie können sich ja nicht vorstellen, wie sich hier manche aufführen. Als wenn sich die Welt nur um sie drehen würde. Dabei haben wir es schon schwer genug.«

Baumann sah sie fragend an. »Tatsächlich? Was ist denn geschehen?«

»Ach, wir haben einfach zu viele Mandate. Seitdem Rechtsanwalt Lindner nicht mehr hier ist, geht einfach alles drunter und drüber.«

Baumann nickte verständnisvoll. »Das glaube ich Ihnen gerne. Aber sagen Sie, das ist doch nicht etwa der Lindner, der Anfang des Jahres Opfer dieser schrecklichen Tat geworden ist?«, hakte er behutsam nach und versuchte, dabei so gleichgültig wie möglich zu klingen.

Offensichtlich hatte er genau den richtigen Ton getroffen, denn die Sekretärin schien geradezu dankbar für seine Frage zu sein. »Das ist alles so schrecklich«, seufzte sie und schien auf einmal mit den Tränen zu kämpfen. »Ja, Moritz Lindner. Das Ganze ist ja schon ein bisschen her, und wir hatten uns zwischenzeitlich auch mit der Situation arrangieren können. Aber jetzt, wo der Prozess losgegangen ist und die Medien jeden Tag davon berichten, wühlt das alles wieder auf.« Entschuldigend blickte sie Baumann an. »Ich war Lindners persönliche Assistentin, deshalb hat sich für mich auch am meisten verändert. Ich bin ja froh, dass ich weiter bleiben konnte und die anderen Anwälte seine Fälle übernommen haben.«

»Oje, das muss ja fürchterlich sein. Davon hatte ich ja gar keine Ahnung.« Baumann schaute sie vertrauensvoll an. Er hatte das Gefühl, dass sie kurz davor war, ihm ihr Herz auszuschütten. Vielleicht konnte er von ihr sogar mehr Informationen erhalten als von Lindners Kollegen.

»Das muss ja sehr schwer für Sie alle gewesen sein. Ich bin mir sicher, dass Rechtsanwalt Lindner seine Mandanten sehr gut betreut hat.«

»Na ja, er hatte seinen ganz eigenen Arbeitsbereich, seine eigenen Mandanten. Also nicht die normalen Investoren wie Sie, meine ich. Daher hatte er immer eine Sonderstellung unter den anderen Anwälten.«

»Aber seine Kollegen haben das nun doch übernommen, oder?«, fragte Baumann weiter.

»Ja, haben sie, aber es ist natürlich nicht ganz leicht, sich in einen völlig neuen Bereich einzuarbeiten.« Die Mitarbeiterin hielt inne.

»Was meinen Sie damit?«, fragte Baumann weiter. Er wollte sie jetzt nicht vom Haken lassen. »Rechtsanwalt Lindner hat doch im Baurecht gearbeitet wie die anderen auch, oder?«

»Ja, das hat er. Er hat seine Mandanten beim Erwerb und bei der Erschließung von Grundstücken beraten. Vor allem in Brandenburg.«

Baumann nickte, als im selben Moment die Türglocke schellte. Erschrocken zuckte die Mitarbeiterin zusammen. Dann sah sie Baumann unsicher an. Es schien, als fragte sie sich selbst, ob sie ihm nicht schon viel zu viele Interna aus der Kanzlei berichtet hatte.

Deshalb war Baumann auch nicht im Geringsten überrascht, als sie hinzufügte: »Aber das kann Ihnen Doktor Rödelmann wahrscheinlich viel genauer erzählen.«

Mit einem vorsichtigen Lächeln nickte sie Baumann zu, drehte sich dann auf dem Absatz ihrer schwarzen Pumps um und verschwand aus dem Wartezimmer.

Interessant, dachte Baumann und machte sich eine Notiz in seinem Block. Die Mitarbeiterin hatte zwischenzeitlich einen weiteren Mandanten in das Wartezimmer begleitet und war dann wieder verschwunden.

Baumann dachte kurz nach. Kurz entschlossen stand er auf und ging in das Sekretariat zu der Mitarbeiterin, mit der er zuvor gesprochen hatte.

»Entschuldigen Sie bitte.« Er blickte demonstrativ auf seine Uhr. »Ich habe jetzt leider einen anderen Termin und kann nicht länger warten.«

»Das tut mir leid. Wie gesagt, Doktor Rödelmann hat heute einen recht vollen Kalender. Wollen Sie einen neuen Termin vereinbaren?«

»Ja, unbedingt. Ich muss aber noch mal nachsehen, wann es geht, und melde mich dann.« Mit einem Lächeln sah er die Sekretärin an. »Vielen Dank noch mal für Ihre Hilfe, Frau …?« Er machte eine Pause. »Verzeihen Sie, ich habe Ihren Namen ganz vergessen.«

»Kufner, Nicole Kufner«, erwiderte sie und lächelte zurück.

»Sehr gut. Also, vielen Dank für die Kaffees, Frau Kufner. Ich melde mich dann bei Ihnen.«

Baumann winkte der Sekretärin noch kurz zu und verließ dann die Kanzlei. Auf der Straße angekommen, rief er sich noch einmal alle Informationen ins Gedächtnis. *Lindner beriet Mandanten, die in Brandenburg Grundstücke erwerben wollten. Nölting arbeitete dort als Verwaltungsbeamter im Fachbereich Bau.* Das konnte kein Zufall sein.

40. KAPITEL

»Grundstücke – das ist es, was sie verbindet!« Tobias Baumann schnitt die Limette in Viertel und drückte sie über den mit Eiswürfeln gefüllten Gläsern aus. Ohne es zu merken, wippte er dabei mit seinem rechten Fuß im Takt der Jazzmusik, die aus den kleinen Lautsprechern von Roccos Soundsystem strömte, die fast unsichtbar in den Ecken des großen Wohnzimmers angebracht waren. »Lindner hat als Anwalt und Notar seinen Mandanten bei dem Erwerb und der Erschließung von Grundstücken geholfen«, fuhr er fort.

Er griff zu der Flasche mit dem Ortiz Gin und füllte großzügig zwei Finger breit in jedes der Gläser.

»Ich habe ein bisschen recherchiert und Einsicht in den Flächennutzungsplan und das Grundbuch der Gemeinde Nauen geworfen. Und jetzt rate mal, was ich da Auffälliges entdeckt habe?!« Triumphierend blickte er Rocco an, während er die Drinks mit Fever Tree Tonicwater auffüllte.

»Keine Ahnung. Sag du es mir«, erwiderte der und griff sich eines der Gläser. »Ich hoffe nur, dass es mehr ist als in der Wäscherei. Noch so eine Nummer kann ich mir im Gerichtssaal nicht leisten.«

Tobias Baumann zog die Augenbrauen hoch.

»Lass uns da einen Haken dran machen und nach vorne schauen. Und glaub mir, dieses Mal lohnt es sich.«

Herausfordernd prostete er seinem langjährigen Freund zu.

»Na gut«, sagte Rocco widerwillig, musste Baumann aber zugestehen, dass er in einem Punkt recht hatte. Die desaströse Zeugenvernehmung mit Brettschneider gehörte der Vergangenheit an. *Es lohnt sich nicht, verschütteter Milch eine Träne nachzuweinen,* hatte seine italienische Nonna immer gesagt.

»Also, spann mich nicht länger auf die Folter. Was hast du entdeckt?«

»Nichts. Rein gar nichts!«

Eberhardt runzelte skeptisch die Stirn. »Und was bitte stimmt dich dann so euphorisch?«

»Ganz einfach. Lindner und Nölting haben zusammengearbeitet und irgendwas veranstaltet. Und das haben sie so perfekt gemacht, dass es niemandem aufgefallen ist. Und sie haben keine Spuren hinterlassen. Zumindest keine, die man auf den ersten Blick und durch Einsicht in öffentliche Unterlagen erkennen würde.«

Baumann trank einen so großen Schluck von dem Gin Tonic, dass er sich verschluckte. Er war voll in Fahrt. Aufgeregt und mit einem Strahlen in den Augen lief er auf und ab.

»Ich kann dir nicht folgen. Du hast dir die Unterlagen angeschaut und nichts entdeckt. Warum um alles in der Welt glaubst du denn, dass etwas dahintersteckt?«, fragte Rocco zweifelnd.

»Na ja, es ist so gut, dass es nicht auffällt. Denk doch mal nach.« Herausfordernd sah der Detektiv seinen Freund an.

»Okay«, sagte Rocco und zählte langsam eins und eins zusammen. »Nölting und Lindner haben da ein ganz großes Ding gedreht. Und das haben sie so lange und so gut gemacht, dass es keinem aufgefallen ist.«

»Genau«, erwiderte Baumann. »Und dann muss irgendetwas passiert sein.« Ernüchtert fügte er dann hinzu: »Ich weiß allerdings überhaupt nicht, was das gewesen sein könnte.«

»Na überleg doch mal«, nahm Rocco den Faden auf. »Wir sind uns einig, dass was passiert ist. Richtiggehend schiefgelaufen. Die

Sache ist aus dem Ruder gelaufen. So sehr, dass Nölting am Ende um sich geschossen und Lindner erledigt hat.«

»Nur, was soll das gewesen sein?«, fragte Baumann.

»Ich habe absolut keine Ahnung. Aber dafür, mein Lieber, habe ich ja dich.«

Mit vielsagendem Blick fügte er hinzu: »Und dieses Mal muss es hieb- und stichfest sein!«

Baumann nickte. »Okay, ich kümmere mich darum!«

Er holte noch einmal tief Luft, und es sah so aus, als wollte er noch etwas sagen. Dann jedoch schüttelte er nur kurz den Kopf. Offensichtlich hatte er sich im letzten Moment anders entschieden.

41. KAPITEL

»Habibi, wir müssen reden!« Kamil Gazal stand im Hinterzimmer der kleinen Shishabar und sah auf seinen Bruder Sair hinab, der in einem grellbunten Outfit auf der alten, in die Jahre gekommenen Couch saß. »Nachdem dein Sohn Haasim für ein halbes Jahr untergetaucht war, hatte ich gehofft, ihm seine alte Position wiedergeben zu können. Aber die Dinge haben sich geändert.«

Kamil, der wie stets einen gedeckten Anzug trug, klopfte Sair beruhigend auf die Schulter und lächelte ihn an. »Jetzt, wo die Verhandlung vor Gericht losgegangen ist, spitzt sich alles zu, und wir dürfen uns keinen Fehler erlauben. Der Fall schlägt hohe Wellen, und Nöltings Anwalt scheint jeden Tag hartnäckiger zu werden.«

Kamil Gazal griff sich eines der Teegläser, die auf dem kleinen gusseisernen Tisch vor ihm standen. Langsam rührte er mit einem Löffel so lange in dem heißen Getränk, bis sich der Zucker endgültig aufgelöst hatte.

»Und wir müssen die Geschäfte wieder aufnehmen«, fuhr er mit ruhiger, beinahe sanfter Stimme fort. »Da ist lange genug nichts passiert, und du weißt selbst, wie wichtig das für uns ist.«

Er blickte seinen jüngeren Bruder jetzt direkt an. »Aber mach dir keine Sorgen um Haasim, er wird sich um die Wettbüros in Neukölln kümmern und behält weiter seinen Einfluss. Nur eben in einem anderen Bereich.«

Sair war außer sich. Offensichtlich sah er das gänzlich anders und war mit der Entscheidung seines Bruders gar nicht einverstanden.

Kamil wusste, dass Sair ein Problem damit hatte, dass er alleine und nicht beide gemeinsam der Familie vorstanden. Aber dafür gab es gute Gründe und nicht nur die Tatsache, dass er ganze vierzehn Jahre älter war.

Sairs Stimme war von Ärger erfüllt, und er machte keine Anstalten, diesen zu unterdrücken. »Das kannst du nicht tun. Du machst Haasim lächerlich. Der Inner Circle weiß, wie wichtig die Grundstücke für unsere Zukunft sind. Die Wettbüros abzukassieren ist keine Aufgabe für Haasim. Das kann einer von den Jungs machen.«

Kamil schüttelte langsam den Kopf. Er liebte seinen kleinen Bruder. Seit dem Tod ihres Vaters vor vielen Jahren hatte er sich selbst wie ein Vater um ihn gekümmert. Sair war damals gerade einmal sechs Jahre alt gewesen, als sie 1981 aufgrund des libanesischen Bürgerkriegs geflohen waren. Er hatte ihn großgezogen wie seinen eigenen Sohn und von Anfang an mit in die Familiengeschäfte einbezogen. Sair war weniger der Mann für das große Ganze, sondern eher für schnelle und einfache Aufträge. Alles, was in geregelten Bahnen lief und wo es einen festen Ablauf gab, beherrschte er. Alles, was Strategie und Langfristigkeit verlangte, war nicht seine Welt. Und wenn etwas nicht so lief, wie es sollte, verlor er schnell die Kontrolle. Das war auch der Grund, warum Kamil ihn nicht gleichberechtigt an der Leitung ihrer Unternehmen beteiligen konnte.

Und Sairs Sohn Haasim ähnelte seinem Vater. Selbstbewusst, ungeduldig, mit einem Temperament, das jederzeit zu explodieren drohte. Genau das war hier passiert.

Kamil hatte keine Wahl. Er musste handeln, sonst lief er Gefahr, dass ihm das Geschäft aus der Hand glitt. Er durfte sich keine Schwäche erlauben, dann würde sein Unternehmen schneller in sich zusammenfallen, als er bis drei zählen konnte. Er musste Stärke zeigen. Haasim hatte mehrere große Fehler begangen. Und er war zu heißblütig, um ihm in dieser kritischen Phase weiter die Grundstücke anzuvertrauen.

Kamil hatte Sair die Gelegenheit gegeben, dazu Stellung zu beziehen, es ging schließlich um seinen Sohn, doch wie zu erwarten war, hatte er diesen mehr verteidigt als kritisiert. Kamil wusste aber auch, dass Sair sich fügen würde, wenn er, Kamil, eine Entscheidung traf.

»Ich höre dich, mein Bruder«, sagte Kamil. »Und ich weiß, dass Haasim ein guter Junge ist. Aber hier hat er zu impulsiv gehandelt. Und die Folgen nicht bedacht. Ich musste ihn davon abziehen. Wenn er nicht zur Familie gehören würde, hätte das noch ganz andere Konsequenzen gehabt.« Er machte eine Pause. »Das ist meine Entscheidung.«

Sairs Augen funkelten vor Zorn. Er ballte seine Faust unter dem Tisch, und es schien, als wollte er etwas erwidern. Dann besann er sich aber eines Besseren. Sein Blick schweifte durch das kleine Hinterzimmer, das unmittelbar hinter der Bar des Wettbüros lag. Neben Kamils Leibwächter Nuri, der ihn Tag und Nacht begleitete, waren noch einige andere hochrangige Mitarbeiter ihres Unternehmens anwesend.

Tief durchatmend nickte er deshalb und bemühte sich vergeblich, sich seine Wut nicht zu stark anmerken zu lassen. »Okay, Kamil. So soll es sein. Ich werde mit Haasim reden und es ihm erklären.«

»Ich danke dir, Habibi«, erwiderte Kamil. »Das ist besser für uns alle.« Dann erhob er sich und verließ den Raum, gefolgt von seinen Mitarbeitern. Keiner von ihnen hörte mehr, wie sein kleiner Bruder mit der Faust auf den Tisch schlug und ihn laut verfluchte.

42. KAPITEL

Berlin-Charlottenburg, Fasanenstraße 72,
Kanzlei Eberhardt: Mittwoch, 5. August, 17.12 Uhr

»Es stimmt, Lily hat das Angelman-Syndrom.« Anja Nöltings Stimme zitterte, und sie schaute auf den Boden. »Das ist nichts, womit wir hausieren gehen. Es macht ja auch keinen Unterschied.« Sie blickte jetzt auf und sah Rocco Eberhardt direkt an. »Für Sie, meine ich. Das hat ja nichts mit Nikolas zu tun.«

Rocco nickte einfach nur. Es hatte keinen Sinn, mit Anja Nölting darüber zu streiten, ob und inwieweit Lilys Behinderung etwas mit dem Fall zu tun haben konnte, denn sicher konnte er sich zu dieser Zeit ja selbst nicht sein. Tatsächlich glaubte er allerdings, dass Lilys Krankheit vielleicht ein Schlüssel war. Die Klärung dieser Frage stand heute aber nicht zur Debatte. Vielmehr wollte er herausbekommen, welche Auswirkungen Lilys Krankheit für die kleine Familie hatte.

Rocco griff zu der French-Press-Kaffeekanne, die auf der Mitte des großen Besprechungstisches stand, und füllte Anja Nöltings Tasse wieder auf. Dankbar nickte sie ihm zu. Sie sah heute etwas besser aus als bei ihrem letzten Treffen. Sie war nicht mehr so blass und mit ihrer roten, schlichten Stoffhose, der weißen Bluse und dem bunten Schal auch wieder etwas fröhlicher gekleidet.

»Wann haben Sie denn das erste Mal festgestellt, dass Lily unter dem Angelman-Syndrom leidet?«, fragte Rocco Eberhardt und ärgerte sich im selben Moment über seine Formulierung. Er wollte Anja Nölting und schon gar nicht Lily beleidigen oder ihnen zu nahe treten, indem er die falschen Worte verwendete. Wie sprach man konkret über eine Behinderung, ohne sein Gegenüber zu verletzen? »Entschuldigen Sie bitte meine Wortwahl«, sagte er deshalb. »Ich hoffe, ich drücke mich nicht falsch aus.«

»Das ist schon okay«, erwiderte Anja Nölting. »Sagen Sie einfach, wie es ist. Ich selbst rede ja auch viel zu sehr um den heißen Brei herum.« Die junge Mutter blickte auf den Boden und biss sich auf die Lippe.

»Was genau meinen Sie damit?«

Rocco sah, wie ihr eine Träne über die Wange rollte.

»Es ist einfach so, dass Lily unter einer Behinderung leidet und ihr Leben lang auf Hilfe und Unterstützung angewiesen sein wird. Das alles ist für uns enorm belastend, vor allem natürlich für Lily.«

Anja Nölting hielt inne und kramte ein Taschentuch aus ihrer Jacke. Sie musste mehrmals tief durchatmen, ehe sie sich wieder gefasst hatte. »Wir haben schon sehr früh bemerkt, dass Lily anders ist. Dass sie ein *Angel* ist, haben wir aber erst herausgefunden, als sie zwei Jahre alt war. Unsere Kinderärztin hat das nach langem Hin und Her diagnostiziert, und mit einem Mal wurde unser Leben auf den Kopf gestellt.

Ich weiß nicht, ob Sie das verstehen, aber als ich schwanger war, habe ich mir einfach nur gewünscht, dass mein Kind gesund auf die Welt kommt. All die Untersuchungen, die man macht, um herauszufinden, ob das Kind vielleicht eine Behinderung hat, haben mich total verunsichert.« Mit roten Augen blickte Anja Nölting Rocco verzweifelt an.

Die Tränen liefen ihr jetzt in Strömen über die Wangen, und Rocco hatte das Gefühl, dass ein Damm gebrochen war. Anja Nölting schien ihr Umfeld gar nicht mehr wahrzunehmen, sondern redete sich gerade offensichtlich etwas von der Seele, was sie sehr zu belasten schien.

»Aber alle Tests fielen immer negativ aus. Wir waren erleichtert und dachten, Lily würde also gesund zur Welt kommen. Und dann, als wir lange nach ihrer Geburt die Angelman-Diagnose bekommen haben – das war einfach nur ein Schock. Das kann nicht sein, habe ich gesagt, wir hatten doch Tests gemacht. Ich wollte das nicht wahrhaben.«

Sie blickte Rocco jetzt direkt in die Augen. »Wenn mich Bekannte auf dem Spielplatz gefragt haben, ob mit Lily alles in Ordnung sei, weil sie nicht so schnell klettern oder laufen konnte wie die anderen Kinder, habe ich das immer abgetan und irgendeine Entschuldigung gesucht. Oh, Gott, ich traue mich kaum, das zu sagen, aber ich … ich habe mich geschämt, die Wahrheit zu sagen. Und welche Mutter schämt sich denn für ihr Kind? Ich war so erschrocken über mich selbst und kam mir vor wie ein Monster. Ich hatte das Gefühl, ich müsste einen Schein wahren, aber das konnte ich nicht mehr. Ich kam mir so schuldig und schlecht vor, denn bei all dem war Lily ja unser größtes Glück.«

Rocco, dem es keine Schwierigkeiten bereitete, mit Verbrechern der schlimmsten Art umzugehen, fühlte sich mit einem Mal unwohl in seiner Haut. Der plötzliche Gefühlsausbruch von Anja Nölting und ihre Ehrlichkeit überforderten ihn. Und er wusste tatsächlich nicht, was er jetzt sagen sollte. Er war deshalb geradezu dankbar, als Anja Nölting kurz darauf etwas gefasster und mit einem zaghaften Lächeln auf den Lippen fortfuhr.

»Das alles hat sich geändert, als ich gesehen habe, wie sehr Nikolas seine Tochter liebt. Sie braucht ja eine spezielle Behandlung, und er hat das gleich irgendwie akzeptiert und statt sich zu beklagen ganz pragmatisch überlegt, was jetzt zu tun sei. Und irgendwie war das gut für uns und auch eine Erleichterung für mich.«

»Das glaube ich Ihnen, Frau Nölting.« Rocco Eberhardt schenkte Anja Nölting etwas Wasser nach. Hastig nahm sie einen großen Schluck. »Ich möchte Ihnen dennoch ein paar Fragen zu

Lily stellen, wenn das für Sie okay ist, damit ich Ihre Situation noch besser verstehe.«

Anja Nölting nickte.

»Wenn Sie sagen, dass Lily besondere Unterstützung benötigt, was genau meinen Sie damit?«

»Na ja, zunächst einmal sind da die Therapien. Als Lily noch kleiner war, ist sie regelmäßig zur Physiotherapie gegangen, um sie motorisch zu unterstützen. Und zur Logopädin. Bei ihr ist Angelman nicht so ausgeprägt wie bei anderen Kindern, wir haben also wirklich noch Glück. Und die Therapien haben ihr enorm geholfen und ihr auch Spaß gebracht, weil wir mit ganz tollen Menschen zusammenarbeiten durften.« Anja Nölting lächelte wieder.

»Später haben wir dann auch angefangen mit Reiten. Außerdem liebt Lily das Wasser. In den letzten Jahren ist sie dann immer aktiver geworden und hat auch immer schlechter geschlafen. Das hatte natürlich zur Folge, dass Nikolas und ich immer angespannter wurden, weil wir befürchteten, dass uns die Sache über den Kopf wächst. Nikolas hat dann irgendwann einen Flyer von dem Wohnheim im Norden von Berlin mitgebracht, wo Kinder wie Lily die Woche über betreut werden und am Wochenende wieder bei ihren Familien sind. So wie ein Internat, vielleicht. Zuerst wollte ich davon nichts wissen, weil ich Lily ja nicht abschieben wollte. Aber Nikolas hat mich gebeten, mir das Ganze mal anzuschauen. Nicht unseretwegen, sondern wegen Lily.«

Anja Nölting war jetzt in einem Redefluss, den Rocco nicht unterbrechen wollte. Das hier war wichtig. Er hatte das Gefühl, dass ein weiteres Puzzlestück zum Greifen nah lag.

In den nächsten zwanzig Minuten erfuhr er, wie Anja und Nikolas Nölting sich schließlich entschieden hatten, es mit dem betreuten Wohnen zu probieren. Hauptsächlich, weil Lily am Tag der offenen Tür so begeistert von der Einrichtung war. Neben den

Kindern, mit denen sie sofort spielte, gab es einen Swimmingpool, einen kleinen angeschlossenen Bauernhof mit Tieren und sogar zwei große Ponys, die für die Therapie genutzt wurden.

Als Anja Nölting alles erzählt hatte, wirkte sie viel entspannter. Es schien, als wäre ihre eine Last genommen worden.

»Ich danke Ihnen, Frau Nölting. Das war wirklich wichtig für mich, um Ihre und auch Nikolas' Situation besser zu verstehen. Ich habe nur noch eine Frage dazu, bei der Sie mir bestimmt helfen können. Inwieweit beteiligt sich die Krankenkasse an den Kosten für Lilys Unterbringung?«

Anja Nöltings Gesicht verfinsterte sich. »Das ist eine Schande«, sagte sie voller Ärger. »Die beteiligen sich kaum. Der einzige Grund, warum wir uns das leisten können, waren Nikolas' Beförderung und die Beraterverträge, die er in den letzten Jahren abschließen konnte. Da haben wir wirklich Glück gehabt, dass das alles zusammenkam. Andere Familien haben es da deutlich schwerer als wir.«

Rocco Eberhardt nickte verständnisvoll. Nachdem er sich von Anja Nölting verabschiedet und wieder an seinen Schreibtisch gesetzt hatte, ließ er die Unterhaltung noch einmal Revue passieren. Er dachte dabei auch an Jarmers Einschätzung zu der Behinderung. Der Rechtsmediziner hatte genau das richtige Gespür gehabt. Wieder ein Beispiel dafür, wie wertvoll es war, sich mit einem umsichtigen Fachmann wie ihm besprechen zu können.

Von wegen Beförderung und Beraterverträge! Er machte sich eine Notiz in seiner Akte und griff dann zum Telefon. Das Puzzlestück war an seinen Platz gefallen.

43. KAPITEL

Martin Schmitz rückte das Jackett seines neuen, hellgrauen Anzuges zurecht. Er hatte ihn erst kürzlich zu seiner vorläufigen Beförderung gekauft. Selbstbewusst blickte er den Mann auf der anderen Seite des Schreibtisches an. Er war hin- und hergerissen, was er von ihrem Gespräch halten sollte. Der Mann stellte eigenartige Fragen zu längst abgeschlossenen Projekten, hatte aber auch den Hintergrund dafür plausibel dargelegt. Er sei Privatdetektiv und ermittele in einer Angelegenheit der Stadt Nauen. Es schien so, als wenn es unter Nöltings Leitung einige Abweichungen gegeben hätte und dass dieser Baumann ihm mit der Sache helfen könne.

»Also, damit ich Sie richtig verstehe«, sagte er, »Sie möchten eine Übersicht über die Grundstücksgeschäfte haben, die in den vergangenen Jahren in der Verantwortung des, ähm, Kollegen Nölting lagen und in die Rechtsanwalt und Notar Lindner involviert war?«

»Ganz genau«, antwortete Tobias Baumann. »Ich ermittle in einer Sache von erheblichem Ausmaß und möchte verhindern, dass das Ganze für die Stadt Nauen zu einem großen Skandal wird. Insofern ist das hier in Ihrem Sinne. Denn Sie könnten genau das verhindern. Was meinen Sie? Die Sache mit Nölting muss für Sie ja ohnehin schon belastend genug sein, nehme ich an.«

Martin Schmitz wusste nicht genau, wie er reagieren sollte, selbst wenn das alles wahr wäre. Dass Nölting in einen Skandal verwickelt sein könnte, wäre schon möglich. Dessen Arbeitsweise der letzten Jahre wich deutlich von der Transparenz und Offenheit ab, die er zu Beginn seiner Amtszeit geradezu propagiert und von allen seinen Kollegen immer wieder eingefordert hatte. Und wenn er, Schmitz, das aufklären und wieder in Ordnung bringen könnte, würde das womöglich einen Skandal und negative Schlagzeilen in der Presse verhindern. Das wäre gut für das Amt, für die Stadt Nauen und schließlich auch für ihn und seine Karriere.

Doch konnte er dem Mann trauen? War da wirklich etwas dran? Er wollte sich lieber noch einmal absichern.

»Herr Baumann, ich möchte natürlich Schaden von unserer schönen Stadt abwenden, ganz klar. Und ich bin mir sicher, dass auch meine Vorgesetzten das so sehen werden. Aber ich brauche ein paar mehr Details.«

»Natürlich, Herr Schmitz. Das ist gar kein Problem. Allerdings handelt es sich dabei um eine Angelegenheit, die äußerste Diskretion erfordert. Das Ganze ist höchst sensibel, und in den falschen Händen sind diese Informationen natürlich sehr gefährlich. Das verstehen Sie doch, oder?«

Schmitz nickte. Natürlich war es höchst vertraulich. Und er war sich auch sicher, eine entsprechende Situation mit dem nötigen Feingefühl behandeln zu können. Das war offensichtlich nicht nur erforderlich, sondern konnte ihm auch helfen, sich unentbehrlich zu machen und seine Position zu sichern. Wenn er das hinbekam, würden seine Vorgesetzten das sicher entsprechend belohnen. Und die Frage, welche Rolle Baumann dabei spielen würde, beantwortete dieser im nächsten Moment schon selbst.

»Herr Schmitz, ich hoffe, dass Sie ein Mann von großem Verantwortungsbewusstsein sind und die Situation auch richtig einschätzen können. Doch eine Sache möchte ich unmissverständlich klarstellen: Ich helfe Ihnen gerne mit allem, wo ich kann, aber das bleibt unter uns. Ich möchte dabei im Hintergrund bleiben. Verstehen wir uns da richtig?«

Schmitz zögerte noch einen Moment und blätterte in der vor ihm liegenden Akte.

»Sie können sich selbstverständlich auf meine Diskretion verlassen!«, sagte er dann kurzerhand und nickte seinem Gegenüber selbstbewusst zu. Und in der nächsten Dreiviertelstunde stellte er Baumann alle Vorgänge der vergangenen vier Jahre zur Verfügung, an denen Nölting und Lindner gearbeitet und ganz offensichtlich gemeinsame Sache gemacht hatten.

44. KAPITEL

Zwischen Berlin und Brandenburg:
Donnerstag, 6. August, 13.12 Uhr

»Rocco, das glaubst du nicht! Ich bin gerade auf eine Goldmine gestoßen! In Form des treuen Beamten Martin Schmitz!«

Tobias Baumann schüttelte immer noch ungläubig den Kopf, als er mit hohem Tempo in Richtung Berlin raste. Er hatte das Gaspedal seines burgunderroten, zehn Jahre alten Ford Mustang bis aufs Blech durchgetreten.

»Dann bist du fündig geworden?«, hakte Eberhardt nach und hörte seinem Freund gespannt zu.

»Mehr als das! Ein wahrer Schatz!«, erwiderte Tobias Baumann, und seine Stimme drohte sich zu überschlagen. »Schmitz ist so unfassbar leichtgläubig! Ich kann es immer noch nicht fassen. Er hat mir alles gegeben, Rocco! Alles!«

»Okay«, sagte der nur. »Und was ist das? Ich meine, was ist alles?«

»Alles! Ich weiß jetzt, was die beiden getrieben haben. Nölting und Lindner, meine ich. Die haben tatsächlich zusammengearbeitet. In den öffentlichen Plänen kann man das nicht sehen, aber aus den Akten ergibt sich das einwandfrei. Und ich habe auch so eine Vermutung, wer dahinterstecken könnte. Und wenn das stimmt, was ich glaube, dann könnte das für einige Leute verdammt unangenehm werden!« Er machte eine kurze Pause und versuchte, seine Gedanken in Worte zu fassen. »Wenn das stimmt«, fuhr er fort, »dann ist das ein wirklich großes Ding mit einer Reichweite, die weit über das hinausgeht, was ich mir bis vor Kurzem hätte vorstellen können.«

45. KAPITEL

»Warum hast du das getan?«, fragte sie ihren Bruder vorwurfs-voll und in einer Lautstärke, dass sich die übrigen Gäste in dem kleinen Gastraum zu den beiden umdrehten. Die Schankwirt-schaft war wie jeden Tag bis auf den letzten Platz besetzt. Und das war kein Wunder. Denn das auf angenehme Art zurückhal-tend und gleichzeitig hochwertig eingerichtete Restaurant war für seine ausgezeichnete alpenländische Küche bekannt. Neben der Qualität des Essens schätzten die Stammgäste auch den herzlichen Service. Es waren vor allem die Mitarbeiter, die mit ihrer Offenheit und Herzlichkeit dieses Restaurant für Rocco zu einem ganz besonderen Ort machten. Doch das spielte jetzt keine Rolle.

Hektisch strich Alessia sich mit ihrer Hand eine widerspens-tige Haarsträhne aus der Stirn. Sie war so aufgebracht, dass sie beinahe das Glas Rotwein auf ihr helles Sommerkleid gekippt hätte.

»Papa hatte Geburtstag, Mama hat gekocht, und der Einzige, der wieder mal durch Abwesenheit geglänzt hat, war mein gro-ßer Bruder. Du hast schon das letzte Treffen platzen lassen. Was soll das?« Alessia blickte ihn aus funkelnden Augen an. »Und nicht nur, dass du es nicht für nötig gehalten hast, abzusagen, du hast überhaupt nicht angerufen. Nicht einmal um Papa zu gratu-lieren. Stattdessen schreibst du ihm eine Whatsapp-Nachricht und schaffst es tatsächlich, bei nur zwei Worten auch noch einen Tippfehler einzubauen!«

Rocco, der auch heute ein dunkles Shirt und eine helle Chino trug, wie immer, wenn er nicht arbeitete, hatte überhaupt keine Lust auf einen Streit mit seiner Schwester. Und schon gar nicht in aller Öffentlichkeit.

»Alessia«, erwiderte er betont sanft, »es tut mir leid. Mama hat mich auch schon angerufen. Ich weiß, ihr seid sauer. Aber ich hatte viel zu tun und habe dann die Zeit aus den Augen verloren. Du weißt genau, wie viel Arbeit der Fall Nölting macht.«

Als er sah, dass seine Worte Alessia nicht beruhigten, sondern nur noch mehr aufbrachten, schaltete er auf Angriff um. Allerdings so leise ihm das möglich war, da er kein Interesse daran hatte, noch mehr Aufmerksamkeit auf sich zu ziehen.

»Das Ganze wäre vermutlich ohnehin in einem Desaster geendet, und ich hätte Vater seinen Ehrentag ruiniert. Wann immer wir uns in letzter Zeit gesehen haben, ist das in einen Streit ausgeartet.« Er griff zu seinem Glas und trank einen großen Schluck Rotwein, einen spanischen Tinto Norte, ehe er hinzufügte: »Und vielleicht ist es langsam wirklich an der Zeit, dass ich dir sage, was eigentlich zwischen mir und Vater steht.«

Alessia schnaubte abschätzig, beugte sich über den Tisch und sah ihrem großen Bruder direkt in die Augen.

»Als wenn ich das nicht schon längst wüsste, mein Lieber. Er hat damals Mama betrogen! Ja und? Das hat Mama mir erzählt. Glaubst du etwa, ich habe das nicht schon lange gewusst?«

Rocco zuckte zusammen. Hatte sie das gerade wirklich gesagt?

»Und, willst du ihm das ein Leben lang vorhalten?«, fuhr Alessia fort. »Was wissen wir denn schon davon, was damals zwischen Mama und Papa war, als das passiert ist?« Sie machte eine Pause und lehnte sich in ihrem Stuhl zurück. »Ein schlimmer Fehler. Natürlich. Aber das ist nichts zwischen dir und Papa. Das ist eine Sache, die nur unsere Eltern etwas angeht. Und Mama hat ihm längst verziehen!«

Trotzig fügte sie hinzu: »Warum kannst du das nicht auch?«

Rocco war wie vor den Kopf gestoßen. All die Jahre hatte er mit seiner Schwester nie über die Ursache seines Zerwürfnisses mit ihrem Vater gesprochen. Er wollte Alessia schützen und das Bild eines perfekten Vaters aufrechterhalten. Nicht für ihn, sondern für sie. Er wollte nicht, dass sie so sehr leiden würde wie er. Vor vielen Jahren hatte er seinen Vater mit dieser anderen Frau in einem Café gesehen, wie sie Händchen hielten und sich über einen kleinen Bistrotisch hinweg verliebt anschauten. Für ihn war damals eine Welt zusammengebrochen. Sein Held, sein Vorbild, sein Vater. In einer Sekunde alles zerstört.

»Wann«, fragte er aufgebracht, »wann hat Mama dir davon erzählt?«

»Schon vor drei Jahren!«, erwiderte Alessia.

»Und warum hast du nie mit mir darüber gesprochen?« Er spürte, wie jetzt auch in ihm der Ärger wuchs.

»Weil du immer, wirklich immer, wenn ich mit dir über Papa sprechen wollte, sofort laut geworden bist und das Gespräch abgebrochen hast!«

Gerade als Rocco zurückschießen wollte, bemerkte er, dass sie beide immer noch die Aufmerksamkeit der meisten Gäste auf sich gezogen hatten. Er besann sich daher eines Besseren und hielt inne. Er dachte nach. Und auch wenn er nahezu jeden Gedanken, der mit seinem Vater zu tun hatte, so weit es ging verdrängte, musste er Alessia recht geben. Jedes Mal, wenn seine kleine Schwester mit ihm über ihren Vater reden wollte, war er ihr ins Wort gefallen und laut geworden, bevor er dann das Gespräch im Keim erstickt hatte.

Alessia schien ihrerseits zu spüren, dass ihr Bruder verunsichert war, und wurde jetzt auch ruhiger.

Stumm sahen sich die Geschwister an. In ihren Blicken lagen Schmerz und Erkenntnis. Und eine tiefe, aufrichtige Liebe, wie sie nur zwischen zwei Personen bestehen konnte, die sich ein Leben lang kannten und immer füreinander da gewesen waren.

Rocco brach als Erster das Schweigen. »Und, hast du auch mal mit Papa darüber gesprochen?«, fragte er.

Alessia schüttelte den Kopf, und im selben Moment wusste er, was in seiner Schwester vorging. Auch für sie war die Sache noch längst nicht so geklärt, wie sie es gerade behauptet hatte. Eine Träne rollte ihr über die Wange. Rocco beugte sich über den Tisch und strich sie ihr aus dem Gesicht.

»Ich werde mich mit ihm treffen«, versprach er.

46. KAPITEL

Unruhig wälzte sich Rocco Eberhardt in seinem Bett von links nach rechts. Die Hitze in seiner Dachgeschosswohnung war unerträglich, und wie schon in den vergangenen Jahren beschloss er, sich dieses Mal wirklich eine Klimaanlage zu kaufen. Wenn er Zeit dafür finden würde. Aber ihm war auch klar, dass es nicht die Temperatur alleine war, die ihm den Schlaf raubte. Das Gespräch mit Alessia hatte ihn mehr mitgenommen, als er sich zunächst eingestanden hatte. All die Jahre hatte der bloße Gedanke an seinen Vater ihn immer wieder so sehr aufgewühlt, dass er sich nie wirklich mit ihm auseinandersetzen wollte. Verdrängen schien einfacher. Dachte er.

Er blickte sich in seinem Zimmer um. Er hatte eigentlich alles, was er schon immer haben wollte. Er war Anwalt. Sein Traumberuf. Die Kanzlei lief gut, er war erfolgreich, und seine berufliche Zukunft schien gesichert. Er liebte seinen Job. Und finanziell ging es ihm besser als vielen anderen Verteidigern. Die Wohnung, das Auto, und er konnte essen gehen und einkaufen, was er wollte, ohne dass er sich große Sorgen bis zum nächsten Monatsersten machen musste. Alles natürlich in einem moderaten Rahmen, aber eben besser, als er es sich vor vielen Jahren erhofft hatte, als er sich an der Uni eingeschrieben hatte.

Auf der anderen Seite holten ihn in einsamen Momenten wie diesen aber auch die Geister der Vergangenheit ein.

Er hatte Jura studiert, obwohl Helmut Eberhardt sich so sehr gewünscht hatte, dass sein Sohn in das Familienunternehmen einstieg. Die Firma war ein kleines Juwel und spielte trotz der überschaubaren Größe von knapp hundert Mitarbeitern eine wichtige Rolle im internationalen Markt der Optik und Lasertechnik. Das Hauptprodukt, das Roccos Vater vor knapp zehn Jahren entwickelt und sich hatte patentieren lassen, sorgte für eine nicht abreißende Nachfrage an Aufträgen aus aller Herren Länder. Und auch wenn Rocco selbst die Liebe seines Vaters für Technik nicht teilte, hatte er einen Einstieg in die Firma lange in Erwägung gezogen. Bis zu eben jenem Tag, als er seinen Vater mit der fremden Frau erwischte. Sein Vater hatte das nicht bemerkt, und er, Rocco, hatte ihn danach auch nicht zur Rede gestellt. Stattdessen strafte er ihn von da an mit Missachtung. Und das Praktikum, das er noch im selben Sommer in der Familienfirma gemacht hatte und auf das er und sein Vater sich so sehr gefreut hatten, hatte sich zu einem absoluten Desaster entwickelt. Rocco erschien nahezu jeden Tag zu spät zur Arbeit, erledigte die ihm übertragenen Aufgaben mit Absicht nachlässig und ließ es an keiner Stelle aus, seine Ablehnung gegen alles, was seinem Vater wichtig war, zu zeigen.

Helmut Eberhardt hatte seinen Sohn anfangs noch verteidigt. Doch jede Hand, die er seinem Sohn entgegenstreckte, hatte Rocco ausgeschlagen.

Das Ganze gipfelte in einem Streit, in dem Helmut Eberhardt seinen Sohn zur Rede stellte. Rocco hörte sich die Vorwürfe seines Vaters mit einem arroganten Lächeln und gespielter Gleichgültigkeit an. Als sein Vater ihm nichts mehr zu sagen hatte, warf Rocco ihm nur vor, die Familie zerstört zu haben. Mit den Worten, er wolle niemals so wie sein Vater werden, ließ er ihn stehen. Am meisten schmerzten Rocco dabei die Gedanken an seine Mutter Filomena, die nach seiner Auffassung die eigentlich Leidtragende war. Gerade sie hatte es am wenigsten verdient. Denn sie war es, die schon immer die Familie über alles stellte, auch über ihre eigenen Bedürfnisse. Und auch wenn sie das auf ihre typisch italienische Art machte und auch immer mal wieder auf den Tisch hauen und alle zur Räson rufen musste, war sie der liebevollste und wärmste Mensch, den Rocco kannte. Niemand, wirklich niemand hatte es weniger verdient, betrogen zu werden, als seine Mutter. Und das würde Rocco seinem Vater nicht verzeihen. Das würde er, das musste er bezahlen.

Seit diesem Tag waren sie sich, so weit das möglich war, aus dem Weg gegangen, und Rocco hatte sein Ding durchgezogen. Unmittelbar nach dem Abitur hatte er das elterliche Zuhause verlassen und war mit einem Freund in eine kleine Souterrainwohnung in Lichterfelde-West gezogen. Die ersten Jahre waren befreiend für ihn, und er hatte versucht, alles hinter sich zu lassen.

Und jetzt lag er hier. Über zwanzig Jahre später. Und die Geister der Vergangenheit riefen nach ihm. Und wieder einmal war es Alessia, die etwas ins Rollen gebracht hatte. Wie schon so oft in der Vergangenheit. Er musste seiner Geschichte endlich ins Gesicht schauen. Seinem Vater. Er hatte Angst vor einem Treffen. Und doch glomm das erste Mal seit jenem schicksalhaften Moment ein Funken Hoffnung in ihm auf. Vielleicht, so wünschte er sich, könnte er endlich Frieden finden, wenn er sich mit seinem Vater aussöhnen würde. Denn wenn er ehrlich zu sich war, wusste er ganz genau, dass die Unruhe, die er jeden Tag in sich trug, ihren Ursprung in der Vergangenheit hatte. Gerade dadurch, dass er ein Leben lang versucht hatte, sich von seinem Vater abzugrenzen, hatte er sich massiv von ihm beeinflussen lassen. Vielleicht war jetzt der Moment gekommen, sich zu befreien. Vielleicht. Aufgewühlt drehte er sich auf die Seite, ehe er kurz danach in einen unruhigen Schlaf fiel.

47. KAPITEL

Unmengen von Papier lagen auf dem großen Besprechungstisch in Rocco Eberhardts Büro verteilt. Tobias Baumann, der wegen der hochsommerlichen Temperaturen hellblaue Shorts und ein weißes T-Shirt trug, blickte seinen Freund herausfordernd an. Seine dunkelblauen Augen blitzten. Er war voller Energie und hatte das Gefühl, dass sie an einer entscheidenden Stelle in ihrem Fall waren. Das Verfahren lief momentan noch gegen sie. Heute Vormittag war Rocco im Gericht gewesen, da die Polizistin des Kriminaldauerdienstes, Kerstin Pox, als fünfte Zeugin vorgeladen war. Doch auch diese Vernehmung hatte nichts Neues ergeben und den Fall nicht vorangebracht.

Wenn sie jetzt alles richtig machten, konnten sie es noch drehen. Sie hatten dank Baumann Informationen, die eingeordnet und bewertet werden mussten. Das konnte er nicht alleine, dafür brauchte er seinen Freund. Doch Rocco wirkte abwesend und verschlossen.

»Und du hast noch immer nicht mit Nölting über seine Tochter und die Grundstücke gesprochen?«, fragte er provozierend, um Rocco aus der Reserve zu locken.

»Natürlich habe ich das. Aber er schaltet weiter auf stur. Wenn es um Abläufe, Verfahrensfragen oder Punkte geht, die im Knast für ihn wichtig sind, antwortet er knapp, aber höflich. Sobald ich aber auf den Fall zu sprechen komme, nach Fakten frage oder diese mit ihm abgleichen will, verweigert er jedes Gespräch.« Rocco blickte seinem Freund in die Augen. Er wirkte abweisend, seine ganze Körperhaltung war angespannt. »Aber das habe ich dir doch auch schon tausendmal erzählt. Hörst du eigentlich zu, wenn ich mit dir rede?«

Baumann runzelte die Stirn. »Na, das sagt der Richtige. Unser Experte für feinfühlige Gesprächsführung.«

Eberhardt schmiss gereizt den Kugelschreiber auf den Tisch. »Was soll das! Was ist los mit dir?«, fragte er und ließ seinem Ärger freien Lauf.

»Was ist mit dir los?«, erwiderte Baumann aufgebracht. »Mit dir kann man überhaupt nicht mehr normal reden!« Sonst hätte ich dir schon längst von Alessia und mir erzählt.

»Nichts ist mit mir los, gar nichts!«, erwiderte Rocco lauter als nötig und war offensichtlich gar nicht mehr darum bemüht, seinen Ärger zu verbergen.

»Okay, das macht keinen Sinn.« Baumann stand auf und schob den Stuhl krachend gegen den Tisch. »Wenn du heute keinen Bock hast, dann lass es einfach bleiben. Wir sind in deinem Fall weiter vorangekommen, als ich vor einer Woche je zu hoffen gewagt hätte, und anstatt dass du mir dankbar um den Hals fällst, benimmst du dich wie das letzte Arschloch.« Baumann sah seinen Freund vorwurfsvoll an. »Also entweder sagst du mir jetzt, was du hast, oder du lässt es bleiben!«

Rocco stützte sich mit den Ellbogen auf den Knien ab und schaute kopfschüttelnd auf den Boden. Es schien, als suche er nach den richtigen Worten. Er atmete tief durch und blickte kurz zu Tobias auf, ehe er wieder auf den Boden starrte.

Tobias Baumann schaute seinen Freund an, hilflos und unschlüssig, was er tun sollte. Er musste es ihm sagen. Aber nicht jetzt. Und dann verließ er einfach die Kanzlei.

48. KAPITEL

Oberstaatsanwalt Doktor Bäumler blätterte voller Genugtuung durch die vor ihm liegenden Aufzeichnungen des Falles Nölting, ehe er sich zufrieden in seinem schweren, ledernen Schreibtischsessel zurücklehnte. Er hätte mit sich und der Welt nicht zufriedener sein können. All der Ärger und die Unsicherheit der vergangenen Jahre waren vergessen. Und er musste nicht mehr damit rechnen, dass sie ihn wieder einholten. Zu lange war es her, zu viel Gras war über die Sache gewachsen.

Mit einer lässigen Geste fegte er einen Fussel von der Hose seines dunkelgrauen Maßanzuges. Er war genau da, wo er jetzt sein wollte, und alles lief genauso, wie er es vorausgesehen hatte. Er würde den ›Killer-Beamten‹ zur Strecke bringen. Die Verteidigung hatte nichts, aber auch gar nichts in der Hand, was eine Verurteilung jetzt noch verhindern konnte. Und Rocco Eberhardt, der einst strahlende Held, stand auf verlorenem Posten. Gut, er wusste selbst nicht, was Nölting, diesen kleinen, unbedeutenden Beamten, zu dieser absurden Tat bewegt hatte, aber das war auch völlig egal. Er würde den Prozess gewinnen und damit seinen Ruf als knallharter Strafverfolger in der Presse und in der Öffentlichkeit zementieren können. Und das war wichtig für den nächsten Schritt seiner Karriere: ein Posten in der Berliner Politik, am besten als Justizsenator. Das wäre das ideale Sprungbrett für die folgende Position, dann in der Bundespolitik. All die Jahre hatte er hart dafür gearbeitet, seinen Namen bekannt zu machen. Am Ende würde der Wähler an der Urne entscheiden. Und die Vergangenheit hatte gezeigt, dass bekannte Namen mehr Stimmen bekamen als solche, die niemand jemals zuvor gehört hatte.

Zufrieden erhob er sich und ging zu der kleinen Anrichte, die auf der Stirnseite seines Büros eine exponierte Position einnahm, um sich einen doppelten Espresso zuzubereiten. Die hochpreisige, verchromte Maschine hatte er selbst angeschafft, weil er die Plörre, die es sonst im Gericht für die normalen Angestellten zu trinken gab, einfach nicht mehr ertragen konnte. Mit einem Gurgeln lief die dunkle Flüssigkeit in die vorgewärmte Tasse.

Sein Telefon klingelte. Er blickte auf das Display seines Handys. Müller! Ausgezeichnet. Ihn brauchte er mehr als viele andere für seine nahe Zukunft. Hatte er bereits gute Nachrichten?

Voller Erwartung nahm er das Telefonat an, doch als er hörte, was sein Gesprächspartner zu sagen hatte, verfinsterte sich seine Miene. Als der Anruf beendet war, musste er sich mit rasendem Herzen an seinem Tisch abstützen. Würde die Vergangenheit ihn jetzt doch noch einholen?

49. KAPITEL

Haasim Gazal dachte nicht im Entferntesten daran, sich seinem Onkel zu fügen. Wütend drückte er die Zigarette in dem billigen Aschenbecher aus, auf dem das Logo einer bekannten Zigarettenmarke prangte. Er war ein Macher, kein Befehlsempfänger. Ein Anführer, kein Fußsoldat. Das konnte jeder sehen. Das trug er zur Schau. Seine teure goldene Rolex, das schwarze Gucci-T-Shirt mit der goldenen Schrift und die Sneaker waren alle echt. Kein billiger Scheiß, keine Kopien, die sie selbst aus der Türkei importierten und überall in Berlin an Touristen, Prolls und Möchtegerngangster verkauften. Er war *the Real-Deal!* Und wenn sein Onkel das nicht sehen wollte, würde er es ihm beweisen.

Vielleicht hatte er zu viel Druck auf Nölting ausüben lassen. Okay, das war in die Hose gegangen. Aber er konnte ja auch nicht ahnen, dass Lindner das so vor die Wand knallte. Aber das war egal. So etwas passierte, und er war der Letzte, der darüber eine Träne vergießen würde. Viel wichtiger war, dass er seine Stellung wiedererlangte. Und wenn sein Onkel nicht daran glaubte und sein Vater zu feige war, sich für ihn einzusetzen, dann würde er die Dinge einfach selbst in die Hand nehmen.

Über einen seiner Mitarbeiter hatte er herausfinden lassen, wer die Nölting-Akten in der Baubehörde übernommen hatte. Martin Schmitz! Und eben diesen Martin Schmitz würde er sich vorknöpfen. Persönlich. Und dann würde er die Dinge wieder fixen, die schiefgelaufen waren. Dann würde er allen zeigen, was in ihm steckte.

50. KAPITEL

»Ich weiß genau, was er hat«, sagte Alessia und strich sich ihre widerspenstige Strähne aus der Stirn. Sie saß gemütlich im Schneidersitz, in einer kurzen Hose und einem einfachen schwarzen T-Shirt, auf dem billigen Klappstuhl im Garten, den sich die Mieter des Hauses in der Drakestraße teilten.

»Und was bitte soll das sein?«, fragte Tobias Baumann und wendete die Lammkoteletts auf dem kleinen Grill, ehe er in die Tasche seiner Shorts griff und eine Schachtel Zigaretten zum Vorschein brachte. »Er hat sich einfach benommen wie eine offene Hose.«

»Es geht um unseren Vater. Du weißt genauso gut wie ich, dass das sein wunder Punkt ist. Ich habe mich letzten Donnerstag mit ihm getroffen, und wir haben das erste Mal wirklich offen über Papa gesprochen.« Alessia seufzte. »Das war längst überfällig.«

Neugierig horchte Tobias auf, und Alessia berichtete ihm von der Unterhaltung mit ihrem Bruder. Nachdenklich drehte er dabei die Bierflasche in seiner Hand und stellte zwischendurch immer wieder eine Frage, wenn er sichergehen wollte, dass er alles richtig verstanden hatte. Alessia selbst schien sehr aufgewühlt zu sein und geriet manchmal ins Stocken, wenn ihr die richtigen Worte fehlten. Tobias sah, dass sie die Sache sehr mitnahm und es ihr nicht leichtfiel, ihr Herz auszuschütten.

Als sie ihre Geschichte beendet hatte, sah sie ihren Freund mit einem unsicheren Lächeln an. Tobias verstand jetzt besser, was in ihr und auch in seinem besten Freund vorging. Das Fleisch, das er längst vom Grill genommen hatte, stand auf dem Teller zwischen ihnen auf dem kleinen Gartentisch, aber der Hunger war ihnen vergangen.

Tobias Baumann blickte Alessia tief in ihre dunklen Augen. »Danke«, sagte er nur und griff dann zu seinem Telefon. Er wusste jetzt genau, was er tun musste. Rocco brauchte nicht nur Hilfe bei seinem Fall. Vor allem brauchte er jetzt seinen besten Freund.

51. KAPITEL

Nikolas Nölting stand wortwörtlich vor den Trümmern seiner Existenz. Er hatte alles gewagt und, so wie es aussah, alles verloren. Sein ganzes Leben war ein reiner Scherbenhaufen, und er fragte sich selbst, wie es so weit hatte kommen können. Er hatte alles so gut geplant, und in der Theorie machte auch alles Sinn. Aber jetzt, sieben Monate nach dem Vorfall in der Bäckerei, war er sich nicht mehr so sicher, ob er wirklich an alles gedacht hatte.

Die Kosten für Lilys Betreuung waren auch dieses Jahr wieder gestiegen, und die Stadt Nauen hatte ihm kurzerhand den Job gekündigt. Das hatte er nicht bedacht. Mit dem Geld, das er in den letzten Jahren beiseitegeschafft hatte, würden Anja und Lily noch zwei Jahre so weiterleben können wie bisher. Aber nicht länger. Er hatte sich schlichtweg verkalkuliert. Wie konnte gerade ihm das passieren? Er hatte doch alles so genau geplant …

Unruhig lief er in seiner Zelle auf und ab. Sein dunkles Poloshirt hing an seinem Körper herab und war ihm mittlerweile viel zu groß. Er hatte viel Gewicht verloren während der Monate in diesem grässlichen Gefängnis. Aber das spielte keine Rolle. Was wirklich wichtig war, war seine Tochter.

Seine Gedanken sprangen zurück zu dem Tag, als er mit seiner Frau Anja darüber gesprochen hatte, dass mit Lily etwas nicht stimmte. Sie war ein so fröhliches und dankbares Mädchen. Sie lachte viel und war voller Liebe. Aber es gab immer mehr Situationen, die ihr offenbar schwerfielen. Richtig aufgefallen war es ihnen erst einige Tag nach ihrem zweiten Geburtstag. Zuerst waren sie von einem Kinderarzt zum nächsten gegangen, aber lange konnte sich keiner genau erklären, was ihr fehlte.

Als sie dann die Diagnose erhalten hatten, war auch in ihm eine Welt zusammengebrochen. Nicht seinetwegen. Und auch nicht wegen Anja. Sondern wegen Lily, für die er sich das beste Leben gewünscht hatte. Sie sollte es einmal besser haben als er. Und als er schon fast den Glauben daran verloren hatte, machte die Ärztin, die sie betreute und ihnen alles über Lilys seltene Behinderung, das Angelman-Syndrom, erklärt hatte, wieder Mut. Lily könne ein glückliches und erfülltes Leben führen, hatte er gesagt. Sie hatte ihnen aber auch klargemacht, dass sie für immer Unterstützung und Betreuung brauchen würde. Es hatte eine Weile gedauert, bis auch Anja so weit war. Sie hatte das Ganze noch mehr getroffen als ihn. Sie recherchierten nächtelang im Internet. Auf unterschiedlichen Fachseiten, Blogs und in Selbsthilfeforen hatten sie wichtige Kontakte gefunden, sich mit anderen Angel-Familien ausgetauscht und mit Logopäden, Osteopathen und Kinderpsychologen gesprochen. Und sie hatten wieder Hoffnung geschöpft. Sie wollten die beste Unterstützung, die man für Geld kaufen konnte, nichts war ihnen für Lily zu teuer, wenn es ihr nur helfen würde.

Am Anfang ging das auch noch gut, er hatte etwas Geld von seinem Vater geerbt. Doch auch das ging irgendwann zur Neige, und die Krankenkasse übernahm nur einen Bruchteil der Kosten. Anja hatte von alldem keine Ahnung. Und er wollte auch nicht, dass sie sich Sorgen machte. Das war sein Job. Er war der Versorger der Familie. Immer wieder hatte er ausgerechnet, was notwendig war, um Lilys Betreuung weiter zu finanzieren, und immer wieder war er zu dem gleichen Ergebnis gekommen. Ihr Geld reichte nicht. In zwölf Monaten würden sie die meisten Angebote wieder kündigen müssen. Anja sollte davon nichts erfahren und Lily schon gar nicht.

Abends konnte er oft nicht einschlafen, und wenn Anja ihn fragte, was er denn habe, schob er alles auf den Stress bei der Arbeit. Und dann eines Tages stand Moritz Lindner in seinem Büro. Der große Anwalt und Notar aus Berlin. Und was Lindner ihm zu sagen hatte, kam ihm im ersten Moment vor wie ein Geschenk Gottes. Mit einem Schlag schienen alle Probleme gelöst. Mit einem Mal hatte er Lily und Anja das Leben bieten können, das beide verdient hatten. Alles schien so einfach. Und alles lief so gut. Und dann, von einem Tag auf den anderen, war alles über ihm zusammengebrochen.

52. KAPITEL

Martin Schmitz fühlte sich bedroht. Nervös zupfte er an dem Ärmel seines Anzuges. Schweißperlen standen ihm auf der Stirn, und ängstlich sah er den dunkelhaarigen Mann an, der in seinem protzigen Outfit auf der anderen Seite des Schreibtisches Platz genommen hatte. Bedrohlich blickte der ihn aus dunklen Augen an. »Herr Schmitz«, sagte der andere mit schwerem südländischem Akzent. »Ihr Vorgänger, Herr Nölting, hat einige unserer Grundstücksgeschäfte betreut und uns dabei immer gut unterstützt. Diese Unterstützung brauche ich jetzt auch von Ihnen. Ist das klar?«

Nervös rutschte der Beamte auf dem billigen Behördenstuhl hin und her. Der Mann vor ihm erinnerte ihn irgendwie an einen der Gangster aus der Fernsehserie *4 Blocks*. Nur dass der Typ hier kein Schauspieler war. Und seine Stimme ließ keinen Zweifel erkennen, dass er es wirklich ernst meinte.

»Ich verstehe nicht genau«, stammelte Schmitz. »Ich meine, wie kann ich Ihnen helfen?«

Unsicher sah er sein Gegenüber an. Gedanken rannten in seinem Kopf um die Wette. Erst kam Baumann und sprach mit ihm über Nöltings Geschäfte, und jetzt dieser Mann. Was genau ging hier vor sich? Und wer um alles in der Welt war alles in diesen Skandal, von dem Baumann gesprochen hatte, verwickelt? Was zum Teufel hatte Nölting hier veranstaltet? Schmitz fühlte sich unwohl. In die Ecke gedrängt. Er hatte Angst. Er war nicht dafür gemacht. Was wollte der Mann von ihm?

Mit einem selbstbewussten, fast schon arroganten Lächeln schaute der ihn an und sagte dann mit einer betont sanften Stimme, die so gar nicht zu dem bedrohlichen Äußern passen wollte: »In den nächsten Tagen wird sich mein Anwalt bei Ihnen melden. Er wird alles Weitere mit Ihnen besprechen.« Er machte eine Pause und beugte sich über den Tisch, so dicht zu Schmitz, dass dieser seinen Atem riechen konnte. »Und dann werden wir beide die besten Freunde. Und auch für Sie wird es sich lohnen.«

Er machte eine Pause. Dann erhob er sich ganz langsam und legte dabei seine große, schwere Hand auf die Schulter des eingeschüchterten Verwaltungsbeamten.

Martin Schmitz nickte. Obwohl er tatsächlich gar nichts kapiert hatte. Er war kein mutiger Mann. Er wollte keinen Ärger. Und das hier fühlte sich nach Ärger an. Er würde das Gespräch hier gleich seinem Behördenleiter melden. Und am besten auch das mit Baumann, dachte er.

Doch als hätte er seine Gedanken erraten, sah ihn sein Gegenüber noch einmal scharf an: »Und noch eins, mein Lieber. Das hier, das ist eine Vereinbarung nur zwischen uns beiden! Wenn du irgendwem von unserer Unterhaltung berichtest, dann wird das Konsequenzen haben.« Mit einem Lächeln fügte er hinzu: »Haben wir uns verstanden?«

Eingeschüchtert nickte Schmitz. Vielleicht würde er das Gespräch mit seinem Chef doch noch mal überdenken.

Der dunkelhaarige Mann nahm das wahr und klopfte Schmitz jetzt mit einem breiten Grinsen auf die Schulter. »Sehr gut, mein Freund, ich sehe, wir verstehen uns.«

Er ging zur Tür des kleinen und von der Hitze aufgeladenen Büros. Kurz bevor er den Raum verließ, drehte er sich noch einmal um. »Eine letzte Frage. Hat außer mir noch jemand nach Nölting gefragt?«

Schmitz dachte nicht im Geringsten daran, jetzt noch etwas zu verschweigen. »E-eigentlich niemand«, antwortete er und unterdrückte das Zittern in seiner Stimme. »Außer einem gewissen Tobias Baumann.«

53. KAPITEL

Zufrieden klappte Rocco Eberhardt eine weitere Akte zu und ließ seinen Kugelschreiber mit einem tiefen und glücklichen Seufzer vor sich auf die Schreibtischplatte fallen. Die Vorsitzende Richterin Dr. Ariane Gregor hatte die Verhandlung in der Sache Nölting wegen eines Infektes von Oberstaatsanwalt Doktor Bäumler für zwei Wochen gemäß Paragraf 229 der Strafprozessordnung unterbrochen. Und Rocco war endlich dazugekommen, seine anderen Fälle, die er in den vergangenen Monaten sträflich vernachlässigt hatte, zu bearbeiten. Es war ein gutes Gefühl zu sehen, wie der große Aktenstapel auf der linken Seite seines Schreibtisches langsam an Höhe verlor.

Der Stapel auf der rechten Seite, die Akten in der Sache Nölting, wurde dagegen jedoch von Tag zu Tag größer. Rocco wusste, dass es längst überfällig war, die verschiedenen Puzzlestücke an ihren Platz zu legen. Dazu brauchte er aber dringend die Hilfe von Tobias. Er lächelte. Nach ihrem letzten Treffen in seiner Kanzlei, das alles andere als gut zu Ende gegangen war, hatte sein Freund ihn angerufen, und sie hatten schnell ihre Spannung klären können. Tobias hatte ihm gesagt, dass er für ihn da wäre und sich entschuldigt, dass er ihn neulich einfach hatte sitzen lassen.

Und auch Rocco hatte sich für seine überreizte Art bei seinem Freund entschuldigt. Er musste sich eingestehen, dass er nicht ganz unschuldig war. Die Sache mit Alessia und ihrem Vater lag ihm immer noch schwer im Magen, aber das würde er noch klären. Ganz bald. Viel wichtiger war, dass er jetzt wieder auf Tobi zählen konnte. Er brauchte ihn bei dem Fall, ohne ihn ging es nicht. Und Tobi war wieder da. So wie immer in den vielen Jahren ihrer langen Freundschaft. Er war eine treue Seele, ein Fels in der Brandung, und Rocco wusste jetzt mehr als zuvor, dass er auf seinen Freund zählen konnte. Das war ein gutes Gefühl. Er fühlte sich frisch und wollte gerne gleich loslegen. Er griff zu seinem Handy und wählte die Nummer des Privatermittlers.

»Hey, Rocco. What's up?«, fragte Baumann, der das Gespräch gleich nach dem ersten Klingeln annahm. »Sorry, wenn es etwas laut ist, bin gerade im Auto. Kannst du mich verstehen?«

»Alles gut, mein Lieber. Ich bin noch in der Kanzlei und habe gerade ein paar alte Fälle abgeschlossen. Und da dachte ich, ob du vielleicht heute Abend spontan Zeit hast, dass wir uns die Sache Nölting noch mal anschauen können?«

Anstatt sofort zu antworten, hörte Eberhardt, wie sein Freund mit jemand anderem sprach, ohne genau zu verstehen, wer das war. Offensichtlich war er nicht alleine.

»Ah, heute Abend ist nicht so gut, aber wenn du willst, können wir uns gleich morgen treffen. Wie sieht es da bei dir aus?«

Rocco Eberhardt war für einen Moment enttäuscht. Doch dann besann er sich eines Besseren. Trotz seiner Euphorie musste er sich eingestehen, dass er die Arbeit der letzten Wochen deutlich in seinen Knochen spürte. Also, was soll's: *Let's call it a day!*

»Ja, das können wir gerne machen«, erwiderte er deshalb, ehe er hinzufügte: »Wahrscheinlich eh schon etwas zu spät heute Abend. Warte mal kurz.« Er blickte in seinen Kalender und hatte durch die Unterbrechung der Sache Nölting am nächsten Tag tatsächlich noch eine ganze Menge Zeit. »Wollen wir uns gleich um neun Uhr bei mir treffen? In der Kanzlei, meine ich?«

»Neun Uhr klingt gut«, erwiderte Tobias Baumann.

Die beiden wechselten noch einige Worte und beendeten kurz darauf das Gespräch.

Zufrieden fuhr Rocco Eberhardt seinen Rechner herunter, griff sich Sakko und Aktentasche und verließ keine drei Minuten später seine Kanzlei. Als er den Schlüssel langsam in dem Schloss der schweren Holztür drehte, hatte er noch keine Ahnung, dass schon wenige Stunden später nichts mehr so sein würde wie jemals zuvor.

54. KAPITEL

Alessia hätte nicht glücklicher sein können und strahlte über das ganze Gesicht. Während Tobias die Tageskarte studierte, die Pino, der Chef des Pasta e Vino mit weißer Kreide auf die große Schiefertafel geschrieben hatte, unterhielt sie sich angeregt auf Italienisch mit Teresa, ihrer Lieblingskellnerin. Teresa hatte erst ihr helles Sommerkleid gelobt und dann vorgeschlagen, dass sie und ihr Freund den Abend mit einem Negroni starten sollten.

Sofort stimmte Alessia zu. Der italienische Aperitif, der aus drei gleichen Teilen Gin, Campari und Vermouth bestand, war jetzt genau das Richtige für sie. Glücklich dachte sie dabei an ihre Kindheit und die Zeit bei ihren Nonni, ihren italienischen Großeltern, die den Abend stets mit einem Negroni eingeläutet hatten.

Ohnehin fühlte Alessia sich befreit. Seit sie vor einer Woche mit Rocco über ihren Vater gesprochen hatte, war ihr eine Last von den Schultern gefallen, die ihr in den vergangenen Jahren schwer zu schaffen gemacht hatte. Endlich war es raus! Und Rocco und ihr Papa hatten die Chance, sich wieder zu vertragen. Ihr war klar, dass das nicht über Nacht geschehen würde, aber der Grundstein war gelegt. Und endlich gab es keine Geheimnisse und Heimlichkeiten mehr.

Bis auf eine, dachte sie und schaute ihren Freund Tobias verliebt an. Tobias! Er bedeutete ihr so viel. Er war ihre erste große Liebe. Sicher, sie hatte vor ihm schon andere Männer gehabt, aber irgendwie war der Funke nie wirklich übergesprungen, hatte sich keine echte Zuneigung entwickelt. Und auch bei Tobi hatte es Jahre gedauert, bis sie sich eingestand, dass sie ihn eigentlich schon seit dem Tag liebte, als ihr Bruder ihn damals zu ihrer Abi-Party mitgebracht hatte.

Ihr Bruder. Rocco! Da war doch noch eine Sache, die sie klären mussten.

»Tobi«, sagte sie und griff nach der Hand ihres Freundes. Der lächelte sie an, als wisse er genau, was in ihr vorging.

»Morgen früh«, sagte er. »Morgen früh sage ich es ihm.« Er beugte sich über den Tisch und gab ihr einen Kuss. »Und du wirst sehen«, fuhr er fort, »Rocco wird sich für uns freuen.«

Alessia nickte. Das glaubte sie auch.

»Ich liebe dich«, sagte sie und blickte Tobias Baumann glücklich in die Augen. Und gerade als er etwas erwidern wollte, wurden sie durch ein lautes Geräusch aufgeschreckt.

Jemand hatte die Eingangstür zu dem kleinen Gastraum so schnell und mit so viel Kraft aufgestoßen, dass sie laut gegen den Türstopper krachte.

Erschrocken blickte Alessia sich um. Im Rahmen stand ein großer Mann mit einer schwarzen Strumpfmaske über dem Gesicht, in der Hand hielt er einen Revolver. Hektisch sah er sich in dem Restaurant um, ehe sein Blick an ihr und Tobias hängen blieb. Wie in Zeitlupe nahm sie wahr, dass er seinen Arm hob und in Richtung ihres Tisches zielte.

55. KAPITEL

Fünf Minuten zuvor

Berlin-Charlottenburg, Ristorante Pasta e Vino:
Donnerstag, 13. August

Haasim Gazal wusste, dass er der Einzige war, der diesen Job erledigen konnte. In den letzten Tagen hatte er alles arrangiert, um das Immobiliengeschäft wieder zum Laufen zu bringen. Er hatte Nöltings Nachfolger, diesem Schmitz, einen Besuch abgestattet und war sich sicher, dass der Hosenscheißer alles tun würde, was von ihm verlangt wurde. Im Anschluss hatte er einen Anwalt, mit dem er schon bei den Wettbüros zusammengearbeitet hatte, damit beauftragt, die Arbeit von Lindner da aufzunehmen, wo sie vor sieben Monaten unterbrochen wurde.

Und schließlich hatte er auch herausgefunden, wer dieser Tobias Baumann war. Das war das Einfachste von allem. Der Typ hatte eine eigene Webseite. Er war Detektiv, ein Schnüffler, der sich in seine Angelegenheiten einmischte. Für wen Baumann arbeitete, hatte Gazal nicht erfahren. Das war ihm allerdings auch völlig egal. Alles, was zählte, war, dass Baumann sich bei Schmitz, dieser kleinen Ratte, nach Nölting erkundigt hatte. Und damit stellte er eine Gefahr dar. Eine Gefahr, die es zu beseitigen galt. Er hatte ihn von seinem Büro bis hierhin verfolgt. Ihn und diese Schlampe, die sich so an ihn ranwarf. Und jetzt stand er in dem hellblauen Skoda direkt vor dem kleinen italienischen Restaurant. Das Auto, das einer seiner Mitarbeiter am Vormittag gestohlen und mit falschen Kennzeichen versehen hatte, würde er später irgendwo entsorgen und alle Spuren vernichten.

Durch die Seitenscheibe blickte er zum Pasta e Vino. Dann nahm er die schwarze Strumpfmaske, zog den Reißverschluss seiner schwarzen Windjacke bis nach oben und griff sich die Pistole vom Beifahrersitz. Er stieg aus dem Auto und eilte mit entschlossenen Schritten Richtung Eingang.

56. KAPITEL

Zur gleichen Zeit

Berlin-Charlottenburg, Ristorante Pasta e Vino:
Donnerstag, 13. August

Fast in demselben Moment, als der ohrenbetäubende Knall den Gastraum erfüllte, war Tobias Baumann über den Tisch gehechtet, um sich schützend vor Alessia zu werfen. Weil er mit dem Knie an der Tischkante hängen geblieben war, rutschte er allerdings seitlich so ab, dass er den Stuhl mit Alessia zu Boden riss und beide hart auf dem Parkett aufschlugen. Voller Sorge blickte er zu dem Eingang und sah gerade noch, wie der Schütze durch die Tür genauso schnell wieder verschwand, wie er das Restaurant betreten hatte, und auf die Straße lief. Im nächsten Moment hörte er, wie ein Motor gestartet wurde und ein Auto mit quietschenden Reifen davonraste.

Erleichtert atmete Baumann auf. Das war gerade noch einmal gut gegangen! Er drehte sich zu Alessia, um ihr aufzuhelfen. Doch als er sie ansah, verzerrte sich sein Gesicht vor Entsetzen. Alessias Gesicht war blutüberströmt. Aus leeren Augen blickte sie leblos an die Decke.

57. KAPITEL

Später erinnerte sich Rocco nicht mehr, wie er in das Krankenhaus gekommen war. Tobias hatte ihn angerufen und mit zittriger Stimme von dem Angriff berichtet. Zuerst dachte Rocco, dass das alles ein schlechter Scherz sein musste. Unmöglich konnte das stimmen, was ihm sein bester Freund am Telefon erzählt hatte. Doch als ihm klar wurde, dass Alessia wirklich von einem Unbekannten niedergeschossen und gerade im Krankenhaus notoperiert wurde, gaben seine Beine nach. Er sackte zusammen, und ihm wurde schwarz vor Augen. Alessia! Das durfte nicht sein. Wie es ihr ginge, wie schwer verletzt sie sei, wollte er wissen, doch alles, was Baumann ihm antworten konnte, war, dass er selber nichts dazu sagen könne. Alessia sei im OP, und keiner der Ärzte hatte bisher mit ihm gesprochen.

Keine fünfundzwanzig Minuten später stürmte Rocco in den tristen, weiß gestrichenen Wartebereich der Station. Sein Blick fiel zuerst auf seine Eltern, die neben Tobias Baumann auf den zweckmäßigen Plastikstühlen saßen, die an drei Seiten die Wände säumten.

Rocco lief zu seiner Mutter und nahm sie in den Arm. Dann schaute er ihr in die Augen. Ihr Make-up war tränenverschmiert, und sie zitterte am ganzen Leib.

»Es ist alles so fürchterlich«, hauchte sie mehr, als dass sie sprach, und neue Tränen schossen ihr in die Augen.

»Ich weiß, ich weiß«, sagte Rocco nur und strich ihr mit der Hand über den Kopf.

»Wie geht es Alessia?«, fragte er besorgt.

»Das wissen wir noch nicht, sie wird weiter operiert. Eine Schwester hat uns versprochen, dass einer der Ärzte vorbeikommt, sobald sie neue Informationen haben.«

Rocco hielt seine Mutter fest an sich gedrückt und blickte über ihre Schulter zu seinem Vater.

Er stellte überrascht fest, wie der sonst übliche Ärger, der immer sofort in ihm hochkochte, wenn er seinen Vater sah, ausblieb. Der alte Streit, der schon so viele Jahre zwischen ihnen stand, hatte im Angesicht der Sorge um Alessia mit einem Mal an Bedeutung verloren. Und auch wenn Rocco sich fest vorgenommen hatte, das endlich aus der Welt zu schaffen und mit ihm zu reden, war jetzt nicht der richtige Zeitpunkt dafür.

Auch sein Vater sah ihn nur schweigend an, ganz offensichtlich nicht in der Lage, irgendetwas zu sagen.

Dann fiel Roccos Blick auf Baumann. *Was machte Tobias eigentlich hier?* Doch noch bevor er seinen Freund fragen konnte, betrat eine Ärztin in hellblauer OP-Kleidung den Warteraum.

»Familie Eberhardt?«, fragte sie und blickte in die Runde. Roccos Vater sprang von seinem Stuhl auf und ging auf sie zu.

»Ja, ja, das sind wir. Sagen Sie bitte, wie geht es meiner Tochter?«

Ruhig und sachlich antwortete die Ärztin. »Sie ist von einem Projektil am Kopf getroffen worden und hat schwere Verletzungen erlitten. Die Lage ist nach wie vor sehr ernst, und ich will ehrlich mit Ihnen sein. Zur Stunde kämpfen wir noch um ihr Leben.« Sie atmete tief ein, ehe sie hinzufügte: »Ich kann Ihnen aber versichern, dass Ihre Tochter in den besten Händen ist und wir alles unternehmen, was in unserer Macht steht. Ich denke, dass wir in einer halben, spätestens in einer Stunde Genaueres sagen können.«

»Was heißt das?«, fragte Rocco, und seine Stimme überschlug sich.

»Dass es ernst ist, aber nicht hoffnungslos. Mehr kann ich Ihnen zurzeit leider nicht sagen, auch wenn ich wünschte, ich hätte bessere Nachrichten.« Mit festem Blick, in dem Rocco vergeblich so etwas wie Zuversicht zu erkennen hoffte, sah sie ihm in die Augen. »Wenn Sie mich jetzt bitte entschuldigen wollen. Ich muss zurück in den OP. Ich komme wieder, sobald ich mehr Informationen für Sie habe.«

Mit diesen Worten nickte sie allen im Raum zu und war einen Moment später durch die Tür wieder in den OP verschwunden.

Rocco blickte zu seinen Eltern, die hilflos vor ihm standen. Dann widmete er sich wieder seinem Freund.

»Sag mal Tobi, was machst du eigentlich hier?«, fragte er skeptisch.

»Er war mit Alessia essen, als das alles passierte«, erwiderte seine Mutter anstelle von Baumann.

Rocco runzelte die Stirn. »Warum wart ihr beide denn zusammen essen?«, hakte er nach und sah ihn direkt an.

Schuldbewusst erwiderte Tobias den Blick, ehe er auf den Boden schaute. Dann sah er in die Runde, erst zu Rocco und dann zu dessen Eltern.

»Ich muss dir und Ihnen was sagen«, druckste er herum. »Alessia und ich, wir waren nicht zufällig im Pasta e Vino. Ich meine, es war kein Zufall, dass wir zusammen essen waren.«

»Was meinen Sie damit?«, fragte auch Roccos Vater, in dessen Stimme ein Anflug von Feindseligkeit mitzuschwingen schien.

»Also, Alessia und ich, wir sind ein Paar.«

Rocco war wie vom Donner gerührt. Damit hatte er nicht gerechnet. Sein bester Freund und seine kleine Schwester? Warum hatten sie ihm nichts davon gesagt? Vertrauten sie ihm nicht? Welchen Grund gab es für diese Heimlichkeiten?

»Das ist jetzt nicht dein Ernst, oder?«, rief er aufgebracht. »Wie lange geht das schon zwischen euch, und warum habt ihr mir …«, er sah zu seinen Eltern, »… warum habt ihr uns nichts davon gesagt?« Wütend fügte er hinzu: »So eine verdammte Scheiße. Ich kann es nicht fassen.«

Beschwichtigend stellte sich Roccos Mutter Filomena zwischen ihren Sohn und Tobias Baumann.

»Ich bitte dich, Rocco«, sagte sie und blickte ihn streng an. »Das ist jetzt nicht der Zeitpunkt, sich zu streiten. Das können wir in Ruhe besprechen, wenn es deiner Schwester besser geht.«

Rocco, der das gänzlich anders sah und gerade dazu ausholen wollte, seinem Freund weitere Vorwürfe zu machen, wurde jäh von seinem Vater unterbrochen.

»Deine Mutter hat recht. Kein Wort mehr. Das klären wir später.« Tobias blickte Rocco an. Das schlechte Gewissen stand ihm sprichwörtlich in die Augen geschrieben.

Rocco musste tief durchatmen. Seiner Mutter, und nur seiner Mutter zuliebe ließ er es dann aber für den Moment auf sich beruhen. Kopfschüttelnd wandte er sich von Tobias ab und setzte sich auf einen Stuhl in der anderen Ecke des Warteraums, der so weit von Baumann entfernt war, wie es nur eben ging. *Mit dir bin ich noch nicht fertig,* dachte er gekränkt.

58. KAPITEL

Als etwa zwanzig Minuten später die Tür zum Warteraum aufgestoßen wurde, blickten sie alle erwartungsvoll auf. Aber anstelle der Ärztin stand dort eine etwa vierzig Jahre alte Frau mit schwarzer, abgewetzter Lederjacke und Jeans. Ihr Gesicht war auffallend blass und stand in krassem Kontrast zu ihren langen dunklen Haaren.

»Entschuldigen Sie bitte die Störung«, sagte sie. »Ich bin Kerstin Pox, Kriminalhauptkommissarin. Ich weiß, dass dies kein günstiger Moment ist, aber ich müsste bitte kurz mit Herrn Baumann sprechen. Tobias Baumann.«

»Das kann nicht Ihr Ernst sein!«, fuhr Helmut Eberhardt sie an und sprang von seinem Stuhl auf. »Meine Tochter kämpft gerade mit dem Tod, und Sie kommen hier einfach rein.«

Abwehrend hob die Polizistin die Hände. Mit ruhiger Stimme sagte sie: »Ich weiß, das ist alles sehr schlimm für Sie, aber wenn wir den Täter fassen wollen, kommt es auf jede Minute an. Da draußen läuft schließlich derjenige noch frei herum, der auf Ihre Tochter geschossen hat.«

Die Worte verfehlten ihre Wirkung, und Helmut Eberhardt stand jetzt blanker Hass ins Gesicht geschrieben. Die Anspannung und Sorge um Alessia entluden sich mit einem Mal, als wäre ein Damm gebrochen. Und gerade als er die Kommissarin mit einer weiteren Tirade überziehen wollte, erhob sich Rocco und legte seinem Vater die Hand auf die Schulter.

»Warte«, sagte er, »die Frau hat recht.«

Helmut Eberhardt sah seinen Sohn verständnislos und mit vor Wut funkelnden Augen an, hielt dann aber inne.

Rocco wandte sich mit unmissverständlichem Ton an Baumann: »Tobias, könnt ihr das bitte draußen erledigen?«

Der nickte und wies, an die Kommissarin gewandt, mit der Hand auf den Ausgang. Offensichtlich dankbar und ohne ein weiteres Wort zu verlieren, erwiderte Kerstin Pox seinen Blick und verließ mit ihm den Warteraum.

Dann sah Rocco wieder zu seinem Vater. Die beiden Männer standen sich direkt gegenüber und blickten einander tief in die Augen. Doch dann wandten sie sich fast im selben Moment voneinander ab und verfielen wieder in Schweigen.

59. KAPITEL

Voller Adrenalin schlug Haasim Gazal mit den Fäusten auf das Lenkrad des kleinen Skodas. Er war sich nicht sicher, ob er Baumann erledigt hatte. Alles war so schnell gegangen. Als er gesehen hatte, wie der Penner und seine Schlampe zu Boden gegangen waren, war er aus dem Restaurant gerannt und sofort losgerast. Über den Spandauer Damm auf die Autobahn Richtung Norden. Raus aus Berlin. Weg vom Tatort. Und dann über den Berliner Ring Richtung Osten um die Hauptstadt einmal herum bis Königs Wusterhausen.

Seinen ursprünglichen Plan, das Auto in Berlin in einem Parkhaus abzustellen, hatte er verworfen. Zu viele Zeugen hatten ihn und den Skoda in der Knesebeckstraße vor dem Restaurant gesehen. Aber bis die Fahndung Brandenburg erreichte, würde etwas Zeit vergehen. Er hatte Karim, einen seiner Mitarbeiter, angerufen, um ihn abzuholen. Das Auto würde er hier auf dem Parkplatz in Brand stecken, um sämtliche Spuren zu vernichten. Die Waffe hatte er schon vor einer halben Stunde in die Dahme, einen der vielen Flüsse im Umland der Hauptstadt, geworfen. Und dann musste er rauskriegen, ob er den Schnüffler wirklich erledigt hatte. Der Penner hatte sich mit dem Falschen angelegt. Mit ihm! Das war ein Fehler, den er noch bitter bereuen würde.

Haasim redete sich ein, dass er Baumann wirklich ausgeschaltet hatte. Es musste einfach so sein.

Sein Telefon klingelte. Karim. Er würde in fünf Minuten bei ihm sein.

Zufrieden mit sich und seinem Plan stieg er aus dem Auto und öffnete den Kofferraum. Er holte den dunkelgrünen Zehn-Liter-Blechkanister heraus und schraubte den Deckel auf. Großzügig verteilte er das Benzin über den Sitzen im Innenraum und dann auf der Motorhaube und dem Dach. Er blickte auf die Uhr. Karim müsste in zwei Minuten da sein. In der Ferne hörte er ein Auto kommen, und als er die Schweinwerfer des herannahenden Fahrzeugs auf den Parkplatz einbiegen sah, holte er eine Schachtel Streichhölzer aus seiner Tasche. Er brauchte drei Versuche. Zu viel Wind. Vorsichtig schützte er die kleine Flamme mit seiner Hand, bis sie größer brannte.

Und als Karim mit seinem weißen getunten Mercedes AMG 63 neben ihm hielt, warf er das Streichholz auf den Skoda. In einer atemberaubenden Geschwindigkeit breiteten sich die Flammen aus, und kurze Zeit später brannte der Wagen lichterloh.

Haasim stieg ein, und mit quietschenden Reifen schoss der Mercedes über die Landstraße zurück in Richtung Berlin.

60. KAPITEL

»Danke, Herr Baumann. Ich weiß es sehr zu schätzen, dass Sie uns so schnell geholfen haben«, sagte Kerstin Pox und klappte ihr kleines schwarzes Notizbuch zu. »Wenn Sie mich jetzt bitte entschuldigen würden. Sie wissen ja, dass jede Sekunde zählt!«

Tobias Baumann nickte. Er war selbst lange genug bei der Polizei gewesen und wusste, wie bedeutend der Faktor Zeit bei der Ermittlung in einem Verbrechen war. Die Aufklärungschancen verringerten sich mit jeder Minute. Er schüttelte der Kommissarin die Hand, und sie verließ das kleine Behandlungszimmer, das sie für ihre Vernehmung genutzt hatten.

Als er alleine war, ließ er das Gespräch noch einmal Revue passieren. Außer den Informationen, wann er sich mit Alessia getroffen und wie sie zum Pasta e Vino gekommen waren, hatte er der Kriminalbeamtin eine so genaue Beschreibung der Geschehnisse des eigentlichen Verbrechens und des Täters gegeben, wie es ihm nur möglich war.

Ob Alessia Feinde habe, hatte sie ihn gefragt.

Nicht dass er wüsste.

Ob der Täter gezielt auf sie geschossen hatte? Oder wollte er nur irgendjemanden treffen?

Er war sich nicht sicher. Es sah so aus, als wenn er sich vor dem Schuss umgesehen hätte. Aber mit Bestimmtheit konnte er das nicht sagen.

Ob ihm sonst noch etwas einfiele, was für die Ermittlungen wichtig wäre?

Nichts, was er jetzt sagen könnte.

Zum Schluss hatte die Kommissarin ihm noch ihre Karte gegeben und ihn gebeten, sich zu melden, wenn ihm doch noch etwas einfallen würde.

Langsam drehte er die Visitenkarte zwischen seinen Fingern, und ein Gedanke, den er bisher verdrängt hatte, wurde in seinem Kopf jetzt immer präsenter. Was, wenn der Schuss gar nicht Alessia, sondern ihm gegolten hatte? *In welches Wespennest hatte er gestochen?*

61. KAPITEL

Rocco Eberhardt gab den Versuch, in den Schlaf zu finden, endgültig auf. Nur mit Boxershorts bekleidet ging er in die Küche und schaltete seine Espressomaschine an. Die Lichter fingen zu blinken an, und das Gerät heizte sich langsam auf.

Kurz vor ein Uhr morgens war die Ärztin in das Wartezimmer gekommen und hatte ihnen mitgeteilt, dass bei Alessia keine größeren Blutgefäße oder lebenswichtigen Hirnareale verletzt worden waren, ihr Zustand aber immer noch kritisch sei. Sie hatten sie in ein künstliches Koma versetzt, um das Gehirn vor zusätzlichem Stress zu schützen. Ob und wie Alessia aus diesem Koma wieder aufwachte, hing im Wesentlichen von ihrer Konstitution und Stärke ab. Mehr könne man zu diesem Zeitpunkt nicht sagen.

Roccos Mutter hatte ihn in den Arm genommen und nach Hause geschickt. Sie würde mit Papa jetzt bei Alessia bleiben, und er solle erst einmal schlafen und dann später wiederkommen. Wenn es etwas Neues zu berichten gäbe, würde sie ihn sofort anrufen.

Rocco wollte davon zunächst nichts hören und auch bei seiner Schwester im Krankenhaus wachen, gab aber schließlich nach. Wenn sie sich abwechselten, würde immer jemand bei Alessia sein. Außerdem wusste er, dass es keinen Sinn machte, mit seiner Mutter zu diskutieren. Wenn sie sich etwas in den Kopf gesetzt hatte, hielt sie auch daran fest. Und weil Rocco wusste, dass seine Mutter immer alle Entscheidungen für die Familie traf, hatte er damit auch gar kein Problem. Ganz im Gegenteil. Das gab ihm seit seiner Kindheit große Sicherheit und Vertrauen in das Leben. Und das hatte sich bis zum heutigen Tage nicht geändert.

Dennoch war an Schlaf nicht zu denken.

Rocco griff sich jetzt die Box mit den Espressokapseln und wählte eine besonders starke Sorte. Er legte die Kapsel in die Maschine und drückte den Startknopf. Mit einem wohligen Gurgeln strömte die dunkle Flüssigkeit in die kleine Espressotasse und erfüllte den Raum mit einem angenehmen Duft nach frischen Röstaromen. Rocco schloss die Augen und ließ die Geschehnisse der vergangenen Stunden noch einmal Revue passieren. Er blieb an der Stelle hängen, als sein bester Freund, als Tobias Baumann ihm die Beziehung zu seiner Schwester gebeichtet hatte. Warum um alles in der Welt hatten sie das vor ihm verheimlicht? Doch noch ehe er diese Frage für sich beantworten konnte, schoss ein weiterer, viel schlimmerer Gedanke durch seinen Kopf. Was, wenn Alessia gar kein zufälliges Opfer war?

62. KAPITEL

Kamil Gazal schäumte vor Wut. Der einzige Grund, warum er nicht das komplette Magazin seiner Glock 17 in seinen Neffen entleerte, war, dass er es dadurch nur noch schlimmer gemacht hätte.

»Du schwachsinniger Vollidiot!«, schrie er Haasim an, der verängstigt wie ein kleiner Schuljunge neben seinem Vater auf der Couch saß. Von dem selbstbewussten, arroganten Mann, der noch am vorigen Abend einen kaltblütigen Anschlag verübt hatte, war keine Spur mehr übrig. Und das aus gutem Grund.

Nachdem er und Karim wieder in Berlin angekommen waren, hatte Haasim seinen Vater angerufen und ihm voller Stolz berichtet, dass er alleine das Immobiliengeschäft der Familie gerettet und alles wieder ins Reine gebracht hatte. Er brüstete sich damit, wie er Baumann in dem Restaurant abgeknallt und damit auch alle Spuren beseitigt hatte. Als Sair das hörte, hatte er sofort seinen Bruder informiert, denn jetzt war sogar ihm klar, dass sein Sohn vollkommen über das Ziel hinausgeschossen und nun Schadensbegrenzung angesagt war. Und als ihnen dann noch ein Informant bei der Polizei mitgeteilt hatte, dass Haasim nicht Baumann, sondern tatsächlich Alessia Eberhardt getroffen hatte und die im Krankenhaus um ihr Leben kämpfte, eskalierte die Sache vollends. Kamil Gazal befahl seinem Bruder und seinem Neffen, sofort in die Shishabar zu kommen, wo sie jetzt zu dritt zusammensaßen.

»Was hast du dir um alles in der Welt dabei gedacht. Du hast die Schwester von Nöltings Anwalt über den Haufen geschossen!«

»Aber Onkel«, erwiderte Haasim verteidigend. »Ich wollte doch nur Baumann ausschalten. Der widerwärtige Schnüffler hat seine Nase in Angelegenheiten gesteckt, die ihn nichts angehen. Ich konnte doch nicht wissen, dass die Schlampe die Schwester von dem Anwalt war. Ich …«

Doch weiter kam er nicht, denn Kamil Gazal stieß den kleinen Tisch vor sich mit solcher Gewalt um, dass die drei Teegläser und der Zuckerstreuer mit einem lauten Klirren auf dem Boden zersplitterten.

Mit erhobenem Zeigefinger näherte er sich seinem Neffen, sodass ihre Gesichter keine zwei Zentimeter mehr voneinander entfernt waren. Sein Blick spiegelte eine Mischung aus Wut und kalter Gewalt wider. Er wollte etwas sagen, besann sich dann aber eines Besseren. Er atmete tief durch. Er musste wieder klar denken. Eine Entscheidung treffen. Die Sache in Ordnung bringen.

Unruhig ging er in dem kleinen, verrauchten Raum auf und ab. Dann wandte er sich an Sair, der nervös an seinen Fingern nestelte und seinen großen Bruder voller Angst anstarrte.

»Habibi«, sagte er, und seine Stimme war jetzt so ruhig und klar, wie es ihm den Umständen nach möglich war. »Du wirst dafür sorgen, dass dein missratener Sohn noch heute in die Heimat fliegt. Der Vollidiot wird so viele Spuren hinterlassen haben, dass es keine zehn Stunden mehr dauern wird, bis sie ihn ermittelt haben. Und wenn sie zu uns kommen und ihre Fragen stellen, will ich ihn hier nicht mehr sehen. Es wird uns enorm viel Geld kosten, die Ermittlungen in eine andere Richtung zu lenken, und die Gefälligkeiten, die ich dafür einfordern muss, hätten wir an anderer Stelle viel besser gebrauchen können. Ich will Haasim nie wieder in Berlin sehen. Nie wieder!«

Durchdringend blickte er seinen Bruder an. Die Botschaft war klar.

63. KAPITEL

Berlin-Charlottenburg, Fasanenstraße 72,
Kanzlei Eberhardt: Freitag, 14. August, 17.47 Uhr

Alessias Lage war unverändert. Ihre Werte waren stabil, aber ihr Zustand nach wie vor kritisch. Rocco war um elf Uhr ins Krankenhaus gefahren und hatte seine Eltern abgelöst, die die Nacht über bei Alessia geblieben waren. Als seine Mutter gegen vier Uhr am Nachmittag wieder zurückgekommen war, hatten sie noch eine Stunde schweigend an Alessias Bett gesessen. Es gab nichts zu sagen. Im Anschluss war Rocco wieder in die Kanzlei gefahren, um sich später am Abend mit Tobias zu treffen. Es gab da noch einiges, was sie klären mussten, und Rocco war sich sicher, dass das kein angenehmes Gespräch werden würde.

Als Rocco in die Kanzlei kam, nahm Klara Schubert ihn in den Arm. Nachdem er sie am Morgen informiert hatte, was mit Alessia geschehen war und dass er heute erst später in die Kanzlei kommen würde, konnte er den Schock in ihrer Stimme förmlich hören. Sie hatte ihm jegliche erdenkliche Hilfe angeboten, doch Rocco hatte dankend abgelehnt. Jetzt hielt er sie nur kurz, löste sich dann aber von ihr und ging in sein Büro. Er hatte jetzt kein Bedürfnis nach körperlicher Nähe.

Vielmehr kam ihm ein anderer Gedanke. Er hatte in der Nacht überlegt, Jarmer anzurufen. Aus den Ärzten im Krankenhaus bekam er einfach nichts heraus, und vielleicht konnte Jarmer die Lage besser beschreiben. Er konnte nicht klar denken. Aber er wollte irgendeine Gewissheit, dass Alessia den Vorfall heil überstehen würde. Nichts lief rund. Der Fall wurde mit dieser Schießerei auch immer komplexer. Er brauchte wirklich eine gute Nachricht.

Zerstreut suchte er Jarmers Nummer heraus.

Der Rechtsmediziner meldete sich unmittelbar nach dem zweiten Klingeln.

»Herr Eberhardt«, sagte er sofort, ohne dass Rocco sich namentlich genannt hatte. *Vermutlich hat er mich an der Nummer erkannt,* dachte Rocco.

»Welchem Umstand habe ich denn die Ehre Ihres Anrufs zu verdanken?«

»Etwas Privates, das nichts mit unserem Fall zu tun hat«, erwiderte Rocco und merkte, dass er einen Frosch im Hals hatte. Er räusperte sich. »Danke, dass Sie meinen Anruf gleich beantwortet haben. Hätten Sie ein paar Minuten Zeit für mich?«

»Natürlich«, sagte Jarmer, und Rocco meinte so etwas wie Besorgnis in der Stimme des Mediziners zu erkennen. »Worum geht's?«

»Meine Schwester«, erwiderte Rocco und berichtete, was sich in der vergangenen Nacht zugetragen hatte. Er schloss seinen Bericht mit den spärlichen Informationen, die sie von den Ärzten erhalten hatten.

»Und wie genau kann ich Ihnen jetzt helfen?«, fragte Jarmer.

Mit einem Mal war Rocco sich nicht mehr sicher, ob es eine gute Idee gewesen war, den Arzt anzurufen. Das hier war doch sehr privat, und eigentlich hatte er mit Jarmer kaum etwas zu tun. Was musste der Rechtsmediziner nur von ihm denken? Er gab sich dann aber doch einen Ruck.

»Ich«, begann er und merkte, wie seine Stimme stockte. »Ich mache mir große Sorgen um meine Schwester. Ich habe Angst. Ich weiß nicht, ob sie wieder in Ordnung kommt, und mit den Angaben von den Ärzten kann ich überhaupt nichts anfangen.«

Er machte eine kurze Pause und musste tief einatmen, bevor er fortfuhr. Schließlich sagte er: »Ich will nicht, dass Alessia stirbt.«

Für einen Moment war es still, ehe Jarmer mit ruhiger Stimme antwortete.

»Herr Eberhardt, Sie werden verstehen, dass es mir am Telefon nicht möglich ist, die Situation Ihrer Schwester präzise zu beurteilen. Aber alles, was Sie mir erzählt haben, spricht für und nicht gegen Ihre Schwester. Und die Ärzte im Westend wissen, was sie tun.«

Rocco hörte den Worten von Jarmer weiter aufmerksam zu, und auch wenn der Mediziner ihm keinerlei Gewissheit geben konnte und wollte, spürte er, dass er sich langsam beruhigte. Irgendwie hatte Jarmer es geschafft, ihm die Hoffnung wiederzugeben, die ihm gerade verloren zu gehen drohte.

»Mehr kann ich Ihnen leider nicht sagen«, sagte Jarmer schließlich, »aber wenn Sie möchten, kann ich mich bei den Kollegen gerne einmal erkundigen.«

»Das wird nicht nötig sein«, erwiderte Eberhardt und fühlte sich schon viel leichter. »Sie haben mir bereits sehr geholfen, mehr als ich erwarten konnte.«

Er bedankte sich und legte auf, ehe er sich mit einem tiefen Seufzer in seinen schweren Schreibtischsessel fallen ließ.

64. KAPITEL

Keine fünf Minuten später kam Tobias in die Kanzlei. Unrasiert, blass und müde war er ein Schatten seiner selbst. Als Rocco ihm in die Augen sah, meinte er neben Schmerz und Erschöpfung auch so etwas wie Schuld zu erkennen.

»Ich war gerade noch kurz bei Alessia, ich habe dich knapp verpasst«, sagte Baumann. »Deine Mutter war bei ihr, aber das weißt du ja.«

Rocco nickte.

Sein Ärger und die Enttäuschung darüber, dass sein bester Freund ihn über Monate belogen hatte, waren einem anderen, viel schlimmeren Verdacht gewichen, und er musste sich jetzt Klarheit darüber verschaffen.

»Tobi«, sagte er ernst. »Ich muss dich etwas fragen, und es ist von elementarer Bedeutung, dass du mir jetzt die Wahrheit sagst. Keine weiteren Lügen mehr, ist das klar!«

Baumann nickte und sah zu Boden. Offensichtlich konnte er dem Blick seines besten Freundes nicht standhalten.

»Kann es sein«, fragte Rocco, »dass das Attentat kein Zufall war und auch nicht Alessia gegolten hat? Kann es sein, dass es ein gezielter Anschlag war und eigentlich dich treffen sollte?«

Tobias sah jetzt auf, Rocco direkt in die Augen.

»Ja, das kann sein. Und der Gedanke ist mir auch schon gekommen.« Baumann hielt kurz inne, ehe er fortfuhr. »Kerstin Pox, die Kommissarin, hat mich gerade auf dem Weg zu dir angerufen. Sie haben den Wagen, mit dem der Täter gestern vom

Pasta e Vino geflohen ist, gefunden. Er stand halb ausgebrannt auf einem Parkplatz in der Nähe von Königs Wusterhausen. Auch wenn das meiste zerstört war und es vermutlich keine verwertbaren Fingerabdrücke oder sonstige Spuren gibt, konnten sie zwei Sachen herausfinden. Das Auto ist gestern Morgen in Berlin gestohlen worden. Und es hatte falsche Kennzeichen. Ansonsten laufen die Ermittlungen bislang ins Leere.«

»Profis!«, sagte Rocco Eberhardt, und Tobias Baumann nickte. Wenn irgendwelche Spinner ein Auto klauten, dann ließen sie es irgendwann einfach am Straßenrand stehen und machten sich aus dem Staub. Hier war der Fall aber anders gelagert: Das Auto wurde gestohlen, um damit eine andere Straftat zu begehen. Allein der Umstand, dass die Diebe die Kennzeichen gewechselt hatten, würde die Fahndung erheblich erschweren. Und auch das Modell war perfekt gewählt: Skodas dieses Typs und in der Farbe gab es in Berlin wie Sand am Meer. Vermisst wurde aber nur das gestohlene Fahrzeug mit dem richtigen Kennzeichen, und das gab es nicht mehr. Auch, dass sie das Auto in *the middle of nowhere* verbrannt hatten, um sämtliche Spuren zu beseitigen, deutete auf Berufskriminelle hin. Eins stand damit fest: Wer auch immer das Auto gestohlen und dann später entsorgt hatte, wusste, was er tat.

Rocco versuchte, ruhig zu bleiben und sich zu fokussieren. Dabei fiel es ihm so verdammt schwer, seine Gefühle im Zaum zu halten. Immer wieder hatte er das Bild von Alessia vor sich, wie sie, an all die Geräte angeschlossen und mit dem Tod ringend, in ihrem sterilen Krankenhausbett lag. Er dachte an das, was Jarmer gesagt hatte, dass die Situation eher positiv als negativ sei. Er wollte darauf vertrauen, dass der Rechtsmediziner recht hatte. Er durfte sich jetzt nicht von seinen Emotionen leiten lassen. Zu viel stand auf dem Spiel. Es ging jetzt nur darum, den nächsten Schritt zu planen. Das Richtige zu tun.

»Okay«, sagte er und atmete noch einmal tief durch. »Dann müssen wir zunächst davon ausgehen, dass der Anschlag nicht willkürlich war. Und wenn es keine Willkür war, dann galt er mit an Sicherheit grenzender Wahrscheinlichkeit nicht Alessia, sondern dir. Alessia kann unmöglich solche mächtigen Feinde haben. Ich vermute, dass es mit einem deiner Fälle zu tun hat, vielleicht sogar mit der Sache Nölting.«

Tobias nickte. Schuldbewusst fügte er hinzu: »Es tut mir leid, Mann. Es tut mir so unendlich leid! Ich wollte nicht, dass Alessia was passiert. Ich habe das nicht kommen sehen!«

Rocco sah seinen Freund an, der wie ein Haufen Elend vor ihm saß. Ohne Tobias würde Alessia jetzt vermutlich gerade mit ihren Freundinnen und einem Drink in der Hand das Wochenende einläuten.

Aber war es wirklich fair, Tobi alleine die Schuld an diesem Desaster zu geben? Wohl kaum. Denn wenn der Anschlag im Zusammenhang mit ihren Ermittlungen in der Sache Nölting stand, gab es nur eine einzige Person, die dafür die Verantwortung traf. Ihn selbst! Schließlich war er es, der seinem Freund den Auftrag gegeben hatte. Ohne ihn hätte Tobi nicht ermittelt, und Alessia läge nicht im Krankenhaus.

Und mit einem Mal holte ihn die Erkenntnis ein. Wenn das stimmte und der Täter eigentlich Tobias Baumann erwischen wollte, dann war Tobi noch in unmittelbarer Gefahr! Wem auch immer sie auf die Zehenspitzen getreten waren, sie hatten ganz offensichtlich in ein Wespennest gestochen, ohne es zu merken.

Die Frage war, was sie jetzt machen sollten. Weitere Ermittlungen würden die Gefahr mit Sicherheit erhöhen. Für einen Moment fragte sich Rocco, ob es nicht das Beste wäre, wenn Tobi für eine Zeit lang untertauchen oder ins Ausland verschwinden würde. Oder sollten sie die Polizei informieren? Kaum! Solange sie zu wenig wussten, würde das vielleicht alles nur verschlimmern.

Insbesondere wenn so ein Stratege wie Bäumler die Ermittlungen leitete.

Baumann schien seine Gedanken zu lesen, denn im nächsten Moment sagte er: »Rocco, das Ganze ist eine große Scheiße. Und wenn wir recht haben, dann bin ich weiter in Gefahr. Je nachdem, wie viel die von uns wissen, vielleicht nicht nur ich, sondern auch du oder noch andere. Nölting zum Beispiel, oder seine Familie.«

Rocco blickte seinen Freund an.

»Und was machen wir jetzt?«, fragte er konsterniert.

»Weglaufen war noch nie eine Lösung!«, sagte Baumann, und Rocco merkte, wie das Selbstbewusstsein bei seinem Freund wieder die Oberhand gewann. »Wenn wir weglaufen wollten, wäre ich nicht erst Polizist und dann Privatdetektiv und du nicht Strafverteidiger geworden.«

Rocco nickte und sah seinen Freund mit wachsender Zuversicht an. Das war der Tobias, den er so sehr schätzte, der sich genauso wenig wie er verarschen und einschüchtern lassen würde. *Aufgeben ist keine Option!*

»Na denn«, sagte Rocco und spürte, wie die Rationalität in ihm die Emotionen besiegte. »Dann lass uns erst einmal rausfinden, was hier wirklich dahintersteckt. Nur wenn wir genau wissen, was gerade passiert ist, können wir die richtigen nächsten Schritte einleiten, und dann werden wir beide die Sache auch wieder in den Griff kriegen.«

Die beiden Freunde blickten sich in die Augen und nahmen sich dann in den Arm. Streit und Ärger waren überwunden. Sie waren wieder ein Team.

Als Nächstes rief Rocco nach Klara Schubert und bat sie, ihnen Kaffee zu bringen. Sie brauchten jetzt einen klaren Kopf. Beherzt griff er den auf mittlerweile acht Akten angewachsenen Stapel in der Sache Nölting und schleppte ihn auf den Konferenztisch. Dann blickte er Tobi an und sagte: »Du und ich, wir beide, werden mein Büro erst verlassen, wenn wir alles herausgefunden haben.«

Tobias nickte, zog seine Jacke aus und krempelte sich die Ärmel seines taillierten, modischen Hemdes hoch. Auch er war offensichtlich erleichtert, dass sie wieder an einem Strang zogen.

In den nächsten Stunden arbeiteten beide konzentriert, zeichneten Abläufe auf und entwickelten Ideen, die sie im nächsten Moment wieder verwarfen. Sie diskutierten, hinterfragten und gelangten nach und nach zu einem immer klareren Bild. Als sie gegen Mitternacht fertig waren, sahen sie sich erschöpft, aber zufrieden an. Sie waren sich sicher, dass sie jetzt hinter das Motiv von Nöltings Mord gekommen waren. Aus den gesammelten Unterlagen, die Baumann von Schmitz erhalten hatte, ergab sich ein klares Bild. Nölting hatte das von Lindner über geschickt ausgewählte Scheinfirmen und scheinbar willkürliche Personen gekaufte Ackerland gezielt in Bauland umgewidmet. Und dann geriet die Sache aus dem Ruder. Schließlich waren sie sich einig. Der ›Killer-Beamte‹ aus Brandenburg, der so beharrlich schwieg, konnte keine andere Wahl gehabt haben: Nikolas Nölting musste Moritz Lindner töten! Was sie noch nicht wussten, war, wer dahintersteckte und es jetzt auf Tobias abgesehen hatte. Doch um das rauszufinden, war der nächste Schritt klar.

65. KAPITEL

Kamil Gazal hatte reichlich Erfahrung damit, scheinbar unlösbare Situationen zu klären. Und diese Situation musste geklärt werden. Erst Nölting und Lindner. Und jetzt noch die Schwester vom Anwalt. Wenn die Polizei eins und eins zusammenzählte, würde sie ihnen irgendwann auf die Spur kommen. Und dann würde alles auffliegen. Vor wenigen Tagen war das Ganze noch die Tat eines außer Kontrolle geratenen Verwaltungsbeamten. Aber nach dem Attentat auf die kleine Eberhardt musste auch dem letzten Ermittler klar sein, dass die Sache komplizierter war und mehr dahintersteckte. Vermutlich würden sie eine Sonderkommission gründen, um in dem Fall zu ermitteln. Das musste er verhindern. Und dafür gab es nur eine Lösung. Er musste dafür sorgen, dass es eine nachvollziehbare Erklärung für alle Geschehnisse gab, die so schlüssig war, dass die Polizei zufrieden war und keine weiteren Fragen stellte. Aber wie sollte ihm das gelingen? Es gab mittlerweile zu viele verschiedene Interessen. Zu viele Beteiligte. Und zu viele Tote. Eine scheinbar unlösbare Aufgabe. Und doch würde er sie lösen. Irgendwie würde er es schaffen. So wie er es immer geschafft hatte.

66. KAPITEL

Als Baumann die Tür aufstieß, schreckte Schmitz von seiner Zeitung hoch.

»Sie können hier nicht einfach reinkommen«, empörte er sich und stand entrüstet auf.

Baumann, der nicht in der Stimmung war, sich von dem Verwaltungsbeamten irgendetwas vorschreiben zu lassen, ließ keine Zweifel daran, dass er nicht mit ihm diskutieren würde, ob und wo er eintrat. Mit zwei schnellen Schritten durchquerte er das Zimmer, griff über Schmitz' Schreibtisch dessen billiges Hemd knapp unter dem Kragen und drückte den Sachbearbeiter in seinen Stuhl.

Dann hob er den Zeigefinger langsam vor seine Lippen, woraufhin Schmitz, der gerade im Begriff war zu protestieren, sich eines Besseren besann und schwieg. Verunsichert sah er den Detektiv an. Baumann, der sichergehen wollte, dass die Kräfteverhältnisse auch wirklich klar waren, öffnete kurz seine Jacke und gab den Blick auf seine Glock frei, die sicher im Schulterholster steckte.

Schmitz zuckte zusammen. Mit der Hand wischte er sich den Schweiß von der Stirn.

»Wir beide müssen uns mal unterhalten«, sagte Baumann und nahm auf einem der beiden Stühle gegenüber von Schmitz Platz. Verunsichert nickte der Verwaltungsbeamte.

»Ich möchte, dass Sie mir jetzt alles über Ihren Kollegen Nölting erzählen. Von dem Zeitpunkt an, als er bei Ihnen angefangen hat, bis zu dem Zeitpunkt, als er verhaftet wurde. Und dann möchte ich, dass Sie mir alles erzählen, was seitdem in Ihrer Behörde geschehen ist und was auch nur im Entferntesten mit Nölting oder den Akten, die er bearbeitet hat, zu tun hat.«

Durchdringend sah er den Beamten an. »Haben wir uns verstanden?«

Schmitz nickte.

»Ausgezeichnet«, fuhr Baumann fort und angelte sich eine Schachtel Zigaretten aus der Tasche seiner schwarzen Lederjacke. Genüsslich steckte er sie an und blies seinem Gegenüber den Rauch direkt ins Gesicht.

Schmitz schien den Impuls zu unterdrücken, Baumann auf das allgemeine Rauchverbot in Brandenburger Behörden hinzuweisen, und begann stattdessen mit seiner Geschichte an dem Punkt, als Nölting unberechtigterweise, wie er sagte, den Job bekommen hatte, der eigentlich ihm zugestanden hätte.

Er erzählte davon, dass Nölting es am Anfang schwer gehabt hatte, weil er als typischer Wessi eine ganz andere Vorstellung davon hatte, wie sie ihre Vorgänge bearbeiten sollten und was wichtig und was unwichtig war. Sie hatten ihn zunächst ordentlich auflaufen lassen, aber weil er der Chef war, bestand er auf seinen Weg. Nach und nach erarbeitete er sich dann auch einen guten Ruf, und die Kollegen arbeiteten meistens gerne mit ihm zusammen.

Baumann machte sich Notizen und hörte aufmerksam zu.

»Und dann eines Tages war alles anders. Nölting kam eines Montags ins Büro und schien am Boden zerstört. Erst wollte er nicht so recht mit der Sprache rausrücken, aber Frau Groner, eine unserer Sachbearbeiterinnen, hat dann aus ihm rausgekriegt, was das Problem war. Es hatte mit Lily zu tun. Und seit dem Tag war Nölting komplett verändert.«

Schmitz machte eine Pause und trank einen Schluck Wasser, ehe er fortfuhr.

»Für die nächsten Monate zeigte er keine Fotos mehr von seiner Familie und verbrachte die meiste Zeit des Tages hinter verschlossenen Türen. Das ging etwa ein gutes Jahr so, und dann, von einem Tag auf den anderen, war Nölting wieder wie ausgewechselt. Er war wie neugeboren, als wenn eine schwere Last von ihm abgefallen wäre.«

»Und wie hat sich das geäußert?«

»Na ja, irgendwie wirkte er befreiter. Er hat sich wieder richtig in die Arbeit gestürzt. Das ging einige Jahre so, bis zu dem Tag, na ja, also bis zu dem Tag, als er durchgedreht ist.«

»Und dann?«

»Na, das war ein Schock für uns alle, das hat ja keiner kommen sehen.«

»Okay, verstehe. Und was ist dann in der Zeit nach Nölting passiert?«

»Nicht viel. Ich bin zu seinem kommissarischen Nachfolger ernannt worden, das wissen Sie ja. Ich hatte die Akten kurz durchgesehen, aber es waren nicht so viele offene Vorgänge darunter, wie ich erwartet hatte. Wir haben die dringenden Sachen unter uns aufgeteilt und weiterbearbeitet und die unkritischen Akten erst einmal liegen lassen. Als Sie dann kamen, habe ich mir auch seine anderen Vorgänge noch mal genauer angeschaut. Und kurz danach kam dann ja auch der andere Mann.« Schmitz stockte jetzt, und er schaute Baumann verunsichert an.

»Welcher Mann?«, hakte der nach.

»Der Ausländer. Araber, glaube ich.«

»Und was wollte der?«

»Er hat mir nur gesagt, dass er vorher mit Nölting zusammengearbeitet habe. Aber ich habe ihn hier noch nie gesehen. Und dass sich bald ein Anwalt melden würde und wir dann weiterarbeiten könnten.«

»Und fanden Sie das nicht ungewöhnlich?«

Schmitz lachte auf. »Das sagen gerade Sie mir?«

Baumann merkte, dass das Gespräch zu kippen drohte. Kurz entschlossen setzte er deshalb zu seiner letzten Frage an.

»Herr Schmitz, ich muss wissen, wer dieser Mann, dieser Ausländer war. Hat er seinen Namen genannt? Und was haben Sie ihm noch gesagt?«

»Nichts habe ich ihm gesagt, gar nichts. Außer, dass Sie sich auch nach Nölting erkundigt haben.«

67. KAPITEL

Alessias Zustand hatte sich stabilisiert. Mit einer Erleichterung, die er noch nie zuvor verspürt hatte, goss Rocco sich und Tobi einen Gin Tonic ein. Die beiden Freunde stießen miteinander an, auf Alessia, auf das Leben und darauf, dass alles gut werden würde. Auch wenn beiden klar war, dass die Gefahr noch nicht vorüber war, hatte die gute Nachricht für den Moment alles andere verdrängt. Seite an Seite standen sie auf der Dachterrasse und schauten in den Berliner Abendhimmel. Doch die Ruhe hielt nur für einen Moment. Sie hatten noch eine Aufgabe zu erledigen.

Tobias berichtete Rocco von dem Gespräch mit Schmitz, und beide zählten eins und eins zusammen. Wer auch immer den Beamten in Nauen aufgesucht hatte, steckte hinter der ganzen Sache. Und alles passte ins Bild. Bis auf einen Namen waren alle Puzzleteile an ihre Stelle gefallen. Als Nikolas Nölting erfahren hatte, dass seine Tochter Lily am Angelman-Syndrom litt, und klar war, dass eine umfassende Betreuung mehr Geld kosten würde, als er mit seinem Beamtengehalt verdienen würde, verheimlichte er das vor seiner Frau Anja. Er wollte alles für Lily tun, konnte es sich aber nicht leisten.

Dann erschien Moritz Lindner, Anwalt und Notar aus Berlin, auf der Bildfläche. Er musste einen Deal mit Nölting abgeschlossen und diesen für seine Dienste offensichtlich mehr als gut bezahlt haben.

Anja gegenüber hatte Nikolas Nölting das zusätzliche Geld mit angeblichen Beraterverträgen und einer Beförderung erklärt, die es aber in Wirklichkeit nie gegeben hatte. Und dann musste etwas geschehen sein, das Nölting in eine Zwangslage brachte. Wahrscheinlich hatte Lindner etwas gefordert, was Nölting nicht liefern konnte. Er musste ihn erpresst haben. Nölting befand sich in einer derartigen Ausnahmesituation, dass er keinen anderen Weg mehr sah, als Lindner zu erschießen.

»Was hat Lindner von ihm verlangt?«, fragte Tobias. »Womit hat er ihn so unter Druck gesetzt, dass Nölting ihn erschossen hat?«

»Ich weiß es nicht, aber ich vermute, dass sie Lily bedroht haben. Lily ist alles für ihren Vater. Für sie hat er sich überhaupt erst auf diese Geschäfte eingelassen.«

»Und was war sein Plan?«

»Na ja«, erwiderte Rocco. »Sieh es mal aus seiner Perspektive. Was auch immer Lindner wollte, es muss so riskant gewesen sein, dass er es nicht machen konnte. Und indem er Lindner ausgeschaltet hat und damit sicher in den Knast gehen würde, hat er sich und vor allem Lily aus der Schusslinie genommen. Er war für die Hintermänner nur so lange wertvoll, wie er ihre Forderungen für sie ausführen konnte.«

»Aber muss er nicht davon ausgehen, dass sie ihn dann auch erledigen? Schließlich weiß er zu viel.«

»Das kann schon sein. Aber jemanden im Knast umzubringen wäre zu auffällig. Denn dann hätte sich mit Sicherheit das LKA an ihre Fersen geheftet. Und wenn sie eins nicht brauchen, dann Aufmerksamkeit. Solange Nölting schweigt und nichts sagt, geht er zwar in den Bau, aber die Organisation bleibt geschützt. Und wenn er redet, setzt er damit auch Lilys Leben aufs Spiel, denn dann haben die Hintermänner ja keine Notwendigkeit mehr, jemanden zu schonen. Dann ist es eh egal.«

Rocco musste Nölting anerkennend zugestehen, dass der Plan genial war. Mit dem Nachteil allerdings, dass er im Gefängnis war. Und die Betreuung für Lily wahrscheinlich auch nicht für immer aufrechterhalten konnte, je nachdem, wie viel Geld er noch beiseitegeschafft hatte.

»Ein wirklich guter Plan«, stimmte auch Baumann zu. »Allerdings haben wir noch ein Problem. Denn ganz offensichtlich wollte mich ja jemand ausschalten, um sicherzugehen, dass ich keine weiteren Nachforschungen anstelle. Wer auch immer Schmitz aufgesucht hat, wollte alle Beweise für seine obskuren Geschäfte beseitigen. Das macht aber keinen Sinn. Irgendetwas stimmt hier nicht. Denn wenn die Verbrecher auf der einen Seite keine Aufmerksamkeit wollen, hätten sie auf der anderen Seite kein Attentat auf uns verüben dürfen.«

Rocco musste seinem Freund zustimmen. Das machte wirklich keinen Sinn. Aber vielleicht gab es auch dafür eine Erklärung, die sie noch nicht kannten. Und manchmal, so hatte er in der Vergangenheit gelernt, machten auch die anderen Fehler.

»Ich werde mit Nölting sprechen«, sagte er. »Er muss mir genau sagen, wer und was dahintersteckt, sonst eskaliert die Sache noch weiter. Auch wenn ich es nicht ganz verstehe. Da bleibt ein Widerspruch.«

Und gerade als er eine Idee hatte, was als Nächstes zu tun war, klingelte sein Handy. Er schaute auf das Display. Ein anonymer Anruf.

Rocco blickte Tobias mit hochgezogenen Augenbrauen an. Wer wollte ihn so spät noch erreichen? Konnte es mit ihrem Fall zu tun haben? Neugierig nahm Rocco das Gespräch an.

»Guten Tag, Herr Rechtsanwalt«, sagte die Stimme am anderen Ende. Sie klang kalt, hart und hatte einen deutlichen südländischen Akzent. »Mein Name ist Kamil Gazal. Ich bin mir sicher, Sie wissen, wer ich bin.«

Rocco musste nicht eine Sekunde überlegen, mit wem er sprach. Und das hatte nichts damit zu tun, dass er schon seit

Jahren erfolgreich als Strafverteidiger arbeitete, sondern lag vielmehr daran, dass Kamil Gazal zu den schillerndsten Bewohnern der Hauptstadt zählte. Das organisierte Verbrechen hatte viele Gesichter, aber Gazals Konterfei zierte regelmäßig die Titelseiten der Boulevardpresse. Nicht wenige bezeichneten ihn als den Paten von Berlin, und Rocco wusste, dass es sich dabei nicht im Geringsten um eine Übertreibung handelte. Instinktiv gab er Baumann ein Zeichen und schaltete das Gespräch auf Lautsprecher, sodass sein Freund mithören konnte.

»Hören Sie jetzt bitte ganz genau zu, denn ich werde mich nicht wiederholen«, fuhr der Clanchef fort. »Ich möchte mich mit Ihnen treffen, um eine Sache zu besprechen, die mir zu Ohren gekommen ist und die schlimmes Leid über Ihre Familie gebracht hat.«

Bei Rocco schellten sofort sämtliche Alarmglocken, und er konnte an Tobias' Gesichtsausdruck erkennen, dass es seinem Freund nicht anders ging. Steckte Gazal hinter der ganzen Sache? Wenn das der Fall war, dann war der Verbrecherboss der Letzte, mit dem er sprechen wollte. Ja, sprechen durfte. In der Strafverteidigung gab es eine feine Linie, die kein guter Anwalt je überschreiten würde. Niemals würde er sich mit der Sache eines Verbrechers gemein machen oder in eine kompromittierende Situation bringen lassen. Und das geschah oft schneller, als man sichs versah.

»Ich denke nicht, dass wir irgendetwas zu besprechen haben«, unterbrach er den Clanchef deshalb und spielte mit dem Gedanken, direkt aufzulegen, als dieser mit ruhiger Stimme fortfuhr.

»Ich verstehe Ihre Überraschung wegen meines unerwarteten Anrufs, aber Sie deuten das vollkommen falsch. Weder ich noch irgendeiner meiner Mitarbeiter hat etwas mit dieser Sache zu tun. Ich verfüge lediglich über Informationen, die für Sie sehr nützlich sein können. Aber das ist sicher nichts, was wir am

Telefon besprechen sollten. Wenn Sie Interesse an diesen Informationen haben, treffen Sie mich übermorgen um neun Uhr im Hotel Adlon. Andernfalls vergessen Sie einfach, dass wir jemals miteinander gesprochen haben.«

Nach einer kurzen Pause fügte er hinzu: »Und vertrauen Sie mir bitte, dass Ihnen, Ihrer Familie und auch Ihrem Detektiv, Herrn Baumann, der vermutlich gerade mithört, keine Gefahr mehr droht.«

68. KAPITEL

»Ums Verrecken werde ich mich nicht mit Gazal treffen!«, sagte Rocco Eberhardt und blickte Tobias Baumann entrüstet an. »Ich traue dem Kerl keine drei Meter über den Weg.«

Er griff sich seinen Gin Tonic von dem kleinen Holztisch und trank einen großen Schluck. Aufgebracht fügte er hinzu: »Und wenn das Schwein hinter dem Anschlag auf Alessia steckt, schon gleich gar nicht. Wir sollten sofort das LKA einschalten. Wer weiß, ob sie nicht Gazals Telefon abhören und wir die Jungs jetzt ohnehin schon am Hals haben.«

Mit dem nächsten Schluck leerte er seinen Longdrink und blickte sich nach der Gin-Flasche und dem Tonicwater um, die er auf der Balustrade der Terrasse abgestellt hatte.

Tobias, der seinen Freund nachdenklich anschaute, hatte ganz offensichtlich noch einen anderen Gedanken.

»Und was, wenn Gazal wirklich nicht dahintersteckt? Was wäre denn, wenn es ein anderer Clan ist und Gazal einfach nur die Gelegenheit ergreifen möchte, seinen Konkurrenten eins auszuwischen?«

Rocco, der zwischenzeitlich ihre beiden Gläser wieder aufgefüllt hatte, sah Baumann fragend an. »Das glaubst du doch selbst nicht, oder? Warum sollte er sich dann an mich wenden. Sonst regeln die doch auch alles untereinander.«

»Kann sein«, stimmte Baumann zu. »Muss aber nicht sein. Wir wissen es einfach nicht. Was haben wir denn zu verlieren, wenn wir uns anhören, was er zu sagen hat?«

»Alles!«, erwiderte Rocco Eberhardt. »Einfach alles! Nehmen wir nur mal für den Moment an, dass deine Annahme stimmt. Was würde passieren, wenn wir uns mit einem Clan einlassen, um einem anderen Clan zu schaden? Damit würde ich vermutlich nicht nur gegen mehr Gesetzesvorschriften verstoßen, als mir spontan einfallen, sondern wir würden möglicherweise einen Bandenkrieg in der Stadt auslösen.«

»Und wenn etwas vollkommen anderes dahintersteckt?«

»Tobias, du verstehst es einfach nicht. Ich bin Strafverteidiger und kein Gangster. Es kommt schon oft genug vor, dass ich mich an der Grenze unserer Rechtsordnung bewege, weil ich mehr weiß, als ich wissen sollte. Aber niemals, wirklich niemals werde ich mich mit einem Straftäter gemein machen. Und genau danach sieht es hier aus!«

»Ich bleibe dabei, Rocco! Du nimmst gerade vieles an, ohne wirklich zu wissen, was tatsächlich dahintersteckt. Was um alles in der Welt haben wir denn zu verlieren, wenn wir uns mit Gazal treffen? Wenn er irgendetwas macht oder sagt, was auch nur ansatzweise in Richtung einer Verschwörung oder Bedrohung ginge, wenden wir uns sofort ans LKA. Und wenn er tatsächlich etwas hat, was uns helfen könnte, dann sehen wir weiter.«

Rocco schnaufte. Ihm gefiel der Gedanke überhaupt nicht. Zu oft hatte er gesehen, wie unerfahrene oder schlechte Anwälte sich unüberlegt in Teufels Küche begeben hatten, indem sie sich auf einen »Deal« mit einer Verbrecherorganisation eingelassen hatten. Das war nicht nur falsch und widersprach allem, woran er glaubte, sondern auch gefährlich.

Was zutraf, war, dass erfahrene Strafverteidiger und Clans eine seltsame Symbiose bildeten. Beide Seiten waren sich im Klaren darüber. Aber es gab Grenzen, die keiner überschreiten würde. Die Clans zahlten Geld, sehr viel Geld, für die bestmögliche Verteidigung, und die Anwälte nahmen dieses Geld. Auf der anderen

Seite machten die Verteidiger auch klar, an welcher Stelle die Verbrecher nicht mit ihrer Hilfe zur rechnen brauchten. Und absurderweise waren es gerade diese Absagen, die das Standing der Anwälte untermauerten. Clans hatten keinen Respekt für *Nutten, die sich für Geld kaufen ließen*. Trotzdem kam das immer wieder vor. Und jedes Mal, wenn ein Anwalt diese Grenze überschritten hatte, um mit den Verbrechern gemeinsame Sache zu machen, hatte das in einem Desaster geendet. Das war das Letzte, was Rocco wollte; das war das Letzte, was er brauchen konnte.

Auf der anderen Seite musste Rocco sich aber auch eingestehen, dass Tobias nicht ganz unrecht hatte. Bisher hatte Gazal tatsächlich nichts gesagt. Und vielleicht halfen ihm Gazals Informationen ja doch, Nikolas Nölting endgültig zu verstehen.

Rocco stieß einen Schrei aus. Er konnte keinen klaren Gedanken fassen. Er steckte mittlerweile selbst viel zu tief in diesem Fall. Er versuchte, seine Gefühle zu kontrollieren, was ihm aufgrund der Ereignisse der letzten Tage und insbesondere Alessias Situation schwerfiel. Verbauten seine Emotionen ihm einen objektiven Blick auf die ganze Sache? Er atmete tief durch und sah seinen Freund an. Der legte ihm die Hand auf die Schulter. »Pass auf Rocco, wir hören uns einfach an, was Gazal zu sagen hat, und wenn es irgendwie in die falsche Richtung geht, melden wir uns beim LKA. Direkt und unmittelbar! Was meinst du?«

Eberhardt dachte nach. Er fühlte sich nicht in der Lage, eine Entscheidung zu treffen. Aber er vertraute seinem Freund. Aus welchem Grund auch immer schien Tobias die Sache nüchterner zu beurteilen. Und sein Vorschlag war okay.

»Deal«, erwiderte er deshalb und streckte seinem Freund die Hand entgegen.

69. KAPITEL

Zwei Tage später fand das Treffen statt. Tobias Baumann hatte
Rocco bis kurz vor das Adlon begleitet. Er wartete zur Sicherheit
in dem Starbucks auf der gegenüberliegenden Straßenseite. Die
Freunde hatten vereinbart, dass er Hilfe holen würde, wenn Rocco
nicht innerhalb der nächsten sechzig Minuten wieder das Hotel
verließe.

Rocco betrat die Lobby und fuhr mit dem Aufzug in den
fünften Stock. Als er die pompöse Suite in Berlins erster Adresse
erreichte, wurde er von zwei Sicherheitsmitarbeitern Gazals
empfangen und auf Waffen und Abhörgeräte durchsucht. Danach leiteten sie ihn durch ein Vorzimmer in den eleganten
Wohnbereich. Die bis nahezu auf den Boden reichenden Fenster
gaben einen beeindruckenden Postkartenblick auf das Brandenburger Tor frei. Die beigefarbenen Tapeten und der helle Par-
kettboden standen mit ihrer eleganten Wärme in vollem Gegensatz zu dem Anlass des Treffens mit dem Clanchef einer der ge-
fürchtetsten Verbrecherorganisationen der Hauptstadt.

Kamil Gazal war eine beeindruckende Persönlichkeit. Die Bilder, die man von ihm aus der Presse kannte, fingen die Aura, die
den mächtigen Mann umgab, nicht annähernd ein. Mit einem Lächeln erhob er sich von der eleganten Couch und ging mit ausge-
streckter Hand auf Rocco zu. Einzig seine Augen zeigten eine Kälte und Härte, die auf seinen wahren Charakter schließen ließen.

»Herr Rechtsanwalt, ich danke Ihnen, dass Sie heute als mein
Gast zu mir gekommen sind. Bitte, nehmen Sie doch Platz.«

Mit einer einladenden Geste wies er Rocco einen Platz in der Couchecke zu. Als er sich gesetzt hatte, goss er Tee in die weißen KPM-Porzellantassen.

»Zunächst einmal möchte ich Ihnen sagen, dass mir die Geschehnisse, die Ihrer Familie widerfahren sind, unendlich leidtun«, sagte er mit warmer Stimme zu Rocco gewandt. »Ich hoffe, dass Ihre Schwester sich bald erholen wird. Wie ich gehört habe, ist sie ja auf dem besten Weg?!«

Rocco, der sich mit dem festen Vorsatz, sich in Ruhe anzuhören, was der Gangsterboss zu sagen hatte, auf das Treffen eingelassen hatte, spürte, wie Wut und Ärger schon wieder die Überhand zu gewinnen drohten. Woher wusste Gazal, wie es um Alessia bestellt war? Und was ging ihn das überhaupt an? Er hatte gute Lust, sofort aufzustehen und ihr Gespräch an dieser Stelle zu beenden, riss sich dann aber für den Moment zusammen. Das hier war einfach zu wichtig.

»Lassen Sie mich gleich zur Sache kommen. Mir sind die komplexen Umstände unseres Treffens durchaus bewusst, und Ihr Ruf, Herr Eberhardt, eilt Ihnen voraus. Ich versichere Ihnen, dass ich mit der ganzen Situation nicht das Geringste zu tun habe. Aber ich verfüge über wertvolle Verbindungen in der Stadt, sodass ich Informationen habe, die ich bereit bin, mit Ihnen zu teilen. Außerdem versichere ich Ihnen, dass die Person, die auf Ihre Schwester geschossen hat, keine Gefahr mehr für Sie darstellt. Diese Sache habe ich geregelt. Das ist alles, was ich für Sie tun kann. Ob Sie daran ein Interesse haben, müssen Sie selbst entscheiden.«

Von wegen, du hast nichts damit zu tun, dachte Rocco, immer noch kurz davor, seine Fassung zu verlieren. Er hatte genug Erfahrungen mit den sogenannten Familienclans in Berlin gemacht, dass ihm eine Sache klar war. Es gab einen Inner Circle, unmittelbare Verwandtschaft, in der ein Vertrauen herrschte, das keine Grenzen kannte. Sie passten aufeinander auf, und Fehler und Fehlschläge wurden immer gedeckt. Ehre und die Wahrung des Gesichts bedeuteten alles. Strenge Hierarchien und absolutes Unterordnen unter das Wort der Älteren und der Clanobersten bildeten das Fundament einer gefährlichen und Schrecken verbreitenden Parallelgesellschaft. Außerhalb dieses Inner Circle wurde gelogen, betrogen und auf oft erschreckend brutale Art gehandelt, die ihresgleichen suchte. Was auch immer Gazal ihm sagte, vorschlug oder versprach, hatte keinerlei Wert. Es sei denn, es würde ihm selbst oder einem seiner Familienmitglieder einen Vorteil bringen. Von dem ohne Frage extrem freundlichen, empathisch wirkenden und dabei so offensichtlich aufgesetzten Gehabe würde er sich nicht täuschen lassen.

»Ich sehe, dass Sie Zweifel haben, Herr Eberhardt. Deshalb lassen Sie mich nur eines sagen. Ich weiß, dass Ihr Mandant in eine schlimme Situation gebracht worden ist, und habe gehört, dass er nur deshalb so gehandelt hat, weil er seine Familie, insbesondere seine Tochter schützen wollte. Ihr Mandant wurde von Herrn Lindner erpresst! Und ich kenne eine Person, die genau das vor Gericht bestätigen kann. Ob Sie mit dieser Person sprechen wollen und ob das in Ihrem Fall helfen kann, können nur Sie selbst beurteilen.«

Gazal hielt kurz inne und blickte Rocco Eberhardt aus seinen kalten, blauen Augen direkt an. Dann nahm er einen Schluck Tee aus der weißen, schlichten Tasse, die vor ihm auf dem Tisch stand.

»Das ist alles, was ich zu sagen habe.«

Er nickte Rocco zu, erhob sich und war im nächsten Moment durch eine Tür auf der Stirnseite der Suite verschwunden.

70. KAPITEL

Nachdem Rocco das Adlon verlassen und Tobias auf den neuesten Stand gebracht hatte, hatten sich die Freunde voneinander verabschiedet. Rocco brauchte jetzt etwas Zeit für sich, um in Ruhe zu überlegen, was als Nächstes zu tun war. Nach einem langen Spaziergang durch das Brandenburger Tor und über die Straße des 17. Juni saß Rocco Eberhardt eine gute halbe Stunde später am Ufer des Neuen Sees, einer kleinen Oase inmitten des Tiergartens, dem großen Park im Zentrum von Berlin-West. Rocco liebte die Hauptstadt für ihre vielen Gesichter. Hektisch, großstädtisch, kosmopolitisch, voller Gegensätze und Diversität auf der einen und ruhig, geradezu provinziell auf der anderen Seite.

Er hatte Schuhe und Socken ausgezogen und ließ seine Beine in das kalte Nass des kleinen Sees baumeln. Alessia war wieder aufgewacht. Er hatte gerade mit seiner Mutter telefoniert, die ihm aufgeregt und voller Freude davon berichtet hatte. Das waren gute Nachrichten, die ihn mit einem großen Glücksgefühl erfüllten. Gleichzeitig fühlte er sich aber auch schuldig an der ganzen Situation. Aber das war jetzt nicht zu ändern. Das musste warten, er durfte seine Gedanken nicht durch Schuldgefühle vernebeln lassen. Denn die Angelegenheit war noch nicht ausgestanden.

Noch nie in seiner Anwaltskarriere war das Böse ihm persönlich so nahe gekommen. Das hatte er immer vermeiden wollen, doch irgendwie war er da jetzt reingeschlittert. Sicher, er war

Strafverteidiger, und das Verbrechen war sein tägliches Brot. Er hatte Mörder, Drogenschmuggler, Zuhälter, den Abschaum der Gesellschaft getroffen und verteidigt. Das war sein Job. Und das war seine Aufgabe. Strafverteidiger waren ein Teil des Systems, erklärte er seinen Freunden immer wieder, die ihn schon so oft gefragt hatten, wie er diesen ihrer Ansicht nach unmoralischen Job überhaupt ausüben konnte. Anwälte, erklärte er dann, seien ein elementarer Bestandteil der Rechtsordnung, die eine Seite der Waage von Justitia, die Recht gegen Unrecht abwog. Und meistens glaubte er auch selbst daran. Bedeutende Frauen und Männer hatten die Notwendigkeit der Strafverteidigung in unserer Rechtsordnung immer wieder mit großen Worten erklärt, mit Worten, die mehr Gewicht als seine eigenen hatten. Und es stimmte, was sie sagten. So viele Beispiele aus der Geschichte und unserer jüngeren Vergangenheit gaben ihnen recht, allen voran die immer wieder in der Presse diskutierten sogenannten Justizirrtümer. Zu oft sind Unschuldige in die Mühlen der Justiz geraten und für Jahre hinter Gittern verschwunden. Und auch wenn es sich dabei um individuelle Schicksale handelte, war jede und jeder einzelne von ihnen ein Beleg für die Notwendigkeit seines Berufsstandes.

Doch all das hatte jetzt keine Bedeutung für ihn. Denn er sah sich und seine Familie auf der einen Seite und eine mächtige Verbrecherorganisation auf der anderen Seite. Er vermutete, dass Gazal mehr mit der Sache zu tun hatte, als er mit ihm teilte. Er überlegte sogar, das LKA einzuschalten, um die Sache zu klären. War das vielleicht sogar seine Pflicht? Aber welche Folgen hätte das? Würde das die Sache endgültig zum Eskalieren bringen? Wenn das passierte, könnte keine Ermittlungsbehörde auf der Welt, keine Sondereinheit und kein Zeugenschutzprogramm ihnen dann noch die Sicherheit geben, die sie brauchte. Außerdem war es ohnehin fraglich, ob es irgendetwas Konkretes gab, mit dem das LKA an dieser Stelle hätte arbeiten können. Kamil Gazal stand vermutlich ohnehin unter Dauerbeobachtung.

Er verwarf den Gedanken fürs Erste und stellte sich eine andere Frage: Was sprach dafür, sich mit dem Zeugen zu treffen?

Die Antwort war so einfach wie nützlich: Wenn er durch dessen Aussage beweisen konnte, dass Nölting Lindner nur erschossen hatte, weil er erpresst und das Leben seiner Tochter Lily bedroht wurde, würde sein Mandant zwar immer noch verurteilt werden. Denn zu keiner Zeit hätte ihm die Situation das Recht gegeben, Lindner zu erschießen und zwei weitere Personen in Lebensgefahr zu bringen. Auf der anderen Seite könnte diese für ihn offensichtlich ausweglose Situation sich ganz erheblich strafmildernd auf das Urteil auswirken. Er hatte ja nicht um sich geschossen, um ohne Grund Menschenleben auszulöschen, sondern es war für ihn die einzige Möglichkeit, das Leben seiner Tochter zur schützen. Im besten Fall würde das Gericht ihn dann wegen Totschlags an Lindner und gefährlicher Körperverletzung an den beiden anderen Geschädigten verurteilen und im Hinblick auf die emotionale Zwangslage eine Strafe von acht bis zehn Jahren verhängen. Bei einer günstigen Prognose und mit Roccos Hilfe, der die entsprechenden Anträge für eine vorzeitige Entlassung stellen würde, wäre Nölting in ein paar Jahren wieder bei seiner Familie.

Anders würde das Verfahren laufen, wenn sie keinen Zeugen aufrufen konnten und wenn Nölting weiter schwieg. Und genau danach sah es momentan aus. Dann könnte auch Eberhardt mit all seiner Erfahrung als Verteidiger einen Schuldspruch wegen Mordes an Lindner und versuchten Mordes an den beiden zufälligen Kunden der Bäckerei nicht abwenden. Und das Urteil im Falle eines Mordes war eindeutig: Nölting müsste eine lebenslange Freiheitsstrafe absitzen.

Rocco hatte das Gefühl, in einer moralischen Zwickmühle zu stecken. Er musste abwägen.

War Nölting wirklich der böse Mensch, der für immer hinter Schloss und Riegel gehörte, weil er kaltblütig und ohne Motiv einen Menschen umbrachte? Oder war er ein Vater, der Leib und Leben seiner Tochter verteidigen wollte und dabei katastrophal über das Ziel hinausgeschossen war? *Und hatte er jetzt den Schlüssel in der Hand, die zweite Variante zu beweisen?* Zum ersten Mal in seinem Leben konnte Rocco sich mit dem Satz identifizieren, dass der Zweck alle Mittel heiligte.

Wer, fragte er sich weiter, wer war er, sich dagegen zu entscheiden? Wie konnte er dabei Gazals Aussage einordnen, dass seiner Familie und seinem Mandanten keine Gefahr mehr drohte? Hatte Gazal im Hintergrund schon an den richtigen Fäden gezogen? Und wenn das so war, würde Rocco jetzt durch eine unbedachte Handlung die Freiheit, das Leben und die Sicherheit anderer gefährden, die auf Gedeih und Verderb von seiner Entscheidung abhängig waren? Und das sogar, ohne dass sie irgendeinen Einfluss darauf hätten, geschweige denn überhaupt ahnten, was hier vor sich ging? Er schüttelte den Kopf und schlug mit der Faust auf die ausgeblichenen Holzplanken des Stegs, auf dem er saß. *Was für eine unfassbare Scheiße!*

Um ein Haar wäre seine Schwester gestorben. Und er hatte immer noch einen Mandanten und einen Prozess, der in der nächsten Woche fortgesetzt wurde. Dann war da ein möglicher Zeuge, der alles ändern konnte, ein Zeuge, den er nur durch die Einmischung von Kamil Gazal kennenlernen konnte, einem der gefährlichsten Männer, die ihm je begegnet waren. Unentschlossen, was er als Nächstes tun sollte, drehten sich die Gedanken in seinem Kopf. Es gab zu viele Fragen, auf die er im Moment keine Antwort wusste.

71. KAPITEL

Alessia war schon wieder zu Scherzen aufgelegt. So angeschlagen und immer noch benommen, wie sie aufgrund der massiven Verletzungen war, so stark und voller Optimismus war sie auch. Und ihre Art, das zu zeigen, war Humor. Sie trug zwar immer noch einen dicken Verband um den Kopf, die Schwellungen in ihrem Gesicht waren aber etwas abgeklungen, und bis auf die dunklen Ränder um die Augen sah sie sich selbst wieder ähnlich. Die Überwachungsmonitore piepten gleichmäßig, und durch das Fenster des kleinen Einzelzimmers schien wärmend die Sonne.

Rocco musste herzlich über Alessias Vorstellung lachen, die gerade in der ihr eigenen Brillanz einen der sie behandelnden Ärzte imitiert hatte.

»Nun ist aber gut, kleine Schwester«, sagte er. »Du brauchst jetzt Ruhe.« Er beugte sich zu Alessia und gab ihr sanft einen Kuss auf die Wange. »Mach's gut, bis morgen!«

Er winkte ihr zu und verließ dann das Zimmer. Draußen auf dem Gang bedankte er sich bei dem Polizisten, der zu Alessias Schutz abgestellt war und mit stoischer Ruhe darauf achtgab, dass keine unbefugte Person den Raum betrat. Auch wenn Rocco nach dem Gespräch mit Kamil Gazal davon ausging, dass Alessia keine Gefahr mehr drohte, war er dennoch für den Schutz sehr dankbar. Schließlich hatten sie es hier mit einer Verbrecherorganisation zu tun, und ihr Deal war noch nicht besiegelt.

Als Rocco gerade die Tür zum Treppenhaus aufstieß, er wollte die drei Etagen runterlaufen, um etwas für seine Bewegung zu

tun, sah er, wie seine Mutter und sein Vater den Fahrstuhl verließen. Sie hatten ihn noch nicht entdeckt, und für einen Moment
überlegte er, ob er sich einfach davonstehlen sollte. Dann besann
er sich eines Besseren und machte kehrt.

»Ciao, Amore«, rief seine Mutter ihm entgegen und gab ihm
zwei Küsse auf die Wangen. »Wie geht es ihr?«

»Ciao, Mama. Gut geht es ihr. Sie ist schon fast wieder die
Alte. Sie wird sich freuen, euch zu sehen.«

An seinen Vater gewandt sagte er »Hallo!« und wollte gerade
weitergehen, als ihm ein Gedanke durch den Kopf schoss.

»Warte bitte kurz. Hast du ein paar Minuten Zeit? Ich würde
gerne mit dir reden«, sagte er. *War jetzt der Moment gekommen, die
Schatten der Vergangenheit zu besiegen?*

Helmut Eberhardt hielt kurz inne, und es schien Rocco, als
überlegte sein Vater, ob jetzt der richtige Moment und die richtige Zeit für ein intimes Gespräch mit seinem Sohn war. Schließlich stimmte er aber zu, und sie suchten sich eine ruhige Ecke im
Bistro in der Ebene zwei des Hochhauses auf dem Campus der
Kliniken. Nachdem sie sich einen Kaffee gekauft hatten, saßen
sie einander eine Weile schweigend gegenüber.

Es war Helmut Eberhardt, der die bedrückende Stille unterbrach. »Rocco, es tut mir leid!«

Er atmete tief durch und sah seinem Sohn direkt in die Augen.

»All die Jahre habe ich nicht die Kraft aufgebracht, mit dir zu
reden. Ich war so wütend und so enttäuscht.« Er seufzte. »Als du
damals in die Firma gekommen bist, um das Praktikum bei mir
zu absolvieren, war ich so voller Stolz. Und dann hast du mich so
enttäuscht! Bis heute weiß ich nicht genau, warum, du hast es
mir nie gesagt!«

Er schüttelte seinen Kopf und sah auf seine Hände, die er im
Schoß gefaltet hatte.

Rocco konnte nicht fassen, was er da hörte. Sein Vater hatte keine Ahnung! Das konnte doch nicht wahr sein. Am liebsten wäre er aufgestanden und hätte seinen Vater einfach sitzen lassen. Aber dann erinnerte er sich an sein Treffen mit Alessia. Es musste aus der Welt geschafft werden. So ruhig es ihm möglich war, sagte er dann: »Weil du uns betrogen hast. Ich habe dich gesehen, mit dieser Frau. Du hast Mama betrogen, ohne dass sie das wusste!«

Helmut Eberhardt zuckte zusammen.

»Du hast was gesehen?«

»Hast du mich nicht verstanden? Ich habe dich gesehen, wie du mit dieser Frau im Restaurant gesessen hast. Wie ihr euch gehalten und verliebt angeschaut habt. Warum hast du uns das angetan, warum hast du Mama das angetan?« Rocco ballte die Faust. »Warum hast du mir das angetan?«

Helmut Eberhardt saß mit offenem Mund vor seinem Sohn und wusste ganz offensichtlich nicht, was er sagen sollte.

»Warum?«, fragte Rocco noch einmal und war selbst überrascht, dass langsam die Wut in ihm abzuklingen schien. Es fühlte sich an, als wenn das bloße Aussprechen der Last, die er so viele Jahre mit sich herumgeschleppt hatte, ausreichte, ihm Erleichterung zu verschaffen.

Er blickte seinen Vater an.

»Es stand damals nicht gut zwischen uns, und ich habe Fehler gemacht. Deine Mutter und ich hätten uns beinahe getrennt und sind nur wegen Alessia und dir zusammengeblieben. Als sie rausbekommen hat, dass ich eine Affäre hatte, hat sie mich aus dem Haus geworfen. Euch haben wir damals gesagt, ich wäre auf einer längeren Geschäftsreise. Die drei Wochen Trennung haben mir ausgereicht, um zu erkennen, wie sehr ich mich verrannt hatte. Ich habe mit einem Mal gesehen, was ich alles aufs Spiel gesetzt hatte, und schließlich bin ich wieder zur Besinnung gekommen. Deine Mutter und ich haben uns dann ausgesprochen und gemeinsam entschieden, es noch einmal zu probieren.«

Rocco war erstaunt. Damit hatte er nicht gerechnet. In den nächsten zwanzig Minuten teilten Rocco Eberhardt und sein Vater vieles, was sie in den vergangenen Jahren versäumt hatten. Dabei mussten sich auch beide eingestehen, wie viele Gemeinsamkeiten sie hatten. Mehr als Rocco sich gewünscht hatte, denn er wollte seit der schlimmen Erfahrung damals nie so sein wie sein Vater. Und doch verband sie so viel. Zielstrebigkeit, Starrsinn und Stolz. Und die Hingabe für ihren Beruf, für den sie auf Kosten ihrer Lieben beide mehr geopfert hatten, als sie wollten. Als sie fertig und alle Worte für den Moment gesagt waren, blickte Rocco seinem Vater in die Augen und meinte Schmerz, Trauer und Erleichterung zugleich darin zu erkennen.

»All die Jahre verschenkt«, sagte Helmut Eberhardt. »Und dann muss deine Schwester fast ums Leben kommen, damit wir beide miteinander reden.« Er griff nach der Hand seines Sohnes. »Bitte, Rocco, versprich mir, dass wir es nie wieder so weit kommen lassen. Du nicht und ich auch nicht!«

Rocco nickte nur und erwiderte den Händedruck seines Vaters. Sie hatten ihre Probleme noch nicht beseitigt. Und auch der Schmerz, der sich über all die Jahre so tief in ihre Herzen gefressen hatte, war noch nicht verschwunden. Aber sie waren einen ersten Schritt aufeinander zugegangen. Das Eis schien gebrochen.

72. KAPITEL

Unruhig blickte Rocco Eberhardt auf die Punkte, die er auf dem weißen Blatt Papier vor sich notiert hatte. Er war unmittelbar nach dem Besuch bei Alessia und dem Gespräch mit seinem Vater wieder in die Kanzlei gefahren. Obwohl es viel danach zu verdauen gab, war er klar und fokussiert wie lange nicht mehr. Nachdem er alle Aufzeichnungen noch einmal durchgegangen war, hatte er das Gefühl, als müsste er zu viele Bälle gleichzeitig in der Luft halten. Er musste sortieren. Was war jetzt wirklich wichtig? Ohne eine Priorisierung stand auf seiner Liste:

1. Sicherheit Alessia
2. Rolle Kamil Gazal
3. Aussage Zeuge Nummer sechs
4. Gutachten Schuldfähigkeit Nölting
5. Aussage Anja Nölting?

First things first! Er umkreiste den dritten Punkt mit seinem Kugelschreiber. Alles stand und fiel mit der Aussage des mysteriösen sechsten Zeugen. Wenn er bestätigte, dass Nölting aus einer Zwangslage heraus gehandelt hatte, würden die übrigen Schritte sich daraus ergeben.

Unschlüssig blickte er zu seinem Telefon. Sollte er Gazal anrufen und ihn fragen, wie er an den Zeugen kam? Langsam lief ihnen die Zeit davon. Heute war Mittwoch, und schon in einer Woche würde der Prozess in die nächste Runde gehen. Wenn er den Zeugen noch in die Verhandlung einführen wollte, musste er rechtzeitig einen entsprechenden Beweisantrag stellen. Ihm blieb nur sehr wenig Zeit.

Im selben Moment öffnete sich die Tür zu seinem Büro, und Klara Schubert steckte ihren Kopf durch die Öffnung.

»Entschuldigen Sie, Herr Eberhardt, aber da ist gerade ein Herr Elhaje gekommen, der sagte, Sie würden ihn erwarten. Ich kann aber keinen Eintrag in Ihrem Kalender finden.« Fragend schaute sie ihren Chef an. »Soll ich ihn wieder wegschicken?«

Rocco horchte auf. *Na, das geht ja schneller als gedacht.*

»Nein, das geht in Ordnung. Er soll reinkommen. Und könnten Sie uns bitte auch etwas Kaffee bringen? Oder Tee. Fragen Sie ihn bitte einfach, was er möchte.«

Klara Schubert nickte und kam kurz darauf mit dem möglichen sechsten Zeugen wieder zurück.

Malik Elhaje konnte kaum älter als fünfundzwanzig Jahre sein. Groß und schlaksig stand der junge Mann vor ihm und nestelte unruhig an seinen Händen herum. Er war gut einen Meter neunzig groß, sehr schlank und hatte mittellange, rabenschwarze Haare. Sein Gesicht hatte einen dunklen Teint, sodass man die vielen Pickel erst auf den zweiten Blick wahrnahm. Spärlicher Bartwuchs zierte seine Wangen und sein Kinn.

Roccos Vertrauen schwand schlagartig. Entmutigt schaute er dem Mann direkt in die Augen. Wenn er auf diesem Burschen seine Verteidigungsstrategie aufbauen sollte, hatten sie ein Problem. Was hatte Kamil Gazal sich bloß dabei gedacht? Malik Elhaje erwiderte Roccos Blick nur kurz und starrte dann verunsichert auf den Boden. Was soll's, dachte Rocco. *Vielleicht täusche ich mich ja auch in ihm. Was ich nicht habe, kann ich auch nicht verlieren!*

»Guten Tag, Herr Elhaje«, sagte er dann. »Bitte nehmen Sie doch Platz.«

Der junge Araber nickte, zog dann einen der Stühle des Besprechungstisches zu sich und stolperte beinahe, ehe er sich unsicher setzte.

Na, das kann ja heiter werden, dachte Rocco und nahm mit der größten Selbstsicherheit, die ihm in der aktuellen Situation möglich war, ebenfalls Platz.

In den nächsten sechzig Minuten, in denen er sich mit dem jungen Mann unterhielt, wandelte sich seine Skepsis nach und nach in Zuversicht. Er staunte nicht schlecht. Was Malik Elhaje zu berichten hatte, stand im Gegensatz zu allem, was er noch kurz zuvor befürchtet hatte. Der Mann war wirklich gut, und vor allem schien er die Wahrheit zu sagen.

Nachdem Elhaje die Kanzlei wieder verlassen hatte, ließ Rocco sich in seinen schweren Schreibtischsessel fallen. Er lehnte sich zurück, schloss die Augen und rief sich Kamil Gazals Worte noch einmal ins Gedächtnis: »Ich weiß, dass Ihr Mandant in eine schlimme Situation gebracht worden ist, und habe gehört, dass er nur deshalb so gehandelt hat, wie es eben geschehen ist, um seine Familie, insbesondere seine Tochter zu schützen. Ihr Mandant wurde von Herrn Lindner erpresst! Und ich kenne eine Person, die genau das vor Gericht bestätigen kann.«

Jetzt hatte er mit dieser Person, mit Malik Elhaje, gesprochen, und Rocco kam nicht umhin, ein gewisses Maß an Bewunderung für Gazal zu empfinden. Der Pate von Berlin hatte seine Puppen wieder meisterhaft tanzen lassen.

Er hatte jetzt, was er brauchte. Aber sollte er Malik Elhaje wirklich als Zeugen aufrufen? Für das Verfahren könnte das der entscheidende Wendepunkt sein. War das moralisch vertretbar?

Der ganze Fall wurde zusehends absurder, und was gestern noch die beste Idee schien, war heute wieder fraglich. Wie aus dem Nichts schoss ihm ein Gedanke in den Kopf, der ihm mehr

Klarheit geben konnte. Es gab eine Person, die mehr als jede andere für Wahrheit und Aufrichtigkeit stand. Mit dieser Person musste er sprechen! Kurz entschlossen wählte er die Nummer von Doktor Justus Jarmer.

73. KAPITEL

Abwartend nahm Doktor Justus Jarmer an dem langen Besprechungstisch in Rocco Eberhardts Büro Platz.

»Ich möchte mich erst einmal dafür bedanken, dass Sie nach unserem gestrigen Telefonat gleich heute Morgen in meine Kanzlei gekommen sind«, sagte Rocco Eberhardt selbstbewusst und schaute dem Rechtsmediziner dabei direkt in die Augen.

»Ich werde auch nicht lange um den heißen Brei herumreden. Es ist Ihre kritische und sehr gradlinige Betrachtungsweise von Tatsachen und Situationen, um die ich Sie zu einem Sachverhalt bitten möchte, der mir etwas Kopfzerbrechen bereitet.«

Jarmer blickte den Strafverteidiger skeptisch an.

»Wie ich ja schon am Telefon erwähnt habe«, fuhr Eberhardt fort, »geht es um den Fall Nölting und um eine überraschende Entwicklung, die sich erst in den letzten Tagen ergeben hat.«

»Und Sie glauben, dass ich der Richtige bin, mit dem Sie das besprechen sollten?«, fragte Jarmer. Rocco war sich nicht sicher, aber er hatte das Gefühl, dass der Rechtsmediziner seit dem Telefonat über Alessias Zustand etwas nahbarer geworden war.

»Ja, das glaube ich«, erwiderte Rocco freiheraus. »Gerne würde ich Ihnen die Fakten des Falles einmal aus meiner Sicht schildern und würde mich sehr freuen, wenn Sie dann Ihre offene und ehrliche Einschätzung mit mir teilen würden. Wäre das okay für Sie?«

»Ich bin mir nicht sicher, ob ich Ihnen wirklich helfen kann«, erwiderte Jarmer. »Es scheint doch so zu sein, dass wir recht unterschiedliche Herangehensweisen an die Aufklärung von Verbrechen haben, was nicht nur unseren unterschiedlichen Professionen geschuldet ist, wie mir scheint. Aber da ich ja jetzt hier bin, legen Sie einfach los.«

Rocco nickte und blickte auf die Aufzeichnungen, die er auf einem einzigen weißen Blatt vor sich zusammengefasst hatte. In den nächsten dreißig Minuten berichtete er von Anfang an über die Geschehnisse des Falles. Über den Moment, als Nölting und seine Frau Anja von Lilys Angelman-Syndrom erfahren hatten, über die Geschäfte, die Nölting und Lindner über Jahre miteinander betrieben hatten, bis zu dem Moment, als Lindner Nölting mutmaßlich erpresst und Leib und Leben von Lily bedroht hatte.

Jarmer, der Roccos Vortrag aufmerksam folgte und dabei unaufhörlich einen Kugelschreiber um seine Finger kreisen ließ, eine Angewohnheit, die Eberhardt schon von ihrer Begegnung im Institut für Rechtsmedizin kannte, schien von den Hintergründen zunehmend überrascht zu sein.

»Und warum hat Ihr Mandant sich dann nicht an die Polizei gewandt, als Leib und Leben seiner Tochter in Gefahr waren?«, fragte er. »Das wäre doch das Naheliegendste gewesen.«

»Weil er um das Leben seiner Tochter fürchten musste«, erwiderte Rocco Eberhardt. »Ihm ist mit der Zeit klar geworden, wer die Hintermänner der ganzen Geschichte sein mussten, und er hat sich zu Recht große Sorgen gemacht. Deshalb hat er die Aussage bei der Polizei als Möglichkeit für sich ausgeschlossen.« Er griff kurz zu dem Wasserglas vor sich und trank einen großen Schluck. »Und wenn ich ehrlich bin, und das werden Sie gleich erfahren, war seine Sorge nach meiner Einschätzung mehr als berechtigt.«

»Okay, aber spätestens, als er Lindner erschossen hat, musste er doch erkennen, dass sein Schweigen ihn in eine absurde Lage bringen würde. Wenn er sein Schweigen nicht bricht, dann geht er doch für lange Zeit ins Gefängnis. Das nutzt weder ihm noch seiner Frau und Tochter. Eine Verurteilung wegen Mordes ist, so weit ich das überblicke, ja wohl nicht ganz unwahrscheinlich. Und wozu hat er dann in der Bäckerei überhaupt noch auf die anderen beiden Personen geschossen? Das macht doch alles überhaupt keinen Sinn.«

Eberhardt hob abwehrend die Hand.

»Herr Doktor Jarmer, wir sind ja noch nicht am Ende der Geschichte. Ich erzähle Ihnen alles. Dann beantworten sich Ihre Fragen möglicherweise von alleine.«

Jarmer nickte und hielt für einen Moment mit dem Wirbeln seines Kugelschreibers inne. Auch er trank jetzt einen Schluck Wasser, ehe er sich wieder in dem Besprechungsstuhl zurücklehnte.

Rocco fuhr fort und berichtete jetzt von Baumanns Gesprächen mit Schmitz, der sich daraus ergebenden Verwicklung eines oder mehrerer der viel zitierten Verbrecherclans und dem Attentat auf seine Schwester. Schließlich erzählte er von Kamil Gazals Anruf und dem Treffen im Adlon.

»Sie haben sich mit Gazal getroffen, *dem* Gazal?«

Rocco nickte.

»Steckt er hinter der ganzen Sache?«

Rocco zuckte mit den Schultern. »Das weiß ich nicht genau, aber es könnte gut sein.«

»Einen Moment, nur dass ich das richtig verstehe. Kamil Gazal, der wahrscheinlich berüchtigtste Verbrecherboss, den die Hauptstadt zurzeit zu bieten hat, meldet sich aus dem Nichts bei Ihnen und kündigt einen Zeugen an, der genau so viel von der ganzen Geschichte zu wissen scheint, dass er die Zwangslage Ihres Mandanten bestätigen kann und das auch vor Gericht aussagen würde, ohne selbst zu wissen, wer dahintersteckt? Das

Ganze scheint doch sehr konstruiert. Das klingt ein bisschen zu fantastisch, als dass ich es glauben mag. Das wirkt wie eines Ihrer Spiele, bei der Sie die Wahrheit so hindrehen wollen, wie sie gerade für Sie passt. Und selbst wenn das alles zutreffen würde, können Sie doch selber nicht glauben, dass Richterin Gregor und schon gar nicht Oberstaatsanwalt Bäumler das unkommentiert hinnehmen werden. Die nehmen, wen auch immer Gazal da aus dem Hut gezaubert hat, doch komplett auseinander.«

»Das habe ich auch erst gedacht, aber das wird nicht passieren. Ich stimme Ihnen ja zu, dass das Ganze zu verrückt klingt, um wahr zu sein. Aber wenn man weiß, wie das organisierte Verbrechen in Berlin funktioniert und welcher Strukturen es sich bedient, dann kann genau das geschehen. Nicht von ungefähr konnten die Ermittlungsbehörden weder Kamil Gazal noch einen anderen Kopf der Berliner Clans bisher mit den zahlreichen Verbrechen der vergangenen Jahre in Verbindung bringen. Deren Struktur ist so straff organisiert, dass die ausführenden Mitglieder oft keine Ahnung haben, wer wann genau was befohlen oder in Auftrag gegeben hat. Oder sie halten einfach dicht und schweigen. Und Malik Elhaje, der neue Zeuge, ist ein Fußsoldat am untersten Ende der Befehlskette. Er weiß tatsächlich gerade genug, dass er Lindners Treiben bestätigen kann. Aber auch nicht mehr.«

Jarmer runzelte die Stirn.

Rocco, der sich jetzt sicher war, dass der Mediziner alles verstanden hatte und alle Fakten kannte, holte zu der Frage aus, die ihm selbst keine Ruhe ließ.

»Ich kann verstehen, dass Sie das alles etwas fragwürdig finden, aber genau deshalb wollte ich ja mit Ihnen sprechen. Ich würde gerne wissen: Welche Möglichkeiten sehen Sie jetzt in dieser Sache?«

Jarmer legte seinen Kugelschreiber auf den Besprechungstisch und dachte kurz nach.

»Ich bin der Meinung, Ihr Mandant Nikolas Nölting sollte es so erzählen, wie es passiert ist. Alles, von Anfang an. Punkt.«

»Wenn er das macht«, erwiderte Rocco, »dann wird das LKA sich der Sache annehmen und den Fall komplett aufrollen. Wenn er den Namen Gazal erwähnt, dann wird der automatisch zur Zielscheibe der Ermittlungen.«

»Und?«, fragte Jarmer. »Was wäre daran so schlimm?«

»Ganz einfach, das kann Gazal, wenn er tatsächlich dahinterstecken sollte, nicht zulassen. Er müsste ein Zeichen setzen, denn für Verräter, für jemanden, der redet, gibt es nur eine einzige Strafe. Das Leben von Nölting und seiner Familie, auch seiner Tochter Lily, wäre ab da nicht mehr sicher.«

Jarmer blickte Rocco zweifelnd an.

»Aber Herr Eberhardt, wäre das nicht ein Risiko, das sich einzugehen lohnen würde? Denn dann könnte Nölting doch dafür sorgen, dass die dunklen Machenschaften der Gazals endlich einmal ans Licht der Öffentlichkeit gelangen. Und wenn das LKA oder eine andere Ermittlungsbehörde aufgrund von Nöltings Einlassungen einen entscheidenden Schlag gegen das organisierte Verbrechen führen könnte, würde doch Ihr Mandant dazu beitragen, dass diese Verbrecher künftig weniger Chancen hätten, Menschen wie ihm oder seiner Tochter zu schaden.«

»Das sagt sich so leicht«, erwiderte Rocco. »Aber das ist es nicht. Sie haben doch selbst auch Kinder. Würden Sie deren Leben bewusst aufs Spiel setzen, um einer größeren Sache zu dienen?«

Fragend blickte er den Mediziner an und stellte im selben Moment fest, dass er ihn offensichtlich an einem wunden Punkt getroffen hatte, der dessen scheinbar altruistisches Weltbild ins Wanken brachte.

Für einen sehr langen Moment dachte Jarmer ernsthaft über Roccos Worte nach. Es kam Rocco so vor, als stünde Jarmer in einem Widerstreit mit seinen eigenen Idealen. Schließlich brach der Rechtmediziner das Schweigen und sah Rocco mit festem Blick an.

»Wenn das alles so ist, wie Sie sagen, dann sollte Nikolas Nölting tatsächlich weiter schweigen. Aber nicht mehr und nicht weniger.«

»Dann«, sagte Eberhardt, »vorausgesetzt, ich würde den sechsten Zeugen nicht einführen, würde Nölting für immer ins Gefängnis gehen. Eine Verurteilung wegen Mordes wäre unausweichlich, und das bedeutet lebenslang.«

»Und das wäre ja wohl mehr als gerecht«, erwiderte Jarmer und setzte sich jetzt aufrecht auf seinen Stuhl. »Er hat sich die Sache schließlich selbst eingebrockt, und Sie wollen mir doch nicht sagen, dass Sie den Mord an Lindner gutheißen. Da ist Ihr Mandant doch vollkommen über das Ziel hinausgeschossen!«

»Absolut, das ist er. Und das stellt ja auch niemand infrage. Aber bedenken Sie doch bitte seine Motivation. Er hat nicht kaltblütig und wahllos um sich geschossen. Er hat gezielt einen Menschen erschossen, weil er keinen anderen Ausweg gesehen hat, das Leben seiner Tochter zu retten. Wenn wir das aufgrund der Aussage unseres neuen Zeugen vor Gericht beweisen können, und wenn das Gericht der Argumentation folgt, dann hätte es die Möglichkeit, die Schuldfrage und damit das Strafmaß anders zu bewerten. Nölting würde seine Strafe bekommen, das muss er auch. Aber es sollte eine der Tat angemessene Strafe sein – nicht eine für den Rest seines Lebens!«

Jarmer schloss seine Augen und legte seinen Kopf in den Nacken. Schließlich wandte er sich wieder an Eberhardt.

»Wozu die anderen beiden Opfer? Warum hat er auf den Kunden und die Verkäuferin geschossen?«

»Das ist doch offensichtlich. Er wollte davon ablenken, dass er es von vornherein auf Lindner abgesehen hatte. Er wollte vermeiden, dass die Ermittlungsbehörden von einem gezielten Attentat auf Lindner ausgingen und der Sache zu sehr auf den Zahn fühlten. Das Ganze stellt sich ja in der Öffentlichkeit noch so dar, als wenn Nölting durchgedreht und wahllos um sich geschossen hätte. Als Folge ist er ins Gefängnis gegangen, war für Wer-auch-immer-dahintersteckt nicht mehr erpressbar, weil er keine weiteren Umwidmungen von Grundstücken mehr vornehmen konnte. Dadurch hat er sich selbst aus der Schusslinie genommen, und seine Tochter Lily war als Erpressungsobjekt wertlos.«

Jarmer nickte. »Ein nachvollziehbarer Plan. Aber ich bitte Sie. Er hat einen Menschen getötet und zwei weitere Menschen verletzt.«

Rocco sprang von seinem Stuhl auf. Er war jetzt so erregt, dass er einfach nicht still sitzen bleiben konnte. Aufgebracht ging er in seinem Büro auf und ab.

»Das stimmt. Aber doch nur, weil er um das Leben seiner Tochter fürchtete. Er hat das doch nur getan, weil er davon ausgehen musste, dass Lily sonst kaltblütig ermordet würde. Das konnte er doch nicht zulassen! Er hat Grundstücke umgewidmet, was wahrscheinlich sogar im Interesse der Gemeinde war. Es ging aber immer nur um Geld. Gut, das war verwerflich, aber das hier hat doch ein ganz anderes Kaliber.« Rocco schaute Jarmer direkt an. »Sie haben doch auch Kinder! Ich frage Sie noch einmal: Würden Sie nicht alles tun, um deren Leben zu beschützen?«

Jarmer atmete tief aus.

»Ich habe einen Jungen und ein Mädchen. Ja, und natürlich würde ich alles tun, um sie zu beschützen.«

Es kam Rocco so vor, dass Jarmer zwar keine Sympathie für Nölting empfand, aber nach und nach zumindest dessen Intention verstehen konnte.

»Wenn er also alles erzählt«, fuhr Rocco fort, »dann muss er davon ausgehen, dass er und seine Familie in unmittelbarer Gefahr sind. Und wenn er schweigt und ich den Zeugen nicht in das Verfahren einführe, geht er für immer ins Gefängnis. Lebenslang! Und der Umstand, dass er Lily schützen wollte, was in jedem Fall mildernde Umstände bedeuten würde, würde nie berücksichtigt.«

»Und all das hat Kamil Gazal eingefädelt!«, erwiderte Jarmer, den es jetzt auch nicht mehr auf seinem Stuhl hielt.

»Das heißt«, sagte der Mediziner, »wenn der Zeuge aussagt, der Zeuge, den der Pate von Berlin aus dem Hut gezaubert hat, dann kann Nölting weiter schweigen, sodass er und seine Familie nicht behelligt werden. Trotzdem wird Nöltings Motiv erkennbar, und er erhält am Ende eine harte Strafe, aber eine, die den Umständen angemessen ist, also …«

»Genau«, vollendete Eberhardt den Satz, »… eine Strafe, die gerecht ist.«

Jarmer schüttelte den Kopf. Ganz offensichtlich war er hin- und hergerissen, was er davon halten sollte. Er, der Verfechter der Wahrheit, der den Spielchen der Strafverteidiger so kritisch gegenüberstand, war nun mit sich widersprechenden Fakten und Tatsachen konfrontiert, mit den gegensätzlichen Interessen lebender Menschen. Interessen von Menschen, die überleben wollten. Doch sein Lächeln deutete an, dass er die Absurdität der Situation nicht nur verstand, sondern vielleicht sogar eine gewisse Sympathie für Eberhardts ungewöhnliche Lösung entwickelt hatte.

»Und was«, sagte er dann, »was wollen Sie jetzt von mir hören?«

»Ich möchte gerne wissen, ob Sie es für moralisch vertretbar halten, den sechsten Zeugen in das Verfahren einzuführen und gleichzeitig über all die anderen Informationen, die ich habe, zu schweigen.«

Jarmer trat zu einem der großen Fenster, die auf die Fasanenstraße hinauszeigten, und sah mit einem nachdenklichen Blick auf die Straßenszene. Dann, nach einer gefühlten Ewigkeit, drehte er sich zu Rocco Eberhardt um.

»Bringen Sie den Zeugen ins Spiel.«

74. KAPITEL

Nach dem Gespräch mit Jarmer hatte Rocco die finale Verteidigungsstrategie festgelegt. Um damit Erfolg zu haben, musste er allerdings vorab noch einiges mit Nikolas Nölting klären. Und obwohl sein Mandant bisher jedes Gespräch verweigert hatte, war Rocco sich sicher, dass er jetzt dessen volle Aufmerksamkeit genießen würde.

Die beiden Männer saßen wieder in genau derselben Besprechungszelle, in der sie sich vor sieben Monaten das erste Mal begegnet waren.

Nachdem Nölting in den ersten Minuten wortkarg wie immer gewesen war, horchte er auf, als Rocco Eberhardt begann, ihm seine eigene, Nöltings, Geschichte zu erzählen. Von der Diagnose des Angelman-Syndroms bei Lily bis zu dem Zeitpunkt, als Lindner ihn auf Veranlassung von wem auch immer erpresst hatte.

»Der Grund, warum er Sie erpressen konnte, waren die Grundstücksgeschäfte, oder? Lindner ist zu Ihnen gekommen, und Sie haben dann mit ihm gemeinsame Sache gemacht. Er hat für einen Hintermann billig Ackerland gekauft, und Sie haben ihm dabei geholfen, die nahezu wertlosen Grundstücke in Bauland umzuwidmen und erschließen zu lassen.«

Rocco blickte seinem Gegenüber direkt in die Augen. Der hielt dem Blick nur für einige Sekunden stand und sah dann auf den Boden.

»Und dadurch«, fuhr Rocco schließlich fort, »ist der Wert um den zehn- bis zwanzigfachen Faktor gestiegen. Und für all diese

Geschäfte hat Lindner Sie bezahlt. Gut bezahlt, sodass Sie das Geld hatten, um für die Betreuung Ihrer Tochter zu sorgen.«

Rocco Eberhardt hielt inne und wartete auf eine Reaktion von Nölting. Der blickte weiter auf den Boden, doch als er seinen Kopf erhob, sah Rocco, dass er Tränen in den Augen hatte.

»Es stimmt«, erwiderte Nölting dann mit zittriger Stimme. »Alles, was Sie sagen, stimmt.«

In den nächsten zwanzig Minuten sprudelte es nur so aus Nölting heraus, und er erzählte Rocco Eberhardt die Geschichte haarklein bis ins letzte Detail.

»Alles lief gut, und keiner merkte etwas, denn wir brauchten ja ohnehin Wohnfläche für Nauen, es ist ja eine aufblühende Stadt im erweiterten Speckgürtel von Berlin. Doch dann kam Lindner eines Tages zu mir und verlangte die Umwidmung von drei weiteren Koppeln zu Bauland, die er gerade über einen Strohmann erworben hatte. Ich sagte ihm, dass das nicht gehen würde, dass genau dieses Ackerland tatsächlich für die Landwirtschaft benötigt würde und es eine strategische Entscheidung der Gemeinde war, in diesem Bereich nicht zu bauen. Ich erklärte ihm, dass selbst ich eine Umwidmung nicht anstoßen könne. Lindner lachte nur verächtlich und verließ das Zimmer. Als er am nächsten Tag wiederkam, zeigte er mir Fotos.« Nölting stockte und ballte die Fäuste.

»Was war auf den Fotos zu sehen?«, fragte Rocco Eberhardt.

»Lily! Das waren Fotos von Lily. Die Aufnahmen zeigten meinen kleinen Engel, wie sie ruhig und unschuldig zu Hause, bei uns in der Wohnung, in ihrem Kinderzimmer im Bett lag und schlief. Auf den Bildern war aber nicht nur Lily zu sehen, sondern auch ein Mann mit Strumpfmaske, der einen Revolver in der Hand hielt.«

Nöltings Stimme zitterte, und sein Gesicht spiegelte Wut und

Hass. »Die Botschaft war klar, wenn ich nicht machen würde, was man von mir verlangte, dann würden sie Lily etwas Schreckliches antun. Ich war außer mir und dachte tagelang nach, wie ich da wieder rauskommen sollte. Zum Schein ging ich erst mal auf Lindners Forderungen ein und sagte ihm, dass das jetzt einige Monate dauern würde, ich aber alles in die Wege leitete. Lindner glaubte mir, und so hatte ich Zeit, alles in Ruhe zu planen.« Nölting schaute auf den Boden und schüttelte den Kopf. »Und jetzt sitze ich hier und bin mir nicht wirklich sicher, wo das alles hinführt. Ich weiß nicht einmal, ob Lily außer Gefahr ist, denn ich habe jetzt auch neue Freunde hier im Knast.«

Rocco horchte auf. Das war eine Information, die er noch nicht kannte. Und nachdem Nölting ihm von dem Vorfall auf dem Gefängnishof erzählt hatte, machte er sich eine Notiz. Diesen Teil hatte Kamil Gazal bisher nicht erwähnt. Aber wer sonst könnte dahinterstecken? Er würde das später klären. Wenn das überhaupt noch eine Rolle spielen würde. Jetzt war es aber erst mal an der Zeit, dass er Nölting in das Gespräch mit Gazal und dessen Vorschlag einweihte. Er berichtete ihm detailliert, wie sie die Sache zu Ende bringen könnten. Nölting war zu Beginn skeptisch. Zu schlecht waren seine Erfahrungen aus der jüngsten Vergangenheit mit den Verbrechern. Doch Rocco machte ihm klar, welche Auswirkung die Aussage von Gazals Zeugen auf das Strafmaß haben könnte. Nölting war trotzdem nicht vollends überzeugt und stellte Fragen, was dieses oder jenes konkret bedeuten würde, vor allem auch in Bezug auf Lily. Schließlich stimmte er dann doch zu. Er hatte keine bessere Idee und er musste dafür sorgen, dass alles wieder in geordneten Bahnen lief. Besonders für seine Tochter und seine Frau.

Schließlich waren Rocco Eberhardt und Nikolas Nölting sich einig. Sie hatten einen Deal. Gerade als Rocco die Zelle verlassen wollte, schoss ihm noch ein Gedanke durch den Kopf, eine Nebensächlichkeit, die er fast vergessen hatte, die ihn aber interessierte.

»Eine Frage habe ich noch«, sagte er dann an Nölting gewandt. »Die SMS, die Sie dem Polizisten geschrieben hatten, um ihn wegen der Waffe zur Bäckerei zu lotsen, die trug den Absender FL. Was hatte das zu bedeuten?«

Nölting musste lächeln. »Herr Eberhardt, jetzt haben Sie fast alles herausbekommen, was den Fall betrifft. Da kann es doch nicht so schwer sein, dieses letzte Rätsel zu lösen, oder?«

Eberhardt dachte nur kurz nach. Und dann musste auch er lächeln. »Natürlich«, sagte er dann. »FL: Für Lily!«

75. KAPITEL

Voller Energie saß Rocco Eberhardt an seinem Schreibtisch und hakte einen weiteren Punkt auf seiner Liste ab. Es ging jetzt Schlag auf Schlag voran, und das erste Mal überhaupt in diesem Verfahren hatte er das Gefühl, dass er die Richtung vorgab und die nächsten Schritte bestimmte. Als Nächstes stand die Vernehmung von Malik Elhaje auf seiner Agenda. Um Elhaje allerdings als Zeugen in das Verfahren einführen zu können, musste er einen entsprechenden Beweisantrag stellen. Und ob diesem stattgegeben würde, hing maßgeblich von der Entscheidung einer Frau ab: der Vorsitzenden Richterin Doktor Ariane Gregor.

Kurz entschlossen griff Rocco zum Telefon und wählte die Durchwahl der Richterin. Vielleicht hatte er ja Glück und erwischte sie noch. Als nach dem dritten Klingeln das Telefonat angenommen wurde, jubelte Rocco innerlich. Er hatte einen Lauf!

»Gregor«, meldete sich die Richterin am anderen Ende der Leitung.

»Frau Doktor Gregor, Rocco Eberhardt hier. Wie schön, dass ich Sie direkt erreiche«, begann Rocco das Gespräch. »Haben Sie ein paar Minuten Zeit für mich? Es geht um die Sache Nölting, und ich möchte etwas mit Ihnen besprechen, das die kommenden Verhandlungstage betrifft.«

»Wenn es denn der Sache dient, sehr gerne«, erwiderte die Richterin, und Rocco meinte, so etwas wie Neugier in ihrer Stimme zu hören. »In einer halben Stunde muss ich allerdings los.«

»Das kriegen wir hin«, sagte er und schaute auf seine Uhr. »Dann komme ich auch gleich zur Sache. Ich möchte gerne zu Beginn der nächsten Woche einen weiteren Zeugen aufrufen. Mir ist bewusst, dass das sehr kurzfristig ist, aber wenn Sie mein Anliegen mit etwas Wohlwollen betrachten, könnte das dem Prozess ganz sicher dienlich sein.«

Rocco wusste, dass er gute Chancen mit seinem Plan hatte. Der Beweisantrag auf Vernehmung eines präsenten Zeugen war nur unter sehr engen Voraussetzungen abzulehnen, und das aus gutem Grund. In einem Strafverfahren sollten die Staatsanwaltschaft genauso wie der Angeklagte alle Möglichkeiten haben, ihren Standpunkt zu vertreten. Und wenn er für seinen Mandanten einen Entlastungszeugen präsentieren konnte, war das eines der elementaren Rechte der Verteidigung. Lediglich die zeitliche Komponente und die späte Antragstellung könnten hier ein Problem sein. Rocco wollte unter allen Umständen vermeiden, dass er Malik Elhaje erst in zwei oder drei Wochen vor Gericht vernehmen konnte. Zu viele Dinge passierten gerade gleichzeitig, und er hatte die Befürchtung, dass sein Plan sonst wieder in sich zusammenfiele.

»Ein neuer Zeuge«, erwiderte Doktor Ariane Gregor und klang skeptisch. »Das kommt etwas überraschend, meinen Sie nicht?« Mit kritischem Unterton fügte sie hinzu: »Und nur, dass wir uns richtig verstehen, ich weiß nicht, ob ich Ihrem Beweisantrag so kurzfristig überhaupt stattgeben kann. Über die entsprechenden Normen muss ich Sie ja nicht belehren, oder?«

»Nein«, erwiderte Rocco Eberhardt und wusste, dass er seine nächsten Worte mit Bedacht wählen musste. Die Sache stand auf der Kippe. »Das müssen Sie natürlich nicht. Deshalb rufe ich ja auch persönlich an. Was der Zeuge zu sagen hat, ist relevant. Und es ist auch so eindeutig und wenig komplex, dass es dafür nach meiner persönlichen Einschätzung keine wirkliche Vorbereitungszeit oder Recherche aufseiten der Staatsanwaltschaft braucht.« Er machte eine kurze Pause.

»Ich glaube also nicht«, ergänzte er dann, »dass dieser Antrag und die Vernehmung des Zeugen das Verfahren verzögern, sondern bin mir sicher, dass sie das genaue Gegenteil bewirken werden. Das bisher recht verworrene Bild dieses für uns alle rätselhaften Falles wird dadurch etwas mehr Klarheit bekommen.«

»Na, dann erhellen Sie mich doch bitte mal mit Fakten«, erwiderte Doktor Ariane.

In der nächsten Viertelstunde teilte Rocco Eberhardt gerade so viel an Informationen mit der Vorsitzenden Richterin, dass sie sich nach seiner Überzeugung ein Bild von der Notwendigkeit der Vernehmung von Malik Elhaje als Zeugen machen könnte. Über die detaillierten Ergebnisse seiner Ermittlungen und Kamil Gazal verlor er dabei kein Wort.

»Nun, ich bin prinzipiell geneigt, den Zeugen zu hören, muss aber noch einmal darüber nachdenken«, sagte Doktor Ariane Gregor freiheraus, als Rocco seinen Vortrag beendet hatte. »Bitte erwarten Sie jetzt keine Antwort von mir am Telefon.«

»Natürlich nicht«, sagte Eberhardt, und ein Lächeln zeichnete sich auf seinen Lippen ab. »Ich werde den Beweisantrag in den nächsten zwanzig Minuten an Ihre Geschäftsstelle senden. Und ich würde mich freuen, wenn Sie mein Anliegen und die zu erwartenden Folgen wohlwollend bewerten.«

»Das, Herr Anwalt, überlassen Sie mal lieber mir«, erwiderte Ariane Gregor, ehe sie das Gespräch beendete.

76. KAPITEL

»Haasim, bist du bescheuert?! Wenn dein Vater oder dein Onkel rauskriegen, dass du noch in der Stadt bist, werden sie dich umbringen!«

Ungläubig starrte der junge Libanese den Neffen des Clanchefs an, der keine zwei Minuten zuvor durch den Nebeneingang das Hinterzimmer der Sportsbar betreten hatte. Wie ein Geist war er aus dem Nichts erschienen. Was hatte er hier verloren?

»Alter, das kannst du nicht bringen. Keiner darf dich hier sehen.«

Arrogant und selbstbewusst blickte Haasim Gazal auf sein Gegenüber hinab, während der am Schreibtisch sitzend die Auswertungen der Wettscheine und die Einnahmen des Vortags in die Bücher eintrug.

»Halt die Klappe, Mustafa, du weißt nicht, wovon du redest. Keiner wird mich sehen, und wenn du mich verpfeifst, dann bist du es, den ich umbringe.« Er machte eine Pause und beugte sich kalt lächelnd zu dem jungen Mann runter. »Und deine Frau und deine Kinder!«

Mustafa zuckte zusammen. Er wusste, dass das keine leere Drohung war. Haasim hatte in letzter Zeit nur zu deutlich gezeigt, wozu er fähig war.

Im nächsten Moment richtete Haasim sich wieder auf und schüttelte die Schultern aus, so wie es Boxer vor einem Kampf tun, um sich aufzulockern.

»Haben wir uns verstanden?«

»Ja, Mann, natürlich. Geht klar. Aber was soll der Scheiß? Was machst du hier? Ich dachte, du bist längst im Libanon.«

»Kann ich auf dich zählen, Mustafa?«, fragte Haasim, ohne im Geringsten auf die Frage seines Gegenübers einzugehen.

»Ja, Mann, du kannst auf mich zählen. Das weißt du doch. Du bist mein Bruder, Habibi. Natürlich kannst du auf mich zählen.«

»Gut«, sagte Haasim, zog den billigen Alustuhl zu sich heran und setzte sich.

»Mein Vater ist schwach, er lässt sich von meinem Onkel alles befehlen. Anstatt dass er auf meiner Seite steht, hat er zugelassen, dass Kamil mich wegschickt.« Er ballte die Faust, und seine Augen waren von blankem Hass erfüllt.

Mustafa runzelte die Stirn. Wo sollte das alles hinführen?

»Und mein Onkel wird alt. Er hat Mitleid mit der Schlampe, die ich abgeknallt habe. Anstatt zu begreifen, dass wir ein Zeichen setzen müssen.« Seine Stimme wurde leiser, und sein Blick schweifte ab. »Okay, ich habe den Schnüffler verfehlt, aber so was kommt vor. Was soll's, den hole ich mir eben auch noch.«

Ein weiterer Anschlag, gegen den Willen Gazals? Langsam fragte sich Mustafa, ob Haasim den Verstand verloren hatte.

»Es ist an der Zeit, dass wir die Geschäfte in die Hand nehmen!«, fuhr Haasim mehr zu sich selbst fort, ganz in seine eigenen Gedanken vertieft. Sein Blick war entrückt.

Mustafa spürte, wie Panik in ihm aufstieg. Haasim schien vollkommen durchgedreht, aber er konnte ihn nicht verpfeifen, weil er dann sich und seine Familie in Lebensgefahr brachte. Auf der anderen Seite konnte er aber Haasim nicht decken, weil er sich dann gegen Kamil Gazal stellte, und auch das bedeutete sein sicheres Ende. Er sah nur eine Möglichkeit. Er musste Haasim zur Vernunft bringen!

»Wir?«, fragte er hektisch mit sich überschlagender Stimme. »Du gehst zu weit, Habibi! Das geht nicht, wir können uns doch nicht gegen die Familie stellen. Wir haben keine Chance!«

Lachend lehnte sich Haasim in seinem Stuhl zurück, ehe er ruhig und arrogant antwortete: »Mach dir keine Sorgen, Mustafa. Kein Mensch wird rausbekommen, dass wir dahinterstecken. Ich werde dafür sorgen, dass es ein Desaster gibt. Dass die Bullen meinen Onkel festnehmen und für immer in den Knast stecken. Dann muss mein Vater die Organisation übernehmen. Aber mein Vater ist schwach, und ich werde der sein, der eigentlich die Geschäfte leitet.«

»Und wie willst du das anstellen?«, fragte Mustafa ungläubig und sah Haasim zweifelnd an.

»Das lass mal meine Sorge sein. Und jetzt muss ich los, Habibi, ich treffe mich noch mit Malik.«

Er stand auf, zog sein dunkelblaues Basecap tief in die Stirn und schaute Mustafa durchdringend an.

»Ich verlasse mich auf dich. Und wenn ich rausbekomme, dass du mich bescheißt, weißt du, was passiert.« Drohend hob er den Zeigefinger und setzte dann eine dezente Sonnenbrille auf.

Erst jetzt realisierte Mustafa, dass Haasim sich äußerlich verändert hatte. Er trug anstatt der sonst so protzigen Designerklamotten eine einfache Jeans, Timberland-Boots und ein schlichtes kariertes Hemd. Wäre er ihm so auf der Straße begegnet, hätte er ihn sicher nicht erkannt. Offensichtlich meinte er es ernst mit seinem Plan. Todernst.

77. KAPITEL

»Das können Sie doch nicht machen, Frau Vorsitzende!«, rief Oberstaatsanwalt Doktor Bäumler und sprang mit hochrotem Kopf von seinem Platz auf. »Ich habe von dem Zeugen erst letzten Freitag gehört. Der Antrag ist ganz offensichtlich unzulässig.« Er schnappte nach Luft, griff sich mit der rechten Hand an den Kragen und lockerte seine Fliege. Völlig außer Atem und vor Erregung nach Luft schnappend, fügte er hinzu: »Der Antrag muss wegen Verspätung abgelehnt werden!«

Doktor Ariane Gregor, die nach über zwei Wochen Pause aufgrund einer Erkältung Bäumlers das Verfahren heute pünktlich um neun Uhr wieder eröffnet hatte, schaute den Oberstaatsanwalt fassungslos an.

»Herr Doktor Bäumler, ich kann mich an keine Norm in der Strafprozessordnung oder irgendeinem anderen Gesetz erinnern, die der Staatsanwaltschaft das Recht einräumt, dem Gericht Weisungen zu erteilen!« Ungeduldig fügte sie hinzu: »Bitte nehmen Sie jetzt Platz.«

Bäumler schäumte vor Wut und wollte gerade etwas erwidern, als ihm die Sinnlosigkeit seines Unterfangens bewusst wurde. Hektisch blickte er sich im Gerichtssaal um und setzte sich dann. Die Reporter in der ersten Zuschauerreihe hielten voller Eifer die neuesten Entwicklungen in ihren Blöcken und Laptops fest. In den vergangenen Prozesstagen war das Verfahren, das sie selbst im Vorfeld zu dem spannendsten Prozess des Jahres hochstilisiert hatten, enttäuschend belanglos verlaufen. Sie gierten nach einer Veränderung, und der heutige Tag versprach eine Wende in dem Verfahren, die sie für ihre Schlagzeilen so dringend brauchten.

Genau das kündigte sich an, seit Rocco Eberhardt einen Beweisantrag auf Vernehmung eines weiteren Zeugen, des sechsten Zeugen des Prozesses, gestellt hatte. Das Gericht hatte sich nur kurz zur Beratung über den Antrag zurückgezogen und den Zeugen dann als Beweismittel zugelassen. Obwohl die Zeitspanne zwischen Antragstellung und Vernehmung des Zeugen tatsächlich sehr kurz war, hatte Eberhardt darauf gehofft, dass das Gericht seiner Argumentation folgen würde.

Rocco machte sich eine Notiz und blickte dann zu Oberstaatsanwalt Bäumler. Der Beschluss hatte den selbst ernannten Hüter von Recht und Ordnung mehr auf die Palme gebracht, als es die spätere Aussage rechtfertigen würde, dachte Eberhardt. *Mach dir keine Sorgen, du bekommst deine Verurteilung,* dachte er und ließ seinen Blick dann weiter durch den Gerichtssaal schweifen. Wie an jedem anderen Verhandlungstag waren auch heute wieder alle Plätze besetzt, und die Wachtmeister hatten ihre Mühe gehabt, weitere Zuschauer draußen zu halten. Gerade als er sich wieder der vor ihm liegenden Akte widmen wollte, in der er die Fragen für die Zeugenvernehmung von Malik Elhaje aufgeschrieben hatte, blieb sein Blick an einer Person hängen, deren Erscheinen ihn ehrlich freute: Justus Jarmer!

Die Blicke der beiden Männer kreuzten sich, und Rocco Eberhardt nickte dem Rechtsmediziner freundlich zu. Der erwiderte den Gruß kurz, indem er seine Hand hob. Rocco musste lächeln, als er sah, wie Jarmer auch jetzt wieder mit atemberaubender Geschwindigkeit einen Kugelschreiber um seine Finger kreisen ließ.

Im nächsten Moment wurde er aus seinen Gedanken gerissen. Die Vorsitzende Richterin räusperte sich, was durch die Lautsprecher, die überall im Saal 700 aufgehängt waren, deutlich zu hören war.

»Da die Vernehmung des Zeugen Elhaje vermutlich länger als vierzig Minuten dauern wird, werden wir jetzt eine vorgezogene Mittagspause einlegen. Wir treffen uns um 12.30 Uhr wieder hier und werden dann direkt mit dem Zeugen starten.«

Doktor Gregor schaltete das Mikrofon vor sich aus und erhob sich, ehe sie mit den übrigen Richtern und Schöffen im Zimmer hinter der Richterbank verschwand.

Rocco Eberhardt drehte sich zu Nikolas Nölting um. Zuversichtlich nickte er ihm zu und freute sich über das erste Lächeln, das sein Mandant ihm im Laufe der bisherigen Verhandlungstage in diesem Gerichtssaal geschenkt hatte. Offensichtlich hatte er endlich begriffen, wie viel hier auf dem Spiel stand und dass sein Anwalt die einzige Chance für ihn und seine Familie war.

78. KAPITEL

Nervös wusch sich Malik Elhaje die Hände. Dann blickte er in den Spiegel, der über dem alten, an einigen Stellen angeschlagenen Waschbecken der Toilette unweit des Schwurgerichtssaals hing. Eigentlich war er gut vorbereitet. Er wusste genau, was er sagen sollte. Und er war sich der Tatsache, was dann passieren würde, vollkommen bewusst. Er hatte alles mit dem Anwalt besprochen. Er mochte Eberhardt, ein ruhiger, erfahrener Mann, der ihm genau erklärt hatte, was gleich geschehen würde. Genau aus diesem Grund schämte er sich auch, dass er Eberhardt nicht die ganze Wahrheit gesagt hatte. Der Strafverteidiger hatte keine Ahnung davon, dass Haasim Gazal wieder auf dem Plan erschienen war. Und Eberhardt wusste auch nicht, was der machthungrige und immer gefährlicher werdende Mann von ihm verlangt hatte.

Malik betrachtete sein Spiegelbild. Seine Haare waren jetzt akkurat gestutzt, und er war frisch rasiert. Zu einem hellen Hemd trug er eine beige Stoffhose, dazu dunkelblaue Sneaker. Sein natürlicher, dunkler Teint kaschierte die dunklen Ringe unter seinen Augen so gut, dass Malik selbst überrascht war. Man sah ihm weder seine Aufregung noch seine Angst vor dem an, was gleich im Gerichtssaal passieren würde.

79. KAPITEL

Als Malik Elhaje den Gerichtssaal betrat, um auf der Zeugenbank Platz zu nehmen, ließ er seinen Blick durch die Zuschauer schweifen. Bei Haasim, den er beinahe übersehen hatte, blieb er hängen. Unmerklich nickte er ihm zu. Haasim hatte ihn einige Tage zuvor vor seiner Wohnung in Neukölln abgepasst. Im ersten Moment war er vollkommen überrascht, ihn zu sehen, denn er hätte ja eigentlich im Libanon sein sollen. Das hatte man ihm gesagt. Haasim hatte ihn dann mehr als grob in seine Wohnung gedrängt. Als sie sich in dem kleinen Wohnzimmer auf die einfache Couch gesetzt hatten, hatte Haasim ihm ausführlich erklärt, warum die ganze Organisation nicht mehr sicher sei, solange sein Onkel die Familie anführte. Er hatte von seinem Vater gehört, dass er, Malik, eine wichtige Rolle in dem Prozess gegen Nölting spielen würde. Und er hatte einen neuen Plan geschmiedet. Malik sollte nur zum Schein auf die Aussage eingehen, so wie er sie mit dem Anwalt besprochen hatte, und dann an einer entscheidenden Stelle eine leichte Variante davon erzählen. Die würde seinen Onkel, Kamil Gazal, schwer belasten, sodass dieser dann im Knast landen würde. Er, Malik, würde als Belohnung später eine wichtige Position in der Organisation, die Haasim gemeinsam mit seinem Vater leiten würde, erhalten.

Malik war im ersten Moment wie vor den Kopf gestoßen, hörte dann aber Haasim noch zu Ende an. Der machte ihm klar, wie viel er gewinnen könnte, ließ aber auch keinen Zweifel daran, was er mit Malik machen würde, wenn der sich seinem Wunsch widersetzte.

Und jetzt war er hier, im Gerichtssaal. Zusammen mit Haasim, der als Zeichen, dass er es ernst meinte, tatsächlich auch gekommen war.

Langsam drehte er sich wieder um und blickte die Richterin an, die ihm freundlich zunickte.

»Herr Elhaje«, sagte sie. »Ich bedanke mich, dass Sie uns mit Ihrer Aussage in diesem Verfahren unterstützen wollen. Bevor wir damit beginnen, werden wir erst mal einige Fragen zu Ihnen und Ihrer Person stellen. Also …«

Aber weiter kam Doktor Ariane Gregor nicht, denn im selben Moment ging ein Feueralarm los. Überall im Gerichtsgebäude schallten die Sirenen mit unbarmherziger Lautstärke. Die Vorsitzende Richterin sah fragend zu einem der Wachtmeister an der Tür. Doch als der Alarm nach weiteren fünfzehn Sekunden nicht verstummte, wusste sie, was zu tun war.

Sie wandte sich an die Anwesenden und erklärte, dass aufgrund des Feueralarms alle langsam und geordnet den Saal verlassen und den Anweisungen der Wachtmeister, wohin sie sich zu begeben hatten, Folge leisten müssten.

Malik Elhaje atmete tief durch. Dann erhob er sich und drehte sich um. Er sah, wie auch Haasim aufgestanden war. Fragend sah der zu ihm rüber. Malik zuckte nur mit den Schultern, als könne er sich auch nicht erklären, was hier gerade passierte. Dann verließ er mit den übrigen Beteiligten den Saal. Was Haasim, anders als Malik, nicht ahnen konnte, war, dass er den Gerichtssaal nach der Unterbrechung nicht noch einmal betreten würde.

80. KAPITEL

Nachdem Nikolas Nölting von Wachtmeistern begleitet aus dem Gerichtssaal geführt wurde, griff sich auch Rocco Eberhardt seine Akte, sein Telefon und seinen Stift. Die übrigen Sachen ließ er auf dem Tisch der Verteidigung liegen und verließ ebenfalls den Raum. Tatsächlich beeilte er sich ein bisschen, denn er ging bis zu dem Moment, als sein Handy klingelte, wirklich davon aus, dass es sich um einen regulären Feueralarm handelte.

»Eberhardt«, meldete er sich.

»Herr Rechtsanwalt«, hörte er eine kalte, harte Stimme aus dem Lautsprecher seines Smartphones. Kamil Gazal! Rocco war zum einen überrascht, dass der Clanchef ihn gerade jetzt anrief, noch mehr aber, weil er glaubte, in dessen Stimme im Unterschied zu sonst einen Anflug von Nervosität zu hören. »Ich bitte Sie, den Saal nur sehr langsam Richtung Sammelplatz zu verlassen. Es kann sein, dass es gleich zu einer kleinen Unruhe kommt.«

»Was meinen Sie damit?«, fragte Rocco Eberhardt, doch Gazal hatte bereits aufgelegt. *War der Feueralarm etwa kein Zufall?*

Während er noch darüber nachdachte, kam von hinten ein Wachtmeister und bat ihn höflich, aber bestimmt, den Anweisungen zu folgen und sich an der Sammelstelle einzufinden. Da Rocco keine Ahnung hatte, wo das sein sollte, folgte er dem Menschenstrom Richtung Treppenhaus. Er musste wieder an Gazals Worte denken und blickte sich um, konnte aber nichts Auffälliges entdecken. Weder schien ein Feuer in der Nähe zu sein, noch geschah sonst irgendetwas Außergewöhnliches. Und gerade als er sich fragte, ob es sich um einen falschen Alarm handelte, bemerkte er weiter unten im Treppenhaus, in der Nähe des Eingangs, einen Tumult.

81. KAPITEL

Haasim Gazal wurde so unerwartet von hinten umgestoßen, dass er sich nicht mehr abfangen konnte. Mit einem Krachen schlug er auf den harten Boden am Ende der imposanten Treppen kurz vor der Sicherheitskontrolle am Eingang des Gerichtsgebäudes auf. Er drehte sich auf die Seite, um sich abzustützen, als ihm jemand unter die Arme griff und aufhalf. Gerade als er sich bedanken wollte, hörte er eine vertraute Stimme, direkt an seinem Ohr.

»Habibi, das war ein großer Fehler. Tut mir leid, Mann, aber ich wünschte, es wäre anders gekommen.«

»Was willst du von mir, Nuri?«, fragte Haasim, der sofort erkannt hatte, dass die Stimme einem der beiden Leibwächter seines Onkels gehörte. »Ich habe keinem was getan!«

Im nächsten Moment schlug sich Nuri so, dass es außer ihm und Haasim niemand sehen konnte, mit unfassbarer Wucht selbst gegen die Nase. Er ging zu Boden und fing an zu schreien.

»Was soll das, sind Sie verrückt, was wollen Sie überhaupt von mir?«

Aus seiner Nase tropfte Blut, und er zeigte mit der Hand auf Haasim. Zwei der bewaffneten uniformierten Polizisten, die keine fünf Meter von den beiden entfernt den Ausgang bewachten, kamen auf sie zu. »Was ist hier los?«, rief der erste und versuchte, sich einen Überblick über die Lage zu verschaffen.

»Der da, der mit dem Basecap«, rief er und zeigte mit der einen Hand auf Haasim, während er sich mit der anderen so das

Blut von der Nase wischte, dass jetzt sein ganzes Gesicht verschmiert war und die Verletzung deutlich schlimmer aussah, als sie eigentlich war. »Der da hat mich geschlagen!«

»Das stimmt nicht, er lügt!«, schrie Haasim verteidigend und hob die Arme hoch.

»Ich habe alles gesehen, der Mann hat recht, der da war's!«, meldete sich jetzt eine junge blonde Frau, die nicht älter als zwanzig sein konnte, und zeigte auf Haasim.

Haasim kochte vor Wut. Hier wollte ihn doch jemand verarschen. Hektisch blickte er sich um und versuchte davonzulaufen. Dieses Vorhaben blieb allerdings erfolglos, da er schon nach wenigen Metern von zwei Wachtmeistern aufgehalten wurde, die von der anderen Seite der großen Halle auf sie zugekommen waren.

Aus den Augenwinkeln sah er, wie sich am Eingang mittlerweile eine große Menschenmenge angesammelt hatte. Immer mehr Menschen strömten aus den Gängen und Fluren.

Haasim versuchte, sich aus dem festen Griff der Wachleute zu befreien, aber sie hielten ihn unbarmherzig fest. Die Menschen in seiner unmittelbaren Nähe schauten mit verängstigten Blicken in seine Richtung und versuchten, nach hinten auszuweichen. Unruhe breitete sich aus, und Haasim hoffte, dass diese in Panik umschlagen würde. Vielleicht hätte er dann noch eine Chance, sich zu befreien.

Doch seine Hoffnung wurde schon im nächsten Moment zerschlagen, als einer der beiden Polizisten sich auf die Treppe stellte und mit kräftiger Stimme rief: »Bitte bleiben Sie alle ruhig und verlassen Sie weiter geordnet das Gerichtsgebäude. Wir hatten hier unten einen kleinen Vorfall, der aber geklärt ist.«

Sehr zu seinem Ärger realisierte Haasim, dass die Worte des Beamten ihre Wirkung nicht verfehlten und der Menschenstrom wieder geordnet durch die schweren Türen auf den Gehsteig an der Turmstraße lief.

Haasim merkte, wie ihm Handfesseln angelegt wurden, doch noch immer war sein Widerstand nicht gebrochen. Sie hatten schließlich keinen Grund, ihn länger festzuhalten, und er war sich sicher, dass Nuri, dieser dreckige Verräter, schon längst das Gericht verlassen hatte. Genauso wie diese blonde Schlampe. Damit gab es keine Zeugen mehr und auch keinen Verletzten, und sie müssten ihn laufen lassen.

»Lasst mich los, verdammt noch mal!«, schrie er den Beamten entrüstet an. »Ich habe nichts getan, die wollten euch doch nur verarschen!«

»Na klar, du bist absolut unschuldig«, erwiderte der Polizist und schüttelte lachend den Kopf. »Das seid ihr ja alle!«

Im nächsten Moment spürte Haasim, wie der Beamte ihn offensichtlich auf der Suche nach Waffen oder anderen gefährlichen Gegenständen sorgfältig abtastete.

Soll er doch, dachte Haasim. *Da wird er nichts finden. Ich bin doch nicht so bescheuert und nehme was mit ins Gericht!*

Umso erstaunter war er, als der Polizist plötzlich einen großen Beutel mit lauter kleinen Päckchen weißen Pulvers aus seiner hinteren Hosentasche zog.

»Na, was haben wir denn da?«, fragte der Beamte triumphierend. »Du kommst jetzt erst mal mit, mein Lieber!«

Haasim konnte nicht fassen, was da gerade passierte, und nur langsam dämmerte ihm, dass sie ihn richtig verarscht hatten. Irgendjemand musste ihm den Stoff während des Handgemenges in die Hose gestopft haben. Und er hatte auch eine Vermutung, wer das gewesen sein konnte. Voller Hass blickte er sich um. Dann entdeckte er ihn. Sein Blick kreuzte sich mit dem von Nuri, Kamil Gazals Leibwächter, der sich nur in eine Ecke zurückgezogen hatte. Nuri zwinkerte ihm kurz zu. Im nächsten Moment wurde Haasim abgeführt.

82. KAPITEL

Rocco Eberhardt war beim Verlassen des Gerichtssaals im Gang auf Justus Jarmer gestoßen. Als die beiden sich gerade darüber unterhielten, was wohl der Auslöser des Alarms gewesen sein könnte, bekamen sie aus der Ferne mit, dass es zu einer Streiterei am Eingang gekommen war. Neugierig blickten sie über die Balustrade der Treppen, die von Menschen überflutet waren, nach unten, doch die Situation schien schon wieder geklärt zu sein. Sie bekamen gerade noch mit, wie ein junger Mann von zwei Polizisten abgeführt wurde. Als der Mann sich umdrehte, zuckte Rocco zusammen. Er hatte ihn sofort erkannt. Das war doch Haasim Gazal. Was um alles in der Welt hatte der Neffe des Clanchefs im Gericht verloren? In der Hoffnung, dass man ihm seine Aufregung nicht zu sehr anmerkte, entschuldigte sich Rocco bei Jarmer und sagte ihm, dass er kurz telefonieren müsse. Jarmer nickte und wünschte Rocco für den weiteren Verlauf der Verhandlung Glück, sofern diese noch fortgesetzt würde.

Rocco schaute sich kurz um und stellte sich dann in eine Mauernische, um in Ruhe telefonieren zu könne. Da er weder Feuer sah noch etwas roch, machte er sich auch keine großen Sorgen wegen des Feueralarms. Vielmehr beschäftigte ihn etwas anderes, und das musste er sofort klären. Er wählte die Nummer von Kamil Gazal und ließ seiner Wut und seinem Ärger, was der denn hier schon wieder veranstaltete, freien Lauf. Nicht für eine Sekunde glaubte Rocco, dass Haasim Gazal ohne das Wissen seines Onkels gerade an diesem Tag im Gericht sein könnte.

Der Clanchef ließ sich von Roccos Angriff nicht aus der Ruhe bringen. Unumwunden erklärt er ihm, dass er nur ein Komplott gegen sich niederschlagen musste, die Lage aber jetzt unter Kontrolle war. Rocco sah das gänzlich anders. Ein weiteres Mal hatte der Verbrecherboss ihn darüber im Unklaren gelassen, was hier passierte, und langsam fing Rocco an zu zweifeln, dass es eine gute Idee gewesen war, sich wegen Gazals Unterstützung auf den Zeugen einzulassen. Wer weiß, was noch alles geschehen würde. Leider war es jetzt aber zu spät, denn nach seinem letzten Beweisantrag hatte er seine Karten offen auf den Tisch gelegt. Es gab jetzt keinen Weg mehr zurück. Zumindest keinen, den er sah. Nachdem er das Gespräch mit Gazal beendet hatte, verließ auch er das Gericht und wartete draußen auf den weiteren Verlauf.

83. KAPITEL

Zwei Stunden später setzte die Vorsitzende Richterin die Verhandlung fort. Der Feueralarm hatte sich als Fehlalarm herausgestellt und war scheinbar durch einen defekten Rauchmelder in einem der heute gar nicht benutzten Gerichtssäle verursacht worden.

Rocco war dankbar, dass es endlich weiterging. Er musste die Aussage des Zeugen so schnell wie möglich ins Protokoll kriegen, bevor noch etwas Unerwartetes passierte. Unruhig blätterte er durch die Unterlagen vor sich und atmete erleichtert auf, als die Vorsitzende Richterin endlich mit der Vernehmung des Zeugen fortfuhr.

»Herr Elhaje«, sagte sie freundlich. »Ich hoffe, dass Sie nach dieser unerwarteten Unterbrechung noch in der Lage sind, heute vor uns auszusagen?«

Malik Elhaje nickte.

»Ausgezeichnet. Dann erklären Sie uns doch bitte in Ihren eigenen Worten, was Sie heute hierhergeführt hat und was Sie zu der Aufklärung unseres Falles beitragen können.«

Nervös sah Elhaje zu Rocco, der sich sehr zusammenreißen musste, um die nötige Zuversicht auszustrahlen, ehe er dem sechsten Zeugen zunickte.

»Okay«, begann Elhaje dann mit zittriger Stimme. »Also, es ist so. Ich kannte den Rechtsanwalt und Notar Lindner ganz gut.«

84. KAPITEL

»Lindner hat mich beauftragt, für ihn mit den Landwirten in Nauen zu sprechen. Das war vor etwa vier bis fünf Jahren, da hat er mich in seine Kanzlei gerufen. Wir haben miteinander gesprochen, und er hat mir direkt erzählt, dass es eine Menge Geld zu verdienen gäbe. Er sagte, dass wir diese Möglichkeiten vor allem dem Versagen der Berliner Politik zu verdanken hätten. Sie würden nicht genug Wohnungen für all die Menschen bauen, sodass immer mehr Familien aus Berlin ins Umland ziehen müssten.«

Elhaje wurde jetzt ruhiger, und es machte den Eindruck, als wenn seine anfängliche Aufgeregtheit sich mit jedem seiner Worte weiter legte.

Rocco betrachtete das mit Genugtuung, denn das würde Elhajes Aussage mehr Glaubhaftigkeit verleihen.

»Lindner hat mir dann erzählt, dass man diese Situation relativ einfach ausnutzen könnte. Er wollte Land von den Bauern kaufen. Also Ackerland, meine ich. Und dann dafür sorgen, dass dieses Land zu Bauland wird.« Malik Elhaje griff zu dem Wasserglas vor sich und leerte es mit einem Zug.

»Lindner hat mir erzählt, dass das Land dann viel mehr Wert haben würde. Ich habe ihn dann gefragt, was meine Aufgabe wäre. Er meinte nur, weil er so viel zu tun hätte, bräuchte er jemanden, der rausfindet, welcher der Bauern Land verkaufen wollte.«

»Okay, das verstehe ich«, sagte Doktor Ariane Gregor und

blickte Elhaje durchdringend an. »Bevor wir dazu weiter ins Detail gehen, habe ich allerdings eine Frage. Verraten Sie uns doch bitte, wie Sie Rechtsanwalt Lindner überhaupt kennengelernt haben. Ich meine, wie kam es dazu, dass Sie sich mit ihm getroffen haben.«

»Oh«, erwiderte Malik Elhaje mit einem Lächeln. »Das war ganz einfach. Sie müssen wissen, bei uns in der Community, bei den Libanesen in Berlin, da gibt es einen ganz engen Zusammenhalt. Ich hatte gerade meinen Job in einem Handyladen verloren. Das Geschäft war pleite, und ich war auf der Suche nach etwas Neuem. Und dann hat mir jemand den Tipp gegeben, dass Lindner einen Job hätte.«

»Und wer genau war das?«, fragte Doktor Ariane Gregor.

Elhaje zuckte mit den Schultern.

»Entschuldigen Sie bitte, Frau Richterin, aber das weiß ich nicht mehr. Das ist so lange her, das kann jeder gewesen sein. Wir treffen uns häufig abends in einer der Shishabars in Neukölln oder beim Essen. Es gibt da einfach eine ganze Menge von Plätzen, wo wir zusammenkommen, und da hat es dann einer erzählt. Ich weiß wirklich nicht mehr, wer das war, das ist so lange her.«

Oberstaatsanwalt Bäumler, der seit Beginn der Aussage nervös auf seinem Stuhl hin und her gerutscht war, sprang plötzlich auf.

»Frau Vorsitzende, das ist doch albern«, rief er laut aus. »Das glaubt ihm doch kein Mensch!«

Elhaje drehte sich zu Bäumler um. Sein Gesichtsausdruck wirkte auf eine ehrliche Art und Weise so erschrocken und überrascht, dass Rocco Eberhardt sich zufrieden eine Notiz in seiner Akte machte. Ein weiterer Punkt für uns. *Elhaje macht seine Sache ausgesprochen gut,* dachte er, *und wirkt durch und durch glaubwürdig.*

»Herr Doktor Bäumler, ich weiß Ihr Engagement sehr zu schätzen, und Sie erhalten ja auch noch die Möglichkeit, den Zeugen zu befragen«, wies die Vorsitzende Bäumler zurecht. »Bis dahin bitte ich Sie, sich ein bisschen im Zaum zu halten.«

Streng sah sie ihn an, und für alle Anwesenden im Schwurgerichtssaal 700 war klar, dass sie keine weitere Unterbrechung wünschte.

Schnaufend setzte sich Bäumler und schüttelte den Kopf.

»Herr Elhaje, bitte berichten Sie uns doch, was dann geschah, nachdem Rechtsanwalt Lindner Ihnen den Job angeboten hatte.«

In den folgenden dreißig Minuten erzählte der sechste Zeuge detailliert, wie Lindner ihm eine Liste von Bauern, die Ackerfläche in Nauen besaßen, zur Verfügung gestellt hatte und wie er mit jedem einzelnen Kontakt aufgenommen hatte. Er erzählte weiter, dass etwa ein Drittel durchaus Interesse bekundet hatte, Teile ihres Landbesitzes zu verkaufen, und wie er Lindner diese Informationen vereinbarungsgemäß weitergegeben hatte. Das Ganze, so berichtete er, ging über einige Jahre, und er hatte einmal im Monat einen festen Termin in der Kanzlei von Lindner, wo er sich mit ihm besprach. »Und, Herr Elhaje, jetzt erzählen Sie uns doch bitte, was dann passiert ist.«

Rocco schaute auf. Sie näherten sich jetzt langsam dem entscheidenden Teil der Aussage. So weit lief alles nach Plan.

»Na ja, ich weiß nicht, ob Sie die Kanzlei von Herrn Lindner kennen, aber sein Büro ist direkt neben dem Besprechungszimmer, in dem wir uns immer unterhalten haben. Das ist ein Altbau, und ich habe da immer auf ihn gewartet. Und da sind so große alte Doppeltüren, die von seinem Büro direkt in das Besprechungszimmer führen. Na ja, also da kann man dann immer ganz gut hören, wenn Lindner noch in seinem Büro was besprochen hat, also mit einem anderen Mandanten, oder am Telefon, bevor er zu mir gekommen ist. In den Besprechungsraum, meine ich. Das ist alles einfach sehr hellhörig.«

Elhaje griff wieder zu seinem Wasserglas, das aber mittlerweile leer war, und sah sich suchend um.

Rocco sah das sofort, ergriff die Gelegenheit und ging mit der Wasserkaraffe von seinem Tisch hinüber zu seinem Zeugen. Er goss ihm Wasser ein und klopfte ihm zuversichtlich auf die Schulter. So laut, dass es jeder hören konnte, sagte er dann: »Herr Elhaje, Sie machen das ganz ausgezeichnet. Bitte erzählen Sie dem Gericht jetzt ganz genau, was Sie gehört haben. Es ist wichtig, dass Sie hier die ganze Wahrheit erzählen. Sie sind keinem etwas schuldig, Sie müssen hier nichts verschweigen.«

Jetzt war es Rocco, dem die Vorsitzende Richterin einen tadelnden Blick zuwarf, und Bäumler schien wieder kurz davor, von seinem Stuhl aufzuspringen. Der Oberstaatsanwalt besann sich dann aber offensichtlich eines Besseren und machte sich nur eine Notiz. Rocco Eberhardt hob entschuldigend die Hände, ehe er wieder am Tisch der Verteidigung Platz nahm.

Nachdem Elhaje einen großen Schluck Wasser getrunken hatte, fuhr er fort.

»Es war ungefähr vor einem Jahr, als ich wieder auf Lindner wartete und in dem Besprechungszimmer saß, als ich hörte, wie er in seinem Büro nebenan aufgeregt mit jemandem sprach. Ich glaube, es war ein Telefonat, aber das weiß ich natürlich nicht so genau, weil ich das ja nicht gesehen habe. Ich habe es ja nur gehört.« Er machte eine Pause.

»Und was genau haben Sie da gehört?«, fragte Richterin Gregor.

»Er schien total aufgeregt zu sein, richtiggehend wütend. Er war so laut, dass ich jedes Wort verstanden habe. Er schrie, dass Nölting, den Namen habe ich genau verstanden, dass Nölting nicht mehr spuren würde und dass sie jetzt andere Mittel ergreifen müssten. Er sagte, wenn Nölting jetzt nicht machen würde, was von ihm verlangt würde, dann müsste das Leben seiner Tochter Lily bedroht werden. Nölting sollte seinen verdammten Job machen, sagte er, koste es, was es wolle!«

85. KAPITEL

Die Vernehmung Elhajes dauerte bereits eine gute halbe Stunde, und nach seiner letzten Bemerkung war es so still im Gerichtssaal, dass man eine Stecknadel hätte fallen hören. Die Reporter der Berliner Tageszeitungen saßen gespannt auf ihren Stühlen und saugten jedes Wort des sechsten Zeugen gierig auf.

Rocco wusste, dass sie jetzt an einen ganz entscheidenden Punkt in der Vernehmung gekommen waren. In den nächsten zwei Minuten würde sich entscheiden, ob die Richterin seinem Zeugen glauben oder der Aussage keine Bedeutung beimessen würde.

Das schien auch Doktor Ariane Gregor so zu sehen, die sich auf ihrem Stuhl so weit es ging nach vorne in Richtung von Elhaje beugte, als wolle sie jetzt jedes noch so kleine Detail seiner Mimik und Gestik genau studieren.

»Und was ist dann passiert?«, fragte sie, offensichtlich darauf bedacht, Elhaje nicht in irgendeine Richtung zu drängen.

Der schien ganz in die Geschehnisse der Vergangenheit vertieft zu sein. Er blickte auf seine Hände, die er vor sich auf dem Tisch zusammengefaltet hatte, ehe er fortfuhr.

»Dann ist er kurz danach zu mir in den Besprechungsraum gekommen. Er schien besonders erregt zu sein und sprach nur ganz kurz mit mir. Er sagte, dass ich gute Arbeit geleistet hätte, dass jetzt aber erst mal mein Job zu Ende sei. Er sagte, dass er sich wieder melden würde und dass er jetzt aber keinen Auftrag mehr für mich hätte. Und dann ist er einfach gegangen.«

»Und was haben Sie dann gemacht?«, fragte die Richterin.

»Na ja, die ganze Sache hat mich natürlich geschockt und auch sehr geärgert, aber ich wusste ja auch nicht, was ich machen sollte. Ich bin dann erst mal nach Hause gefahren. Ich war wütend, dass ich jetzt meinen Job los war. Lindner hat ja gut gezahlt. Und die Sache, also was Lindner erzählt hatte, hat mich natürlich sehr beschäftigt. Aber ich dachte dann, das ginge mich nichts an, und dann habe ich halt nichts weiter gemacht.« Elhaje nestelte an seinen Händen und schaute auf den Boden.

Angespannt saß Rocco auf seinem Stuhl. Die Antwort auf die nächste Frage, die so sicher kommen würde wie das Amen in der Kirche, würde alles entscheiden.

»Nichts gemacht«, platzte es aus Bäumler heraus, und die Erregung stand ihm ins Gesicht geschrieben. Und dieses Mal ließ die Vorsitzende Richterin dem Oberstaatsanwalt seinen Zwischenruf unkommentiert durchgehen, denn ganz offensichtlich fragte auch sie sich, ob das alles so stimmen konnte.

»Ist Ihnen nie der Gedanke gekommen, zur Polizei zu gehen?«, hakte Doktor Ariane Gregor nach. »Immerhin waren Sie ja Zeuge einer möglichen Verabredung zu einer Straftat. Es schien ja so, als wollte Lindner hier das Leben eines jungen Mädchens in Gefahr bringen.«

Elhaje schüttelte den Kopf. Er blickte sich zu Rocco Eberhardt um, als suche er von ihm eine Antwort.

Der nickte nur, und Elhaje sah dann wieder zu der Richterin.

»Ich habe nichts weiter gemacht, weil mir sowieso keiner geglaubt hätte. Was meinen Sie denn, wäre passiert, wenn ich zur Polizei laufe. Ein Libanese. Ein Ausländer. Ich habe keinen deutschen Pass, sondern nur eine Duldung.«

Elhaje griff in seine Hosentasche und zog ein grünes Papier hervor. »Aussetzung der Abschiebung steht da drauf«, sagte er und zeigte auf das einfache Ausweispapier. »Alle paar Monate muss ich das verlängern lassen.« Er steckte das Papier wieder ein. »Wenn ich also zur Polizei laufe und einen deutschen Rechtsanwalt beschuldige, hätten die mich doch ausgelacht. Und wer weiß, was dann mit meiner Duldung passiert wäre. Ich hatte einfach Angst, dass die mich dann direkt abschieben.«

Elhaje schüttelte den Kopf, und Rocco meinte, eine Mischung aus Schuldbewusstsein und Angst in seinem Blick zu erkennen.

Leise fuhr Elhaje dann fort: »Außerdem wusste ich ja bis vor Kurzem eh nicht, wie ernst das Ganze ist.« Unsicher sah er zu der Vorsitzenden Richterin.

Diese hielt den Blick und schien darüber nachzudenken, wie sie das Ganze bewerten sollte. Dann, von einem Moment auf den anderen, machte sie sich einige Notizen und stellte Elhaje nur noch wenige Fragen, die aber keine weiteren Erkenntnisse brachten. Schließlich wandte sie sich an Bäumler und Eberhardt.

»Meine Herren, bevor wir hier weitermachen, würde ich mich gerne kurz mit Ihnen in meinem Zimmer unterhalten.«

An ihre Protokollführerin gewandt sagte sie: »Wir unterbrechen die Verhandlung für eine halbe Stunde.«

Die Würfel sind gefallen, dachte Rocco. *Hoffentlich mit dem richtigen Ergebnis.*

86. KAPITEL

»Meine Herren, ich will gleich zum Punkt kommen«, sagte Doktor Ariane Gregor zu Oberstaatsanwalt Doktor Bäumler und Rocco Eberhardt, die mit ihr an dem langen Besprechungstisch Platz genommen hatten.

»Die Aussage des Zeugen, unterstellen wir einmal, dass sie glaubhaft ist, wirft ein gänzlich neues Licht auf unseren Fall. Der Angeklagte hätte demnach ein nachvollziehbares Motiv für seine Tat. Und ob sich das positiv oder negativ für ihn auswirken wird, kann ich zu diesem Zeitpunkt nicht beurteilen. Aber es scheint so, als wenn Lindner ihn erpresst hätte und er darauf reagiert hat.«

»Das ist doch ein ganz lahmer Versuch der Verteidigung, das Strafmaß zu senken«, echauffierte sich Bäumler. »Das ist ein ganz billiger Trick. Der Zeuge ist doch gekauft, das ist ja wohl offensichtlich!«

Fragend sah die Richterin Rocco Eberhardt an. Sie schien diesen Gedanken nicht vollends abwegig zu finden.

Rocco zuckte nur mit den Schultern.

»Frau Vorsitzende«, sagte er dann. »Ich kann den Ärger der Staatsanwaltschaft nicht ganz verstehen. Durch die Aussage des Zeugen kann ich die Möglichkeit, auf Schuldunfähigkeit oder verminderte Schuldfähigkeit zu plädieren, ad acta legen. Und danach sah es eigentlich bisher aus. Denn alles schien ja darauf hinzudeuten, dass bei meinem Mandanten irgendetwas ausgehakt hatte. Er hat sich bisher nichts zuschulden kommen lassen, hat ein straffreies Leben geführt und ist das Stereotyp eines langweiligen Spießers. Wenn sich also ergeben hätte, dass er die Tat aus einem Zustand geistiger Verwirrtheit oder Umnachtung begangen hätte, würde er hier mit einem fantastischen Urteil rauslaufen. Die Aussage aber hat ihm jetzt ein Motiv geliefert, und an meine ursprüngliche Verteidigungsstrategie kann ich damit wohl einen Haken machen. Deshalb kann ich nicht im Geringsten erkennen, warum mir oder meinem Mandanten die Aussage helfen kann oder warum der Staatsanwalt so abstruse Behauptungen aufstellt.«

»Oberstaatsanwalt!«, rief Doktor Bäumler. »Oberstaatsanwalt!«

Die Vorsitzende Richterin blickte erst nachdenklich auf ihre Notizen und dann zu den beiden Juristen.

»Ich danke Ihnen beiden für Ihre Einschätzung. Ich bin geneigt, der Aussage Glauben zu schenken«, fuhr sie dann fort. »Herr Elhaje wirkt auch auf Nachfragen durchaus glaubwürdig auf mich. Ob und wie ich das aber in meinem Urteil berücksichtigen werde, weiß ich noch nicht. Wir haben ja auch noch die Aussage von Frau Nölting, die hoffentlich weiteres Licht in das Dunkel dieses durch und durch verworrenen Falles werfen wird. Wir werden deshalb jetzt mit der Vernehmung fortfahren, und Sie beide werden genug Gelegenheit haben, dem Zeugen Ihre eigenen Fragen zu stellen.«

87. KAPITEL

Nach dem erneuten Aufruf der Sache hatte zunächst Doktor
Bäumler das Fragerecht, doch sosehr er sich auch bemühte, den
Zeugen in Widersprüche zu verwickeln und ihn aufs Glatteis zu
führen, blieb Elhaje bei seiner Geschichte. Auch auf die Frage,
warum er sich jetzt so plötzlich an Rocco Eberhardt gewandt
hatte, brachte er eine schlichte Erklärung.

»Über die ganze Sache, also über den Fall Nölting, wird ja seit
Monaten in den Zeitungen geschrieben. Und ich habe das natürlich auch mitbekommen. Und dann hatte ich das Gefühl, ich
müsste jetzt auch meine Geschichte erzählen.«

Auf Bäumlers Nachfrage, warum er sich denn nicht an die
Polizei gewandt hatte, erwiderte er nur, dass er dachte, Nöltings
Verteidiger wäre der Richtige. Außerdem hatte er ja Sorge wegen
seines Aufenthaltsstatus. Wenn das falsch gewesen sei, täte es
ihm leid. Nachdem Bäumler sich immer wieder im Kreis drehte
und die stets gleichen Fragen stellte, beendete Doktor Ariane
Gregor Bäumlers Befragung und erteilte Rocco Eberhardt das
Wort.

Der fasste sich kurz und stellte nur noch einmal heraus, dass
Elhaje bezeugen konnte, wie Lindner Nölting mit dem Leben
seiner Tochter erpressen wollte. Nachdem er keine weiteren
Fragen hatte, wurde Malik Elhaje als Zeuge Nummer sechs mit
Dank entlassen.

Als alle Zuschauer und Prozessbeteiligten den Verhandlungssaal verlassen hatten, räumte Rocco Eberhardt nach einem lan-

gen Tag seine Sachen zusammen. Besser hätte es nicht laufen können, dachte er, doch den finalen Punkt würde er nicht mit Elhaje setzen. Sein wichtigster und größter Trumpf war die siebte Zeugin: Anja Nölting.

88. KAPITEL

Rocco Eberhardt saß an dem langen Besprechungstisch in seinem Büro. Die Tischplatte war vollständig von den Akten der Sache Nölting bedeckt. Sie würden nur noch einen einzigen Verhandlungstag vor den Plädoyers haben. Es musste alles wie am Schnürchen laufen.

Punkt für Punkt ging er noch einmal die Notizen durch, die er sich am Vormittag im Gefängnis gemacht hatte, als er Nikolas Nölting besucht hatte. Sie hatten die verbleibenden beiden Schritte besprochen, die noch auf Eberhardts Liste standen.

Zum einen würde Nölting endlich mit Doktor Küpper sprechen, der mit der Erstellung eines forensisch-psychiatrischen Gutachtens zu dessen Schuldfähigkeit beauftragt war. Bei den beiden bisherigen Treffen hatte Nölting gegenüber dem Arzt geschwiegen. Rocco Eberhardt bläute ihm ein, dass er in jedem Fall die Wahrheit sagen müsse. Ein erfahrener Psychiater und Gutachter wie Küpper könnte ihm jede Lüge an der Nasenspitze ablesen. Wenn Küpper aber die Zwangslage, in der Nölting sich nach seiner eigenen Einschätzung befunden hatte, dem Gericht gegenüber schilderte, würde das ihre Strategie weiter untermauern. Auf Nöltings Frage, ob er Küpper denn alle Einzelheiten berichten müsse, konnte Eberhardt ihn beruhigen. Er könne zu den Fragen schweigen, durch deren Beantwortung er sich selbst oder seine Familie in Gefahr bringen würde.

Der zweite, entscheidende Punkt betraf Nöltings Frau Anja. Rocco würde sich am Freitag mit ihr treffen, um ihre Aussage, die für den kommenden Montag terminiert war, zu besprechen. Anja Nöltings Aussage würde für die spätere Findung des Strafmaßes von erheblicher Bedeutung sein.

Nölting verstand, was Rocco ihm sagte, und erklärte sich mit allen Punkten einverstanden.

Bei der Antwort auf die Frage, mit welchem Urteil er denn rechnen müsse, nahm Rocco kein Blatt vor den Mund. Spätestens seit der Aussage von Malik Elhaje konnte das Gericht den Umständen nach nur auf Mord entscheiden. Und auf Mord stand lebenslange Freiheitsstrafe. Doch gerade diese neue Sachlage ermöglichte es ihnen, eine der gewagtesten juristischen Verteidigungsstrategien zu fahren. Wenn das allerdings schiefging, würde Nölting bis ans Ende seiner Tage gesiebte Luft atmen. Was Eberhardt Nölting verschwieg, war, dass er die Chance zu obsiegen auf nicht mehr als dreißig Prozent taxierte. Doch das musste sein Mandant nicht wissen. Er war sicherlich auch so schon aufgeregt genug.

Im Anschluss an den Besuch im Gefängnis war Rocco direkt in die Kanzlei gefahren. Neben der Vorbereitung des nächsten Tages hatte er noch ein Telefonat zu führen. Denn er wollte sichergehen, dass er mit keinen weiteren Überraschungen mehr rechnen musste.

89. KAPITEL

»Herr Rechtsanwalt«, sagte Kamil Gazal zu Roccos Überraschung, denn er hatte die Rufnummernunterdrückung auf seinem Handy aktiviert. »Ich habe schon mit Ihrem Anruf gerechnet.«

»Woher verdammt noch mal wissen Sie, dass ich es bin, Sie können doch meine Nummer gar nicht sehen?«, fragte Rocco und biss sich im selben Moment auf die Lippe, als ihm die Antwort dazu in den Kopf schoss.

»Vergessen Sie die Frage«, sagte er deshalb. »Ich bin natürlich der Einzige, der diese Nummer kennt, und wenn es klingelt, kann nur ich es sein. Sie haben eine Vielzahl von Handys.«

Rocco hörte am anderen Ende der Leitung ein leises Lachen von Gazal, der mit ungewohnt heiterer Stimme erwiderte: »Ich freue mich zu hören, dass Sie langsam auch wie ein echter Geschäftsmann denken.«

Rocco konnte nur darüber den Kopf schütteln, wie dreist Gazal den Begriff Gangster durch Geschäftsmann ersetzte. Aber vielleicht, dachte er bei sich, waren diese beiden Professionen ja auch in anderen Fällen näher beieinander als allgemein angenommen.

»Ich will gleich zur Sache kommen«, fuhr Eberhardt fort. »Die Situation gestern mit Ihrem Neffen Haasim war alles andere als vertrauenerweckend und eine Überraschung, auf die ich in Zukunft gerne verzichten möchte. Genauso wie eine weitere Einmischung der neuen Freunde, die mein Mandant plötzlich im Knast gewonnen hat.«

Rocco, dem bewusst war, dass Kamil Gazal niemals seine Verbindung mit einer dieser beiden Situationen zugeben würde, auf der anderen Seite aber auch keine Lust hatte, das unkommentiert hinzunehmen, fügte deshalb mit knappen Worten hinzu: »Mir ist bewusst, Herr Gazal, dass Sie davon genauso überrascht gewesen sein müssen wie ich. Denn anders kann und darf es ja nicht sein. Das Einzige, was ich Ihnen sagen möchte, ist, dass weitere Störungen am nächsten Verhandlungstag nicht sehr hilfreich wären und dass ich die Hoffnung hege, dass es deshalb keine mehr geben wird.«

»Sie haben absolut recht«, erwiderte Gazal ruhig und klang von einem Moment auf den anderen wieder eiskalt und berechnend. »Ich war ebenso überrascht wie Sie. Aber, da werden Sie mir wohl zustimmen, es hat sich dann ja alles zum Positiven entwickelt. Was ich sagen kann, ist, dass meines Wissens nach nichts Ungewöhnliches geschehen sollte.«

Das war alles, was Rocco wissen wollte, und ohne Frage auch alles, was Gazal zu diesem Zeitpunkt mit ihm teilen würde. Er glaubte nicht für einen Moment, dass Gazal von nichts gewusst hatte, aber verließ sich jetzt darauf, dass es keine weiteren Überraschungen geben würde.

»Schön, dass wir beide also dieselbe Vorstellung davon haben«, erwiderte Rocco deshalb nur kurz und beendete das Gespräch.

Ein Blick auf seine Liste zeigte ihm, dass nur noch ein einziger Punkt offen war.

90. KAPITEL

»Wirklich, schon am kommenden Freitag?« Dankbar schaute Alessia die Ärztin an, die ihr vor gerade mal zwei Wochen in der Notoperation das Leben gerettet hatte.

»Ja, Sie machen erstaunlich gute Fortschritte, und die Tests verlaufen alle positiv. Wenn Ihre Werte für die nächsten acht Tage weiter stabil bleiben, können Sie am übernächsten Wochenende wieder in Ihrem eigenen Bett schlafen. Vorausgesetzt, dass Sie sich auch wirklich schonen werden, denn mit einem Hirnödem, so nennt man die Schwellung in Ihrem Kopf, ist nicht zu spaßen.«

Sie lächelte Alessia aufmunternd an, machte sich dann noch einige Notizen auf ihrem Tablet-Computer und verabschiedete sich.

Alessia, die bis auf die Wunde unter dem Verband um ihren Kopf keinerlei sichtbare Verletzungen mehr hatte und wieder weitestgehend hergestellt zu sein schien, griff zu ihrem iPhone und überlegte kurz, wen sie als Erstes anrufen sollte, um die guten Nachrichten zu teilen. Dann wählte sie die Nummer ihres Bruders.

Nachdem sie Rocco alles erzählt hatte, erkundigte sie sich, wie es ihm ginge und was sein großes Verfahren machte.

»Nächsten Freitag sind die Schlussplädoyers. Wenn alles gut geht, haben wir dann zwei Sachen, die es zu feiern gibt«, erzählte er ihr.

Er berichtete ihr in Grundzügen, was sich in den vergangenen Tagen zugetragen hatte, ohne sich in Details zu verlieren. Alessia fragte auch nicht weiter nach. Ebenso wenig, wie es sie interessierte, wer das Attentat auf sie verübt hatte und wie die Ermittlungen verliefen. Sie vertraute ihrem Bruder, dass keine Gefahr mehr drohte, und sie war auf dem Weg der Besserung. Das war alles, was für sie zählte. Sie blickte nach vorne und nicht zurück. So war sie eben. So ganz anders als Rocco.

91. KAPITEL

Der letzte Verhandlungstag
vor den Schlussplädoyers

Berlin-Moabit, Kriminalgericht, Schwurgerichtssaal 700:
Montag, 31. August, 9.15 Uhr

Bevor die Sache aufgerufen wurde, sah Rocco sich in dem großen Gerichtssaal um. Dicht gedrängt saßen heute noch mehr Journalisten in der ersten Reihe des Zuschauerblocks als an den vergangenen Verhandlungstagen. Und das war kein Wunder. Mit Spannung wurde die Aussage von Anja Nölting, der siebten Zeugin, erwartet. Presse und Öffentlichkeit hofften gleichermaßen, dass sie intime Details zu den Hintergründen der Tat und zum Seelenleben ihres Mannes Nikolas Nölting, dem ›Killer-Beamten‹, teilen würde. Wie nicht anders zu erwarten, stand auch Bäumler wieder inmitten der Reporter und gab mit großspurigen Gesten offensichtlich seine Einschätzung der Lage zum Besten. Nachdem er am Vortag in einem ausführlichen Interview mit Foto die dritte Seite des meistverkauften Hauptstadtblattes geziert hatte, schien sein Selbstbewusstsein neue Sphären erreicht zu haben. Aber das kümmerte Rocco nicht im Geringsten. Abgerechnet würde am Schluss, und dann, so war er sich sicher, würde Bäumler sich noch sehr wundern.

Zwischenzeitlich war auch die Meinung der Öffentlichkeit geteilt, wie sich aus zahlreichen Posts auf Facebook und Twitter zeigte. Nachdem Malik Elhaje in seiner Aussage das vermutliche Motiv, nämlich dass Nölting das Leben seiner Tochter Lily schützen wollte, offenbart hatte, hatte die eine Hälfte kein Erbarmen mit Nölting und warf ihm vor, sich selbst in diese gefährliche Lage gebracht zu haben, während ihm auf der anderen Seite ein gewisses Maß an Sympathie entgegengebracht wurde.

Rocco Eberhardt wusste, dass es nur an einer einzigen Person hing, ob das Pendel im Anschluss an den heutigen Tag endgültig eher in die eine oder in die andere Richtung ausschlagen würde: Anja Nölting.

92. KAPITEL

Der letzte Verhandlungstag
vor den Schlussplädoyers

Berlin-Moabit, Kriminalgericht, Schwurgerichtssaal 700:
Montag, 31. August, 9.32 Uhr

Voller Ehrfurcht saß Anja Nölting auf der Zeugenbank und blickte nervös erst zu ihrem Mann, dann zu Rocco Eberhardt. Der nickte ihr aufmunternd zu, was ihre Nervosität aber nicht im Geringsten reduzierte. Am vergangenen Freitag hatte er ihr in der Kanzlei Schritt für Schritt erklärt, was heute passieren würde und dass sie einfach alles so erzählen solle, wie es geschehen war. Welche Fragen kommen würden und was von Bedeutung wäre, hatte er nicht mit ihr geteilt. Das würde ihre Aufregung nur noch erhöhen, hatte er gesagt, doch sie wusste nicht, ob das eine gute Entscheidung war. Und jetzt war das auch nicht zu ändern. Die letzten beiden Tage hatte sie kaum Schlaf gefunden, so sehr nahm sie das alles mit.

Hier saß sie nun, am letzten Prozesstag dieses Verfahrens, das nicht nur das Leben ihres Mannes, sondern auch ihr Leben und das von Lily von Grund auf geändert hatte.

Nachdem sie die Angaben zu ihrer Person gemacht hatte, bat die Vorsitzende Richterin sie, die Geschehnisse des 12. Januar, des Tages der Tat, noch einmal aus ihrer Sicht zu schildern.

Über eine Stunde erzählte Anja Nölting detailliert, wie sie diesen schicksalhaften Sonntag erlebt hatte. Im Anschluss beantwortete sie alle Fragen der Vorsitzenden Richterin und der übrigen Richter und Schöffen: Was sie von der Arbeit ihres Mannes, was sie von Moritz Lindner und was sie von der angeblichen Umwidmung der Grundstücke gewusst hatte. Doch schnell schien für jeden im Gerichtssaal klar zu sein, dass sie von alldem keine Ahnung gehabt hatte. Nikolas Nölting hatte ganz offensichtlich nichts mit ihr geteilt, was irgendwie mit seiner schrecklichen Tat zu tun hatte.

Im Anschluss an die Vernehmung durch das Gericht erteilte die Vorsitzende Richterin Oberstaatsanwalt Doktor Bäumler das Wort. In der ihm eigenen Art und Arroganz schreckte er nicht davor zurück, Anja Nölting mit immer wieder neuen Fragen und Angriffen zu bombardieren. Mehrfach musste Richterin Doktor Gregor eingreifen und ihn zur Räson rufen. Schließlich hatte auch sie offenbar genug und unterbrach ihn inmitten einer weiteren Wortattacke: »Herr Doktor Bäumler. Ich kann nicht erkennen, wohin Ihre Vernehmung noch führen soll, und möchte Sie bitten, etwas mehr Klarheit in Ihre Fragen zu bringen oder zum Ende zu kommen. Außerdem möchte ich Sie daran erinnern, dass Frau Nölting hier als Zeugin befragt wird und nicht auf der Anklagebank sitzt.«

Mit einer großen Geste klappte Bäumler die Akte vor sich zu und schüttelte demonstrativ den Kopf. Dann sah er noch einmal zu Anja Nölting hinüber.

»Liebe Frau Nölting, ich bin mir nicht sicher, ob ich Ihnen glauben kann, dass Sie von all dem Treiben Ihres Mannes nichts gewusst haben wollen. Für die Rolle der Unschuld vom Lande scheinen Sie mir doch ein wenig zu schlau zu sein. Aber ...«, schloss er seine Ausführungen und blickte dabei erst zu den Reportern und dann zu der Vorsitzenden Richterin, bevor er sich setzte, »... das ist ja auch nicht an mir, darüber zu entscheiden. Dafür haben wir ja ein Gericht.«

Richterin Gregor runzelte die Stirn und schien sich nur schwer einen Kommentar verkneifen zu können, ehe sie Rocco Eberhardt das Wort erteilte.

Aufgeregt blickte Anja Nölting ihn an, als er sich erhob und mit ruhiger Stimme an sie wandte.

»Frau Nölting, vielen Dank, dass Sie in den letzten knapp zwei Stunden alles erzählt haben, was Sie zu diesem Fall wissen, das hilft uns allen hier weiter, ein klareres Bild zu bekommen. Ich möchte Ihnen gerne noch ein paar Fragen zu einem ganz anderen Bereich stellen, wenn ich darf.«

Fragend sah Anja Nölting den Anwalt ihres Mannes an. Sie wusste nicht, was er von ihr wollte. Doch schon im nächsten Moment klärte sich das auf.

»Liebe Frau Nölting, was mich interessieren würde, ist das Verhältnis Ihres Mannes zu Ihrer gemeinsamen Tochter Lily. Wie würden Sie das mit Ihren Worten beschreiben?«

Von einer Sekunde auf die andere, bei der bloßen Erwähnung des Namens ihrer Tochter, entspannten sich ihre Gesichtszüge. Sie drehte sich zu ihrem Mann Nikolas um und sah ihm mit einem Lächeln in die Augen. Dann blickte sie wieder zu Rocco.

»Das kann ich Ihnen ganz einfach beantworten. Es ist geprägt von einer so tiefen und aufrichtigen Liebe, wie ich sie noch nie zuvor erlebt habe.«

Auf die Fragen von Rocco Eberhardt erzählte sie die ganze Geschichte seit Lilys Geburt. Von der großen Freude bis zu der Diagnose des Angelman-Syndroms. Wie unsicher sie selbst gewesen war und wie sie schließlich wieder Zuversicht und Lebensmut gefasst hatte, weil ihr Nikolas zur Seite stand. Er war ihr Fels in der Brandung, er war derjenige, der Lily und ihr Schicksal viel schneller als sie akzeptiert und dann alles getan hatte, um sie, so weit es ging, zu unterstützen und ihr ein unbeschwertes Leben zu ermöglichen.

Sie erzählte von Nikolas' Beförderung und seinen Beraterverträgen und merkte nicht, wie ein Raunen durch den Gerichtssaal ging. Sie erzählte von dem Heim, von den Kosten, und welches Glück es war, dass sie sich das mit einem Mal leisten konnten. Dabei blendete sie die ganzen neuen Erkenntnisse, woher das Geld wirklich gekommen war, vollkommen aus. Sie war jetzt mit ihren Gedanken ganz in der Vergangenheit, als ihre Welt noch vollkommen in Ordnung gewesen war.

Anja Nölting war so sehr vertieft, dass sie auch nicht mitbekam, wie die sensationsheischende Stimmung, die noch zu Beginn ihrer Aussage in dem ehrwürdigen Gerichtssaal herrschte, sich langsam in Verständnis und Zustimmung zu wandeln schien. Es war, als wenn Presse und Zuschauer ein neues Gesicht von ihrem Mann zu sehen bekamen. Aus dem ›Killer-Beamten‹ wurde mit jedem weiteren Wort von ihr der Vater, der sich ohne ihr Wissen mit dem zwielichtigen Lindner eingelassen hatte, um das Geld für die Betreuung seiner Tochter aufzutreiben. Der all die Verfehlungen nur begangen zu haben schien, um das Beste für Lily, seine geliebte Tochter, zu erreichen.

Die letzte Frage, die Rocco Eberhardt ihr stellte, ließ die anwesenden Zuschauer die Luft anhalten: »Können Sie verstehen, warum Ihr Mann das getan hat?«

Von einer Sekunde auf die andere war Anja Nölting aus ihren Gedanken gerissen. Ihre eben noch entspannten Gesichtszüge verzerrten sich, und sie musste sich kurz sammeln.

Dann sagte sie mit fester Stimme und dem Brustton der Überzeugung: »Jeder Vater, der seine Tochter so liebt wie Nikolas unsere Lily, würde wahrscheinlich so handeln.«

Sie drehte sich zu ihrem Mann um und sah ihm in die Augen.

Dann wandte sie sich wieder an Rocco.

»Aber nun bin ich alleine mit unserer Tochter. Ich weiß nicht, ob es das wert war.«

Ihre Stimme hatte eine Traurigkeit und einen Schmerz, die

jeden im Gerichtssaal zu berühren schienen. Und mit einem Mal schien allen klar zu sein, was für ein tragisches Schicksal sich gerade vor ihnen offenbarte.

93. KAPITEL

Der letzte Verhandlungstag
vor den Schlussplädoyers

Berlin-Moabit, Kriminalgericht,
auf dem Flur vor dem Schwurgerichtssaal 700:
Montag, 31. August, 12.02 Uhr

»Herr Eberhardt, Frau Nölting, bitte nur einen Kommentar«, rief Tommi Lobrecht vom *Tagesspiegel* den beiden zu, als sie sich einen Weg durch die zahlreichen Reporter bahnten.

Die emotionale Aussage von Anja Nölting hatte das Bild von Nikolas Nölting in den letzten dreißig Minuten so grundlegend geändert, dass jeder der Erste sein wollte, der eine Stellungnahme von ihr erhielt.

»Jetzt«, erwiderte Rocco Eberhardt, »ganz sicher nicht. Aber rufen Sie mich doch gerne nach der Verkündung des Urteils noch einmal an, dann sehe ich, was ich für Sie tun kann.«

Tommi Lobrecht war einer der wenigen Journalisten, die sich in den vergangenen Monaten positiv durch ausgewogene und kluge Berichterstattung von den reißerischen Artikeln seiner Kollegen unterschieden hatten. Rocco wusste das zu schätzen und hatte kein Problem damit, ihm später ein umfassendes Interview zu geben. Aber jetzt war nicht der richtige Zeitpunkt dafür. Jetzt musste er sich erst mal um Anja Nölting kümmern. Zielstrebig geleitete er sie über die lange Treppe des Gerichtsgebäudes und den Ausgang bis zu einem der zahlreichen Taxis, die um die Ecke des Gerichtsgebäudes in einer langen Schlange auf Fahrgäste warteten. Gemeinsam mit ihr nahm er auf der Rückbank Platz und bedankte sich bei ihr für ihren mutigen und ehrlichen Auftritt. Nachdem der Taxifahrer fünf Minuten gefahren war, bat Eberhardt ihn, kurz anzuhalten. Er informierte Anja Nölting detailliert, was in den nächsten Tagen geschehen würde, und verließ dann das Taxi. Anja Nölting sagte ihm, dass sie jetzt nach Hause fahren würde, wo eine Freundin zwischenzeitlich auf Lily aufgepasst hatte.

Rocco Eberhardt blickte dem Taxi nach, wie es sich in den geschäftigen Berliner Verkehr einordnete und langsam aus seinem Blickfeld verschwand.

Nachdenklich ließ er sich die letzten beiden Stunden noch einmal durch den Kopf gehen, während er in Richtung des Strafgerichts in Moabit zurücklief.

94. KAPITEL

Der letzte Verhandlungstag
vor den Schlussplädoyers

Berlin-Moabit, Kriminalgericht, Schwurgerichtssaal 700:
Montag, 31. August, 15.07 Uhr

Vor dem erneuten Aufruf der Sache bat die Vorsitzende Richterin Rocco Eberhardt und Oberstaatsanwalt Doktor Bäumler zu einem kurzen Austausch an die Richterbank.

»Sie beide«, begann sie, »hatten ja zwischenzeitlich Gelegenheit, den Nachtrag zu Doktor Küppers Gutachten zu studieren. Zusammengefasst kann man sagen, dass es keine Zweifel an der Schuldfähigkeit von Nikolas Nölting zum Tatzeitpunkt gab. Die einzig neue Information ist, dass Doktor Küpper die Zwangslage von Nikolas Nölting bestätigt, die dieser aufgrund der Bedrohung seiner Tochter gesehen hat. Da Doktor Küpper bedauernswerterweise die nächsten drei Wochen nicht für eine Aussage vor Gericht zur Verfügung steht, bin ich geneigt, das Gutachten zu verlesen, statt zu warten, bis er zurückkehrt, damit wir keine weitere Zeit verlieren.«

»Frau Vorsitzende«, erwiderte Bäumler. »Ich bin mir nicht sicher, ob eine Vernehmung des Sachverständigen nicht doch weitere Informationen zum Vorschein bringen würde.«

Rocco nahm mit einer gewissen Genugtuung zur Kenntnis, dass die Richterin den Oberstaatsanwalt mit einem skeptischen Blick ansah.

»Welche weiteren Auskünfte erwarten Sie denn genau?«, fragte sie.

»Nun, das kann ich ja jetzt noch nicht genau sagen, ohne dass ich mit Doktor Küpper gesprochen habe«, erwiderte er mit schnippischem Ton. Als Bäumler aber zu realisieren schien, dass die Vorsitzende sein Ansinnen offenbar nicht besonders wohlwollend aufnahm, schien er über seinen Schatten zu springen.

»Nun gut, wenn es denn dem Verfahren dient, bin ich einverstanden«, fügte Bäumler dann etwas zerknirscht hinzu.

Rocco hätte sich über größeren Widerstand von Bäumler aber auch sehr gewundert. Er hatte es noch nie erlebt, dass ein erfahrener Gutachter seine Einschätzung aufgrund kritischer Nachfragen vor Gericht über den Haufen geworfen hatte. Das musste Bäumler auch klar sein.

Auch Rocco Eberhardt hatte keine Einwände. Die Tatbegehung stand nicht zur Frage, und die Motivation Nöltings, dass dieser seine Tochter schützen wollte, war nach der Aussage von Anja Nölting ohnehin in Stein gemeißelt.

»Ich danke Ihnen«, schloss Doktor Ariane Gregor die kurze Besprechung, nickte den beiden Juristen zu und eröffnete im Anschluss die Sitzung für den letzten Teil der Beweiserhebung.

95. KAPITEL

»Die Würfel sind gefallen«, sagte Rocco Eberhardt und reichte seinem Freund Tobias Baumann einen Gin Tonic.

»Jetzt«, fuhr er fort und blickte von der Dachterrasse seiner Wohnung in den Berliner Nachthimmel, »haben wir noch einen letzten Punkt zu erledigen.«

»Was genau meinst du?«, fragte Tobias und blickte seinen Freund an. »Mit Elhajes Aussage und der Verlesung von Küppers Gutachten steht außer Frage, dass Nölting nicht nur wusste, was er tat, sondern auch, dass er Lindner nach den Buchstaben des Gesetzes heimtückisch ermordet hatte. Und darauf, mein lieber Freund, steht lebenslange Freiheitsstrafe.«

Offensichtlich verblüfft von dieser klaren Aussage fragte Baumann nach: »Aber das ist doch das Letzte, was wir eigentlich wollten, oder?«

»Na ja, nicht ganz«, erwiderte Rocco Eberhardt. »Denn das war unsere einzige Möglichkeit, mit einem ungewöhnlichen Schachzug doch noch das Beste für Nölting zu erreichen. Es kommt jetzt alles auf das Schlussplädoyer an und dann darauf, ob das Gericht meinem Vortrag folgen wird.«

»Und was genau brauchen wir dafür?«

»Eine mutige Richterin und verdammt viel Glück!«

96. KAPITEL

»Sanitäter, wir brauchen hier einen Sani!«, schrie einer der Gefangenen aufgeregt und wandte sich verzweifelt an den Vollzugsbeamten, der von der Situation vollkommen überfordert schien.

»Wieso, was ist denn passiert?«, fragte der junge Beamte hektisch und schaute sich in der Gemeinschaftsdusche der alten Haftanstalt um.

»Der da, dort, der muss ausgerutscht sein.«

Der Beamte folgte dem Fingerzeig des Häftlings und sah einen jungen, dunkelhaarigen Mann, der leblos auf den Fliesen des engen Raumes lag. Er beugte sich zu ihm hinunter und versuchte vergeblich, ihn anzusprechen.

Über sein Funkgerät rief er schließlich einen Sanitäter, der keine fünf Minuten später vergeblich versuchte, den jungen Mann zu reanimieren. Der Mann war tot. Nach Angaben der übrigen Häftlinge war er nach einer ungeschickten Bewegung ausgerutscht und unglücklich auf seinen Kopf gefallen.

97. KAPITEL

»Ich kann dir nicht genug sagen, wie sehr mich dein Verlust schmerzt, Habibi«, sagte Kamil Gazal und klopfte seinem kleinen Bruder auf die Schulter. Er hielt ihn mit solcher Kraft in seinem Arm, dass dieser kaum Luft zum Atmen hatte. »Haasim war für mich wie ein Sohn! Ein tragischer Unfall. Ich weiß nicht, was ich sagen soll!«

Sair löste sich aus der Umarmung und sah seinen großen Bruder aus hasserfüllten Augen an. Haasim! Sein großer Bruder hatte ihm seinen Sohn Haasim genommen. Wie hatte er das nur wagen können. Tränen liefen über seine Wangen, und er war so voller Wut, dass er am liebsten auf Kamil eingeschlagen hätte. Er blickte sich in dem Hinterzimmer des Wettbüros um, in dem neben seinem Bruder auch dessen Leibwächter und die versammelte Führungsriege ihrer Familie versammelt waren. Er sah von einem zum anderen, und mit einem Mal wurde ihm klar, dass er hier auf verlorenem Posten stand. Erbarmungslos erwiderten die übrigen Männer seinen Blick. Schließlich sah er seinem großen Bruder in die Augen, und die Härte und Kälte, die ihm entgegenschlugen, ließen keinen Raum für Zweifel. Wenn er sich nicht fügte, wäre das auch sein sicheres Ende. Haasim hatte die Familie hintergangen und dafür den ultimativen Preis gezahlt. Das würde ihm nicht passieren.

98. KAPITEL

Zum letzten Mal ging Rocco Eberhardt den Entwurf seines Schlussplädoyers, das er am nächsten Tag zum Abschluss dieses schicksalhaften Verfahrens halten würde, durch. Dann schlug er die Akte zu und ließ sich in seinem Schreibtischsessel nach hinten fallen.

Gewinnen würde hier am Ende keiner, so viel war ihm mittlerweile klar. Dieser Prozess unterschied sich von allen anderen Verfahren, die er in den vergangenen Jahren vertreten hatte. Es war kein Spiel mehr, und er konnte deshalb nicht siegen. Er musste an seine Unterhaltung mit Justus Jarmer denken, der sich wie kein anderer für die Wahrheit einsetzte. Und selbst der erfahrene Rechtsmediziner, für den es üblicherweise nur Schwarz und Weiß gab, war schließlich mit seiner Einschätzung ins Wanken geraten.

Das Einzige, was er jetzt noch tun konnte, war, so gut es ihm eben möglich war, zu plädieren. Und zu hoffen. Zu hoffen, dass am Ende gegen die eindeutigen Normen des Strafgesetzbuches die Gerechtigkeit siegte. Für einen Vater, der sich in seinen Handlungen verrannt hatte. Und für dessen Tochter, die von all den Geschehnissen um sie herum nicht die geringste Ahnung hatte.

99. KAPITEL

Der Tag der Schlussplädoyers

Berlin-Moabit, Kriminalgericht, Schwurgerichtssaal 700:
Freitag, 4. September, 9.07 Uhr

Die Spannung in dem altehrwürdigen Gerichtssaal war förmlich mit den Händen zu greifen.

Rocco Eberhardt ordnete seine Unterlagen auf dem Tisch der Verteidigung vor sich und drehte sich dann zuversichtlich zu Nikolas Nölting um. Er hatte seinen Mandanten darauf vorbereitet, dass Oberstaatsanwalt Doktor Bäumler jede Gelegenheit ergreifen würde, ihn in seinem Abschlussvortrag als gewissenlosen, berechnenden und heimtückischen Mörder darzustellen.

Und genauso geschah es auch. Bäumler war ganz in seinem Element und lieferte eine Show ab, die einem Hollywoodstaatsanwalt alle Ehre gemacht hätte. Ganz offensichtlich weniger für das Gericht, das am Ende über die Schuld von Nikolas Nölting zu befinden hatte, sondern vielmehr für die Zuschauer im Saal und vor allem für die versammelte Hauptstadtpresse. Gebannt hingen die Journalisten an seinen Lippen und notierten jedes einzelne Wort. Nach einigen geradezu pathetischen Worten über die Notwendigkeit der objektiven Strafverfolgung begann Bäumler dann, den Fall von hinten aufzurollen. Zu seiner großen Überraschung musste Rocco Eberhardt neidlos anerkennen, dass Aufbau und Struktur des Plädoyers trotz der übertriebenen und oft grenzwertig bildhaften Sprache in erschreckender Form auf ein klares Ziel hinausliefen. Nikolas Nölting war kein Unmensch, aber ein Mörder!

»Nicht nur, dass der Angeklagte auf unmoralische Art und Weise seine Stellung als Staatsbeamter missbraucht hat, er hat sich in der Vergangenheit auch auf Kosten der Allgemeinheit, auf Kosten der Steuerzahler, auf Kosten …«, hier machte er eine dramatische Pause und dreht sich zu den Zuschauern um, »… von Ihnen bereichert.«

Mit einem verständnisvollen Ausdruck auf dem Gesicht blickte er in Richtung Nölting. »Ich glaube und erkenne an, dass der Angeklagte das alles getan hat, um seiner Tochter ein besseres Leben zu ermöglichen.«

Genauso unbarmherzig und hart fuhr er dann aber fort: »Aber das war nicht rechtens. Wir leben immer noch in einem demokratischen Staat mit einem exzellenten Gesundheitssystem, das gut für die Tochter des Angeklagten gesorgt und alle Unterstützung angeboten hat, die auch jedes andere Kind in diesem Land, das darauf angewiesen ist, erhält. Sich über dieses System zu stellen und damit über jedes andere Kind, war falsch.«

Bäumler ging zurück zu seinem Platz und blätterte in den Akten, die er großflächig auf seinem Tisch ausgebreitet hatte. Nach einem kurzen Moment hellte sich sein Gesicht auf, und er wandte sich wieder an das Publikum.

»Aber wissen Sie was, darauf kommt es hier eigentlich gar nicht an. Denn die wirklich verwerfliche Tat, derer sich der Angeklagte schuldig gemacht hat, war der heimtückisch begangene Mord an Moritz Lindner. Unterstellen wir einmal für wahr, dass der Angeklagte und das Opfer in den Grundstücksverfahren gemeinsame Sache gemacht haben. Und unterstellen wir auch einmal, dass der Zeuge Elhaje die Wahrheit gesagt hat und er gehört hat, wie Lindner am Telefon über ein Bedrohungsszenario gesprochen hat. Und unterstellen wir weiter als wahr, dass Nikolas Nölting auch von Lindner erpresst worden ist. All das gab ihm nicht das Recht, Moritz Lindner unter einem Vorwand in die Bäckerei ›Aux Délices Français‹ zu locken, um ihn da so plötzlich und für Lindner komplett unerwartet zu erschießen. Lindner hatte die Bäckerei arglos und vermutlich in dem Glauben einer geschäftlichen Verabredung betreten. Er saß wehrlos an seinem Tisch und trank einen Espresso, als der Angeklagte ihn mit der zuvor dem Zeugen Schäfer brutal entwendeten Dienstwaffe in Mordabsicht erschoss.«

Bäumler ging wieder zu seinem Tisch, setzte seine Lesebrille auf und griff sich den obersten seiner zahlreichen Aktenordner. In den folgenden fünf Minuten widmete er sich ausführlich der rechtlichen Bewertung der angeklagten Straftaten und erfüllte damit die Formalien eines staatsanwaltlichen Schlussvortrages wie aus dem Lehrbuch.

Nicht schlecht, musste Rocco Eberhardt neidlos anerkennen, nicht schlecht! Bäumler war besser vorbereitet und argumentierte sauberer, als er es ihm zugetraut hatte. Es kam ihm so vor, als wenn Bäumler das Plädoyer seines Lebens hielt.

Als der Oberstaatsanwalt im Anschluss auch die Normenketten der Vorschriften aus dem Strafgesetzbuch runtergebetet hatte, schloss er langsam die Akte, legte diese mit einer schwungvollen Bewegung auf seinen Tisch und setzte dann in einer dramatischen Geste seine Lesebrille ab.

»Hohes Gericht«, schloss er seinen Vortrag. »Es wird daher beantragt, den Angeklagten wegen Mordes in Tatmehrheit mit gefährlicher Körperverletzung zu einer lebenslangen Freiheitsstrafe zu verurteilen.«

Mit diesen Worten blickte er noch einmal zu Nölting, schüttelte mit einem bedauernden Ausdruck den Kopf und nahm am Tisch der Staatsanwaltschaft Platz.

100. KAPITEL

Der Tag der Schlussplädoyers

Berlin-Moabit, Kriminalgericht, Schwurgerichtssaal 700:
Freitag, 4. September, 11.08 Uhr

»Hohes Gericht, Herr Oberstaatsanwalt«, begann Rocco Eberhardt keine Minute später sein Schlussplädoyer und stand dabei, wie es üblich ist, hinter dem Tisch der Verteidigung.

»Herr Doktor Bäumler hat gerade präzise und auf den Punkt vorgetragen, was sich in dieser Sache ereignet hat.« Mit einem anerkennenden Nicken blickte er zu Bäumler, der ihm endlich einmal aufmerksam zuzuhören schien.

Doch anstatt mit seinem Plädoyer fortzufahren, klappte Rocco Eberhardt für alle Anwesenden völlig überraschend und mit einer ebenso deutlichen Geste wie schon zuvor der Oberstaatsanwalt seine Akte zu, die er eben noch offen in seinen Händen gehalten hatte, und nahm selbst auch wieder Platz.

Ein Raunen ging durch den Saal und die Boulevardjournalisten und Gerichtsreporter, die heute am letzten Tag des Verfahrens in noch größer Zahl als an den vorherigen Tagen erschienen waren, schauten sich irritiert an. Nicht anders war es im Zuschauerraum, wo offensichtlich auch keiner verstand, was hier gerade passierte. Hatte der Anwalt sich wirklich gesetzt und sein Plädoyer beendet, bevor er es überhaupt wirklich begonnen hatte?

Eberhardt ließ sich davon nicht im Geringsten irritieren, sondern blickte konzentriert auf die vor ihm liegenden Akten. Ganze dreißig Sekunden rührte er sich nicht, eine eigentlich kurze

Zeitspanne, die in dieser besonderen Situation aber allen Beteiligten im Schwurgerichtssaal 700 des Kriminalgerichts wie eine Ewigkeit erscheinen musste.

Stirnrunzelnd räusperte sich jetzt auch die Vorsitzende Richterin, Doktor Ariane Gregor.

»Herr Verteidiger«, sprach sie Eberhardt an und schien genauso wie alle anderen zu rätseln, was hier gerade geschah. »Können wir damit rechnen, dass Sie noch etwas ergänzen und einen Antrag stellen werden?«

Rocco erwiderte ihren Blick für einen Moment und sah dann die beiden Schöffen an, die links und rechts neben den drei Berufsrichtern hinter dem großen, leicht erhobenen Podest saßen. Ein Lächeln spielte um seine Lippen.

Dann erhob er sich wieder, ehe er ruhig zu sprechen begann: »Eigentlich ist alles gesagt. Wir haben Zeugen gehört, die ebenso wie der Vertreter der Staatsanwaltschaft eindrücklich berichtet haben, was im Januar in der Bäckerei an der Neuen Kantstraße geschehen ist.«

Rocco drehte sich wieder zu Bäumler.

»Und auch die juristische Bewertung des Oberstaatsanwaltes ist zutreffend. Das Gesetz unterscheidet zwischen verschiedenen Tatbeständen, in denen die sogenannten Tötungsdelikte beschrieben sind. Wenn jemand einen anderen Menschen absichtlich tötet und dabei dessen Arg- und Wehrlosigkeit ausnutzt, dann ist er als Mörder zu bestrafen. Und auf Mord steht nach dem Wortlaut des Gesetzes nur eine einzige Strafe: lebenslange Haft!«

Rocco blickte jetzt zu Nikolas Nölting, der wie an jedem Verhandlungstag hinter der Glasscheibe in dem kleinen, abgesperrten Bereich hinter der Verteidigung saß. »Es gibt keinen Zweifel, dass mein Mandant diese Mordmerkmale erfüllt hat.«

An die beiden Schöffen gewandt ergänzte er: »Und wir alle,

mich eingeschlossen, haben auch keinen Zweifel daran, dass er Moritz Lindner töten wollte.«

Rocco drehte sich zu den Zuschauern um und zeigte dann auf Justus Jarmer, der in der Reihe unmittelbar hinter den Reportern aufmerksam dem Geschehen folgte.

»Herr Doktor Jarmer hat in seinem Gutachten berichtet, dass die Geschädigten Carola Franz und Doktor Peter Renz nur verhältnismäßig leicht verletzt wurden, der Getötete Lindner hingegen durch zwei präzise gesetzte Schüsse in unmittelbarer Herznähe sterben musste.«

Eberhardt wandte sich wieder an die Gerichtsbank und suchte Blickkontakt zu den beiden Schöffen. Diese schienen nun vollends verwirrt zu sein. Es schien ihnen wahrscheinlich, als würde er das Grab seines Mandanten mit jedem seiner Sätze weiter ausheben.

Rocco hingegen wusste genau, was er tat. Er folgte präzise einem Plan.

»Hohes Gericht, Frau Vorsitzende, verehrte Richter und verehrte Schöffen. Ich hatte in anderen Worten, aber vom Ergebnis her identisch den gleichen Vortrag wie Oberstaatsanwalt Doktor Bäumler vorbereitet.«

Eberhardt hob die Akte von seinem Tisch auf und hielt sie als Beweis seiner Behauptung in die Luft, ehe er sie wieder vor sich fallen ließ. Dann schaute er nacheinander von einem der Richter und Schöffen zum nächsten.

»Und auch wenn ich da viel Arbeit reingesteckt habe, viel Recherche und auch einiges an erklärenden Worten, möchte ich Ihnen ganz einfach nicht die Zeit stehlen und das alles noch einmal wiederholen.«

Rocco drehte sich jetzt mit dem Rücken zu der Richterbank und ließ seinen Blick langsam über die gefüllten Bänke im Zuschauerraum schweifen.

Dabei blieb er an einer Person hängen, die hinten links in der vorletzten Reihe Platz genommen hatte. Sein Vater. Rocco war überrascht, ihn zu sehen, und fragte sich, was er hier wollte. Dann schob er den Gedanken aber schnell beiseite. Dafür war jetzt keine Zeit.

»Und auch Ihnen«, sagte er dann mit einem Nicken in den Zuschauerraum, »auch Ihnen möchte ich nicht die Zeit stehlen.«

Er drehte sich wieder um und suchte jetzt nur noch mit den beiden Schöffen Augenkontakt.

»Und doch möchte ich Sie bitten, mir jetzt für etwa fünf Minuten ganz konzentriert zuzuhören.«

Während er das sagte, begann Rocco, leicht mit dem Kopf zu nicken, und ohne dass sie es selbst merkten, stimmten erst die beiden Schöffen und dann auch die übrigen drei Richter inklusive der Vorsitzenden in sein Nicken mit ein.

»Ich danke Ihnen«, fuhr Rocco fort. »Denn was ich Ihnen jetzt sagen werde, wird auf die Beurteilung des vorliegenden Falles und insbesondere auf das Strafmaß eine ganz erhebliche Auswirkung haben.«

101. KAPITEL

Der Tag der Schlussplädoyers

Berlin-Moabit, Kriminalgericht, Schwurgerichtssaal 700:
Freitag, 4. September, 11.32 Uhr

»Nikolas Nölting ist kein Mörder im eigentlichen Sinne«, begann Rocco Eberhardt den zentralen Teil seines Schlussvortrages. »Der Gesetzgeber hat die lebenslange Strafe für die besonders verabscheuungswürdige Beendigung eines Menschenlebens vorgesehen.«

Rocco drehte sich kurz zu Nikolas Nölting und dann wieder zur Gerichtsbank um.

»Mein Mandant, Nikolas Nölting, wollte aber im Unterschied zu einem gewöhnlichen Mörder nicht einfach das Leben eines Menschen auf abscheuliche Art auslöschen. Nikolas Nölting hatte eine ganz andere Absicht. Ihm ging es nicht darum, Moritz Lindner zu ermorden. Hier ging es einem Vater ausschließlich darum, das Leben seiner Tochter zu retten. Das war sein Motiv! Das war das Motiv von Nikolas Nölting.«

Rocco räusperte sich und machte eine kurze Pause, um seinen Worten mehr Gewicht zu verleihen.

»Moritz Lindner war kein guter Mensch. Er hat Nikolas Nölting, mit dem er noch zuvor zusammengearbeitet hatte, erpresst. Und nicht nur das. Als mein Mandant erkannt hat, dass die von ihm begangene Unterstützung bei der Umwidmung von Grundstücken nicht rechtens war und er diese beenden wollte, hat Moritz Lindner das nicht akzeptiert. Und er hat meinen Mandanten nicht mit Folgen für dessen eigenes Wohlsein oder dessen Geld erpresst. Nein, er hat etwas viel Schlimmeres getan. Er hat Nikolas Nölting klargemacht, dass er den Menschen, der ihm am meisten auf dieser Welt etwas bedeutet, dass er seine geliebte Tochter Lily …«

Rocco unterbrach an dieser Stelle den Satz und griff nach seinem Wasserglas, um einen großen Schluck zu trinken.

»… entschuldigen Sie bitte«, sagte er, ehe er fortfuhr: »… seine geliebte Tochter Lily umbringen lassen würde. Mein Mandant hätte jetzt vieles tun können. Und glauben Sie mir, das hat er auch in Erwägung gezogen. Aber jeder Weg, der möglich schien, endete zwangsläufig immer wieder an der gleichen Stelle. Lilys Leben würde weiter in Gefahr sein. Also sah Nikolas Nölting nur eine einzige Möglichkeit: Er musste die Gefahr von seiner Tochter abwenden und gleichzeitig dafür sorgen, dass er nicht mehr erpressbar war. Auch wenn das bedeuten würde, dass er für immer ins Gefängnis gehen würde. Das waren ihm das Leben und die Gesundheit seiner Tochter wert. Seine eigene Freiheit für das Leben seiner Tochter.«

Rocco merkte, dass er jetzt nicht nur die volle Aufmerksamkeit der Schöffen hatte, sondern auch, dass diese sich nach und nach seinen Argumenten anschlossen.

Das war genau, was er beabsichtigte. Er hatte relativ wenig Einfluss auf die Meinung von Doktor Ariane Gregor. Die erfahrene Richterin war Profi genug, sich längst vor dem heutigen Tag ihre Meinung gebildet zu haben. Ebenso wie die anderen beiden Berufsrichter. Die einzigen beiden Personen, die ihre möglicherweise auch schon vorgefasste Meinung nach seinem Plädoyer noch ändern könnten, waren die Schöffen. Und sie hatten, auch wenn das in der Praxis nur wenige von ihnen nutzten, ganz erhebliches Gewicht bei der Urteilsfindung. Ihre Stimmen zählten genauso viel wie die von Doktor Ariane Gregor und den anderen beiden Berufsrichtern der Strafkammer. Und darauf kam es ihm an. Er wollte sichergehen, die beiden Laienrichter auf seine Seite zu ziehen, damit das Pendel im Zweifel zugunsten seines Mandanten ausschlug.

»Doch die Frage ist, wie das Ganze rechtlich zu bewerten ist, wenn das Gesetz doch beim tatbestandlichen Vorliegen eines heimtückischen Mordes lebenslange Freiheitsstrafe verlangt.«

Rocco machte eine erneute Pause und griff wieder zu seiner Akte. Er holte sieben Exemplare von jeweils einigen aneinandergehefteten, kopierten Blättern hervor und reichte je ein Exemplar den Richtern und Schöffen sowie Doktor Bäumler. Das letzte Exemplar behielt er für sich selbst.

»Bei der Beantwortung dieser Frage stehen wir aber zum Glück nicht alleine da«, fuhr er fort. »Denn das oberste Gericht in Deutschland, das über Strafsachen zu entscheiden hat, der Bundesgerichtshof in Karlsruhe, hat diese Frage ganz eindeutig für uns beantwortet.«

Rocco hob die Seiten für alle im Saal sichtbar jetzt mit seinem ausgestreckten Arm nach oben.

»Mit der sogenannten Rechtsfolgenlösung hat der Bundesgerichtshof eine Strafzumessungsvorschrift zum Mord entwickelt, die dem Gericht, hier also Ihnen, die Möglichkeit gibt, anstelle lebenslanger Freiheitsstrafe einen gemilderten Strafrahmen in Betracht zu ziehen.«

Ein Raunen ging durch den Saal, und nach und nach schienen immer mehr der Anwesenden festzustellen, dass Rocco Eberhardt alles andere als verrückt war.

Als Rocco sich sicher war, dass die Schöffen seine Worte verstanden hatten, fuhr er mit seinem Vortrag fort.

»Diese Lösung sieht unser oberstes Gericht immer dann als gerecht an, wenn die Verhängung einer lebenslangen Freiheitsstrafe trotz der Schwere des tatbestandsmäßigen Unrechts unverhältnismäßig wäre. Das ist immer dann der Fall, wenn jemand, wie mein Mandant Nikolas Nölting, zwar nach den Buchstaben des Gesetzes einen Mord begangen hat, aber außergewöhnliche Umstände vorliegen, die das Ausmaß der Schuld des Täters erheblich reduzieren. Ganz ausdrücklich zählt der Bundesgerichtshof dabei zum Beispiel tiefes Mitleid, gerechten Zorn oder schwere Provokation auf.«

Rocco legte die Blätter, auf denen der entsprechende Beschluss des Bundesgerichtshofs abgedruckt war, wieder vor sich auf dem Tisch der Verteidigung ab. Er machte eine weitere Pause, denn die Schöffen blätterten den Beschluss durch und blickten dabei zu der Vorsitzenden Richterin, als suchten sie nach bestätigenden oder ablehnenden Worten.

Doktor Ariane Gregor aber ließ sich nicht im Geringsten anmerken, was gerade in ihr vorging. Rocco ahnte, dass sie sich das für das später folgende Beratungsgespräch aufheben würde, das sie gemeinsam mit den übrigen Richtern und Schöffen führen würde, um über das Urteil gegen Nikolas Nölting zu entscheiden.

Rocco atmete noch einmal tief durch. Seine letzten Sätze in diesem Verfahren mussten sitzen.

»Deshalb hohes Gericht, bleibt nur eine logische Folgerung übrig. Nikolas Nölting hat Moritz Lindner getötet. Er tat das aber nicht, weil er ein böser Mensch ist, er tat das nicht in dem Bewusstsein, eine abscheuliche Tat zu begehen, sondern er tat das ausschließlich, weil er das Leben seiner Tochter Lily schützen wollte und keine andere Wahl sah, dies zu erreichen. Auch in dem Bewusstsein, dafür sein eigenes Leben für immer hinter Gittern verbringen zu müssen.«

Rocco machte eine letzte Pause.

»Größer kann die Liebe eines Vaters für seine Tochter wohl nicht sein. Und noch nie in meiner beruflichen Laufbahn habe ich einen Fall gesehen, auf den die vom Bundesgerichtshof entwickelte Rechtsfolgenlösung mehr zugetroffen hätte als auf den

Fall von Nikolas Nölting. Ich beantrage daher, meinen Mandanten wegen Mordes in Tatmehrheit mit gefährlicher Körperverletzung unter Anwendung des Strafrahmens des Paragrafen 49 Absatz 1 Nummer 1 Strafgesetzbuch, den der Bundesgerichtshof dafür heranzieht, zu einer Freiheitsstrafe von fünf Jahren zu verurteilen.«

102. KAPITEL

»Im Namen des Volkes verkünden wir folgendes Urteil: Der Angeklagte Nikolas Nölting wird wegen Mordes in Tatmehrheit mit gefährlicher Körperverletzung zu einer Haftstrafe von sechs Jahren verurteilt!«

Entrüstet schlug Oberstaatsanwalt Doktor Bäumler mit der Faust auf den Tisch. Offensichtlich war er davon ausgegangen, dass das Gericht seinem Antrag folgen würde. Hektisch blickte er in Richtung der Reporter und Zuschauer, als wolle er sehen, ob diese seine Enttäuschung teilten. Das schien nicht der Fall zu sein, sodass Bäumler davon Abstand nahm, seinem Ärger weiter Luft zu machen. Offensichtlich wollte er schlechte Schlagzeilen über sich vermeiden.

Ganz im Gegenteil zu Bäumler ballte Rocco Eberhardt siegesbewusst die Faust und drehte sich voller Erleichterung zu seinem Mandanten um. Tränen liefen über Nikolas Nöltings Wangen, und es schien Rocco, als fiele die Last von mehreren Jahren Versteckspiel, Heimlichkeiten, Lügen und der Anstrengung der vergangenen Monate mit einem Mal von ihm ab. Rocco nickte ihm mit einem Lächeln zu. Dann drehte er sich zum Zuschauerraum und suchte den Blick von Anja Nölting, die in der zweiten Reihe unmittelbar hinter den Reportern Platz genommen hatte. Sie strahlte ihn einfach nur an. Er ließ seinen Blick weiter schweifen, bis er schließlich an seinem Vater hängen blieb. Überrascht meinte Rocco das erste Mal in seinem erwachsenen Leben so etwas wie Stolz in dessen Augen zu sehen.

Wie durch einen Wattebausch hörte er dann, wie Doktor Ariane Gregor die Paragrafenkette der strafrechtlich relevanten Vorschriften aufzählte, ehe sie die Anwesenden bat, Platz zu nehmen, um das Urteil zu begründen.

Die Richter waren Roccos Argumentation in allen Belangen gefolgt und hatten die besondere Ausnahmesituation von Nikolas Nölting bestätigt. Das führte im Ergebnis, wie von Rocco beantragt, zu einer Anwendung der Rechtsfolgenlösung des Bundesgerichtshofs und zu einem reduzierten Strafrahmen.

Und auch wenn Rocco eine Strafe von fünf Jahren beantragt hatte, war das um ein Jahr erhöhte Ergebnis ein Geschenk des Himmels. Rocco merkte, wie jetzt auch von ihm eine große Last abfiel.

Die nächste halbe Stunde verging wie im Flug, und nachdem die Vorsitzende Richterin die Verhandlung offiziell beendet hatte, besprach Rocco sich nur kurz mit Nikolas Nölting, ehe dieser wieder von den Wachtmeistern aus dem Saal geleitet wurde. Sie hatten vereinbart, dass Rocco ihn am nächsten Tag in Moabit besuchen würde, um alles Weitere zu besprechen.

Im Anschluss daran stürzten sich die Reporter der versammelten Hauptstadtpresse auf Rocco, jeder interessiert daran, ihn als Ersten für die Schlagzeilen des nächsten Tages zu interviewen. Rocco winkte nur ab und erklärte, dass er heute für keine Fragen zur Verfügung stehen würde. Sie könnten sich aber morgen gerne an sein Büro wenden. Dann ging er zu Anja Nölting, die auf Roccos Anraten ebenfalls erklärt hatte, keine Stellungnahme zu dem Urteil abzugeben.

»Danke«, sagte sie nur und nahm Rocco in den Arm. Sie hielt ihn so fest, dass er für einen Moment keine Luft mehr bekam. Schließlich löste er sich aus ihrer Umarmung.

»Sehr, sehr gerne geschehen«, sagte er dann und vereinbarte auch mit der Frau seines Mandanten einen Termin für den folgenden Tag. Er hatte heute einfach keine Kraft mehr, sich ausführlich mit ihr zu unterhalten. Er bat einen der Wachtmeister, Anja Nölting nach draußen zu einem Taxi zu begleiten, um sie vor den Reportern zu schützen. Sie hatte in den vergangenen Monaten weiß Gott genug durchgemacht, als sich jetzt der Belastung der Presse auszusetzen.

Nachdem Rocco seine Sachen zusammengepackt hatte, verließ er zufrieden, aber völlig erschöpft den Gerichtssaal. Zum ersten Mal in den vergangenen Monaten realisierte er, wie sehr ihn der Fall Nölting gefordert hatte und wie groß die Belastung gewesen war.

Auf dem Flur vor dem Saal warteten sein Vater und Justus Jarmer auf ihn.

»Gut gemacht«, sagte Helmut Eberhardt nur knapp und blickte seinen Sohn mit einem Lächeln an. »Bleibt es bei heute Abend?«, fragte er. Rocco nickte.

»Na dann«, sagte sein Vater, klopfte seinem Sohn auf die Schulter und machte sich auf in Richtung Ausgang. Offensichtlich war das für ihn nicht der richtige Ort, inmitten all der nach wie vor anwesenden Zuschauer und Journalisten, sich mit Rocco zu unterhalten.

Rocco blickte seinem Vater hinterher und sah dann zu Justus Jarmer. Der Rechtsmediziner zog die Augenbrauen hoch und fragte ihn: »Haben Sie noch kurz einen Moment Zeit?«

»Natürlich«, erwiderte Rocco Eberhardt. »Lassen Sie uns doch ins Anwaltszimmer gehen, da haben wir etwas mehr Ruhe.«

103. KAPITEL

»Hier fing alles vor einem Dreivierteljahr an«, sagte Rocco und wies auf einen Tisch, an dem er mit Jarmer Platz nahm.

Fragend schaute der Rechtsmediziner ihn an, und Rocco berichtete von dem Treffen mit Anja Nölting, die einen Tag nach den Geschehnissen in der Bäckerei »Aux Délices Français« voller Verzweiflung im Anwaltszimmer einen Strafverteidiger gesucht hatte.

»Da hat sie wohl den Richtigen gefunden«, sagte Jarmer und lächelte Rocco dabei an.

»Na ja«, erwiderte der. »Das liegt wohl im Auge des Betrachters.«

Schweigend saßen die beiden Männer einander gegenüber, ehe Jarmer wieder das Wort ergriff.

»Wissen Sie was, Herr Eberhardt. Das war für uns beide eine Lehrstunde, oder?«

Rocco widerstand der Versuchung, sofort zu antworten, und dachte über Jarmers Worte nach. Zu Beginn des Verfahrens war der Fall Nölting für ihn wie jeder andere Fall auch gewesen. Nicht mehr oder weniger als eine Nummer auf einem Aktenordner und ein Spiel, das er gewinnen wollte. Im Laufe des Verfahrens und mit jeder neuen Erkenntnis wurde es aber mehr. Es wurde persönlich, und mit der Zeit kämpfte er nicht nur für die Familie von Nikolas Nölting, sondern auch für seine eigene. Er schaute den Rechtsmediziner an und fragte sich, was sich für Jarmer verändert hatte.

Der schien seine Gedanken zu lesen.

»Zwischen Schwarz und Weiß gibt es manchmal auch noch Raum für mehr«, sagte er nur.

Rocco nickte und hatte eine Idee davon, wie viel Überwindung es Jarmer gekostet haben musste, das einzuräumen. Für einen Moment überlegte er, ob er etwas darauf erwidern sollte, besann sich dann aber eines Besseren und blickte Jarmer direkt an.

Der hielt seinem Blick stand, und Rocco meinte so etwas wie Respekt, Neugier und in einem gewissen Maß auch Anerkennung in Jarmers Augen zu erkennen. Und da war noch etwas. Vielleicht war es Einsicht. Ganz so, als hätte der erfahrene Rechtsmediziner auch etwas mitgenommen, womit er nicht gerechnet hatte.

Dann, von einem Moment auf den anderen, erhob sich Jarmer.

»Man sieht sich«, sagte er und war im nächsten Moment aus dem Anwaltszimmer verschwunden.

Man sieht sich, dachte auch Rocco und hatte die Vermutung, dass sich ihre Wege nicht zum letzten Mal gekreuzt hatten.

104. KAPITEL

Erschöpft, aber glücklich blickte Rocco Eberhardt in die Runde. Neben Tobias und seinen Eltern saß auch Alessia, die nur wenige Stunden zuvor aus dem Krankenhaus entlassen worden war, an einem der beiden zusammengeschobenen Tische auf der Terrasse des kleinen Bistros direkt am Lietzensee. Rocco hatte diesen Ort bewusst gewählt, denn die Familie, die das Restaurant betrieb, war nicht nur herzlich und offen, sondern überzeugte ihre Gäste neben perfektem Service vor allem auch durch eine ausgezeichnete Speisekarte.

»So, kleine Schwester, du musst jetzt aber schleunigst nach Hause und zusehen, dass du wieder ganz auf die Beine kommst«, sagte Rocco und zwinkerte Alessia dabei zu.

Alessia war die Erschöpfung anzusehen, und Rocco machte sich ernsthafte Sorgen, dass sie die gute Entwicklung der letzten beiden Wochen unnötig aufs Spiel setzte. Auf der anderen Seite freute er sich so sehr für sie und bewunderte insgeheim ihre Stärke und ihren Mut, wie sie mit dieser Situation umging. Nicht für eine Sekunde gab sie ihm oder Tobias oder irgendjemand anderem die Schuld an dem, was geschehen war. Stattdessen schien sie sich ernsthaft über den großen Erfolg ihres Bruders zu freuen.

Allerdings konnte sie auch nicht widerstehen, ihn ein kleines bisschen damit aufzuziehen.

»Aber erst, wenn du mir noch einmal erzählst, welches Urteil du für den Fall rausgeschlagen hast«, erwiderte sie und zwinkerte ihrem großen Bruder zu.

»Sechs Jahre«, sagte Rocco lächelnd zum gefühlt hundertsten Mal an diesem langen und aufregenden Tag. »Sechs Jahre für Mord! Das, kleine Schwester, ist das Urteil, das dein großer Bruder rausgeschlagen hat.«

Alessia lachte und nahm Rocco in den Arm.

»Du bist der Beste«, sagte sie und drehte sich dann auf ihre andere Seite zu ihrem Freund. »Und du auch!«

Tobias Baumann musste lachen und nahm Alessia vorsichtig in den Arm.

»Und genau deshalb bringe ich dich jetzt nach Hause.«

Die beiden erhoben sich, und gerade als sie sich verabschieden wollten, klingelte Roccos Handy. Er blickte auf das Display, konnte aber mit der Nummer nichts anfangen.

»Entschuldigt mich bitte«, sagte er zu Alessia und Tobias. »Da gehe ich kurz ran.«

»Eberhardt«, sagte er, völlig ahnungslos, wer das sein könnte.

»Rocco, ich bin's. Sven. Sven Beister.«

Sven Beister, schoss es Rocco durch den Kopf. Er kannte den Namen, brauchte aber einige Sekunden, um ihn richtig einzuordnen. Sven Beister vom LKA. Warum rief ihn der Ermittler an?

»Rocco«, fuhr dieser fort, »ich muss dir etwas sagen. Du hast diese Information aber auf keinen Fall von mir, verstehen wir uns da richtig?« Man konnte ihm die Anspannung förmlich anhören.

»Klar, kannst du dich drauf verlassen«, erwiderte Rocco nur kurz und war von einer Sekunde auf die andere in Alarmbereitschaft versetzt.

»Also gut, hör mir jetzt ganz genau zu«, fuhr Beister fort. »Wir ermitteln schon seit Längerem in einem Fall, der in den nächsten Monaten durch die Presse gehen wird. Das Ganze wird wie eine

Bombe einschlagen, die eine ganze Reihe von Politikern, Wirtschaftsbossen und auch Ermittlern aus der Staatsanwaltschaft ins Verderben reißen wird.«

»Und was hat das Ganze mit mir zu tun?«, fragte Rocco irritiert.

»Ganz einfach. Zwei der Namen, die ganz oben auf der Liste der Verdächtigen stehen, sind dir gut bekannt.«

Rocco blieb jetzt stehen und blickte über das Ufer auf den See im Zentrum des Parks.

»Und welche Namen sollen das sein?«, fragte er und hatte keine Ahnung, worauf Beister hinauswollte.

»Oberstaatsanwalt Doktor Bäumler …«, erwiderte der nur, »… und: Helmut Eberhardt.«

DANKSAGUNG

Unser großer Dank gilt zunächst Hannah Paxian und Lena Klein, unseren tollen Lektorinnen, für die engagierte, inspirierende und überaus konstruktive Zusammenarbeit bei dem ersten Teil unserer Justiz-Krimi-Reihe um Strafverteidiger Rocco Eberhardt und Rechtsmediziner Justus Jarmer.

Ein herzliches Dankeschön geht an Roman Hocke, unseren Agenten, und seine Mitarbeiterinnen Susanne Wahl, Claudia von Hornstein und Cornelia Petersen-Laux, stellvertretend für das gesamte großartige Team von AVA international in München.

Bei Droemer Knaur danken wir, ebenfalls stellvertretend für alle anderen im Verlag, die bei diesem Buch mitgemischt oder irgendwie ihre Finger im Spiel hatten: Doris Janhsen, Katharina Ilgen, Natalja Schmidt, Nina Vogel, Patricia Keßler, Antje Buhl, Monika Neudeck, Hanna Pfaffenwimmer und Steffen Haselbach.

Meinen guten Freunden Patrick, Thomas, Bernhard, Staffan und Annika danke ich, Florian Schwiecker, herzlich für Ideen, Hintergründe und Faktencheck in den Bereichen Polizeiarbeit, Clankriminalität und Bauwesen. Ebenso gilt mein herzlicher Dank dem Team des Restaurants Engelbecken in Berlin-Charlottenburg, allen voran Stephanie, für die perfekte Betreuung während des Schreibens.

Ein ganz spezielles Dankeschön geht von mir, Michael Tsokos, an meine Frau Anja, stellvertretend für die ganze Tsokos-Familie, die nicht ganz unschuldig beziehungsweise die Inspiration für die Eingangsszene vor und in der Bäckerei »Aux Délices Français« war (auch wenn das Wiener Conditorei Caffeehaus im Westend und keine Bäckerei »Aux Délices Français« für die Kulisse Pate stand ...).

Und Ihnen, liebe Leserinnen und Leser, danken wir für den Griff auf den richtigen Büchertisch beziehungsweise den richtigen Klick bei Ihrem Online-Buchhändler. Wir wünschen Ihnen spannende Unterhaltung mit der Rocco-Eberhardt-und-Dr.-Justus-Jarmer-Reihe!

Florian Schwiecker & Michael Tsokos